VOYAGE EN RUSSIE

ALEXANDRE DUMAS

VOYAGE EN RUSSIE

HISTOIRES TRÈS RUSSES

LE CERCLE DU LIVRE DE FRANCE

I

LA CONSPIRATION PAHLEN

Vous connaissez l'empereur Paul Ier ; maintenant, vous devez comprendre qu'un règne comme le sien succédant au règne intelligent et artistique de Catherine Seconde, devait être insupportable aux seigneurs russes, qui n'étaient jamais sûrs, en se couchant le soir, de ne pas s'éveiller à la forteresse ; ou, en montant en voiture, de ne point partir pour la Sibérie.

Cependant, au milieu de ces exils et de ces disgrâces, deux hommes avaient conservé leur position, et semblaient enracinés à leur poste.

L'un était le comte Koutaïsof, ce barbier turc dont nous avons raconté l'histoire à propos de la statue de Souvorof.

L'autre était le comte Pahlen.

Le baron Pierre Pahlen, créé comte par Paul Ier, le 22 février 1799, était de bonne noblesse courlandaise. Ses aïeux avaient été faits barons par le roi Charles IX de Suède ; créé major général sous Catherine, grâce à l'amitié de Platon Zoubof, dernier favori de l'impératrice, il avait été élevé à la place de gouverneur civil de la ville de Riga.

Or, quelque temps avant son avènement au trône, le grand-duc Paul, passant par l'ancienne capitale du duché de Livonie, y fut reçu par le comte Pahlen avec les honneurs dus à l'héritier du trône. C'était à l'époque où Paul était en exil, ou à peu près. Peu habitué à de semblables réceptions, il fut reconnaissant au gouverneur de Riga de celle qu'il avait osé lui faire, au risque de déplaire à l'impératrice ; et, devenu empereur, il fit venir Pahlen à Saint-Pétersbourg, le décora des premiers ordres de l'empire, le nomma chef des gardes et gouverneur de la ville.

Il déplaçait pour lui son fils, le grand-duc Alexandre, dont le respect et l'amour n'avaient pu désarmer sa défiance.

Mais justement, de la position qu'il occupait près de l'empereur, Pahlen avait vu tant de gens monter à la faveur par un caprice, et par un caprice en descendre ; il avait vu tant d'autres en tomber et se briser en tombant, qu'il ne comprenait pas lui-même par quelle bizarrerie du sort il n'avait pas suivi les autres. Un dernier exemple de l'instabilité des fortunes humaines le frappa. Son ancien protecteur Zoubof, à qui nous avons vu Paul, à la mort de Catherine, conserver son grade d'aide de camp général du palais, et confier la garde du cadavre de sa mère, tomba tout à coup, et sans raison, en disgrâce, vit les scellés mis sur sa chancellerie, ses deux secrétaires chassés, et tous les officiers de son état-major forcés de rejoindre leur corps ou de donner leur démission.

Ce n'était pas tout : le lendemain, tous ses autres commandements lui avaient été retirés ; le surlendemain, on lui avait demandé sa démission des vingt-cinq ou trente emplois qu'il occupait, et une semaine ne s'était pas écoulée, qu'il avait reçu l'ordre de quitter la Russie.

Platon, alors, s'était retiré en Allemagne, et, là, jeune, beau, couvert de décorations, il faisait excuser le moyen par lequel il était arrivé, et comprendre qu'au moment où il risquait la Sibérie en manquant, autant qu'il était possible, de respect à l'impératrice, celle-ci, au lieu de le punir, lui eut dit, encore plus tendrement que royalement :

— Par la grâce de Dieu, cela nous plaît, continuez.

Et cependant, malgré ses succès à Vienne et à Berlin, Zoubof — nous pouvons dire le prince Zoubof, car il avait été fait prince du Saint-Empire le 2 juin 1796 —, le prince Zoubof regrettait Saint Pétersbourg; il était en correspondance avec Pahlen, et le suppliait de s'occuper chaudement de sa rentrée dans le monde russe.

Pahlen ne savait trop comment s'y prendre pour arriver à ce résultat, quand, tout à coup, une idée lumineuse lui traversa le cerveau.

— Vous n'avez qu'un moyen de rentrer à Saint-Pétersbourg, lui dit-il : c'est de demander la main de la fille du barbier Koutaïsof. On vous l'accordera. Vous reviendrez à Saint-Pétersbourg, vous ferez la cour à votre fiancée, le mariage traînera en longueur, et qui sait si, pendant ce temps-là, quelque événement ne s'accomplira point, qui vous permette de rester à Saint-Pétersbourg ?

Le conseil parut bon à Zoubof ; il écrivit au comte Koutaïsof une lettre, dans laquelle il suppliait l'ancien barbier de lui accorder sa fille.

Celui-ci reçut la lettre, la lut et la relut, il n'y pouvait croire ; le prince Platon Zoubof, le dernier amant de Catherine, le plus beau, le plus élégant, le plus riche des gentilshommes russes, demandait à s'allier à lui !

Il courut au palais, se jeta aux pieds de l'empereur et lui montra la lettre.

Celui-ci la lut à son tour et, la lui rendant après l'avoir lue :

— C'est la première idée raisonnable qui passe par la tête de ce fou, dit-il. C'est bien, qu'il revienne.

Quinze jours après, Zoubof était à Saint-Pétersbourg et, avec l'agrément de Paul, faisait sa cour à la fille du favori.

A peine Zoubof à Saint-Pétersbourg, comme si l'on n'eut attendu que son arrivée, la conspiration se noua.

D'abord, les conjurés ne parlèrent que d'une simple abdication, d'une substitution de personne, et voilà tout : l'empereur serait envoyé sous bonne garde dans quelque province éloignée, dans quelque forteresse inabordable et le grand-duc, dont on disposait sans son consentement, monterait sur le trône.

Quelques-uns seulement savaient que l'on tirerait le poignard au lieu de l'épée et que le poignard, une fois tiré, il ne rentrerait que sanglant au fourreau ; ceux-là connaissaient le tzarévitch Alexandre et, sachant qu'il n'accepterait pas une régence, ils étaient décidés à lui faire une succession.

Cependant Pahlen, quoique le chef de la conspiration, avait scrupuleusement évité de donner une seule preuve contre lui ; de sorte que, selon l'événement, il pouvait seconder ses compagnons ou secourir Paul. Cette réserve de sa part jetait une certaine froideur sur les délibérations et les choses eussent peut-être traîné ainsi en longueur un an encore, s'il ne les avait hâtées lui-même par un stratagème étrange, mais qu'avec la connaissance qu'il avait du caractère de Paul, il savait devoir réussir. Il écrivit au tzar une lettre anonyme, dans laquelle il l'avertissait du danger dont l'empire était menacé. A cette lettre était jointe une liste contenant les noms de tous les conjurés.

Le premier mouvement de Paul, en recevant cette lettre, fut de doubler les postes du palais Saint-Michel et d'appeler Pahlen.

Pahlen, qui s'attendait à cette invitation, s'y rendit aussitôt. Il trouva Paul Ier dans sa chambre à coucher, située au premier étage. C'était une grande pièce carrée, avec une porte en face de la cheminée, deux fenêtres donnant sur la cour ; un lit en face de ces deux fenêtres et, au pied du lit, une porte dérobée qui donnait chez l'impératrice ; en outre, une trappe, connue de l'empereur seul, était pratiquée dans le plancher. J'ai dit qu'on ouvrait cette trappe en la pressant avec le talon de la botte et qu'elle donnait sur l'escalier dans un corridor par lequel on pouvait fuir du palais.

Paul se promenait à grands pas, entrecoupant sa marche d'interjections terribles, lorsque la porte s'ouvrit et que le comte parut. L'empereur se retourna et, demeurant debout les bras croisés, les yeux sur Pahlen :

— Comte, lui dit-il après un instant de silence, savez-vous ce qui se passe ?

— Je sais, répondit Pahlen, que mon gracieux souverain me fait appeler, et que je m'empresse de me rendre à ses ordres.

— Mais savez-vous pourquoi je vous fais appeler ? s'écria Paul avec un mouvement d'impatience.

— J'attends respectueusement que Votre Majesté daigne me le dire.

— Je vous ai fait appeler, monsieur, parce qu'une conspiration se trame contre moi.

— Je le sais, sire.

— Comment, vous le savez ?

— Sans doute. Je suis un des complices.

— Eh bien, je viens d'en recevoir la liste. La voici.

— Et moi, sire, j'en ai le double : la voilà.

— Pahlen ! murmura Paul épouvanté, et ne sachant encore ce qu'il devait croire.

— Sire, reprit le comte, vous pouvez comparer les deux listes ; si le délateur est bien informé, elles doivent être pareilles.

— Voyez, dit Paul.

— Oui, c'est cela, dit froidement Pahlen ; seulement, trois personnes sont oubliées.

— Lesquelles ? demanda vivement l'empereur.

— Sire, la prudence m'empêche de les nommer ; mais, après la preuve que je viens de donner à Votre Majesté de l'exactitude de mes renseignements, j'espère qu'elle daignera m'accorder une confiance entière et se reposer sur mon zèle du soin de veiller à sa sûreté.

— Point de défaite, interrompit Paul avec toute l'énergie de la terreur ; qui sont-ils ? Je veux savoir qui ils sont, à l'instant même.

— Sire, répondit Pahlen en inclinant la tête, le respect m'empêche de révéler d'augustes noms.

— J'entends, reprit Paul d'une voix sourde et en jetant un coup d'œil sur la porte dérobée qui conduisait à l'appartement de sa femme. Vous voulez dire l'impératrice, n'est-ce pas ? vous voulez dire le tzarevitz Alexandre et le grand-duc Constantin ?

— Si la loi ne doit connaître que ceux qu'elle peut atteindre...

— La loi atteindra tout le monde, monsieur, et le crime, pour être plus grand, ne sera pas impuni. Pahlen, à l'instant même, vous arrêterez les deux grands-ducs et, demain, ils partiront pour Schlusselbourg. Quant à l'impératrice, j'en disposerai moi-même. Pour les autres conjurés, c'est votre affaire.

— Sire, dit Pahlen, donnez-moi l'ordre écrit et, si haute que soit la tête qu'il frappe, si grands que soient ceux qu'il doit atteindre, j'obéirai.

— Bon Pahlen ! s'écria l'empereur, tu es le seul serviteur fidèle qui me reste. Veille sur moi, Pahlen ; car je vois bien qu'ils veulent tous ma mort et que je n'ai plus que toi.

À ces mots, Paul signa l'ordre d'arrêter les deux grands-ducs et remit cet ordre à Pahlen.

C'était tout ce que désirait l'habile conjuré. Muni de ces différents ordres, il courut au logis de Platon Zoubof, chez qui il savait les conspirateurs assemblés.

— Tout est découvert ! leur dit-il ; voici l'ordre de vous arrêter. Il n'y a donc pas un instant à perdre ; cette nuit, je suis encore gouverneur de Saint-Pétersbourg ; demain, je serai peut-être en prison. Voyez ce que vous voulez faire.

Il n'y avait pas à hésiter, car l'hésitation, c'était l'échafaud, ou, tout au moins, la Sibérie. Les conjurés prirent rendez-vous, pour la nuit même, chez le comte Talitzine colonel du régiment de Préobrajensky ; et, comme ils n'étaient pas assez nombreux, ils résolurent de s'augmenter de tous les mécontents arrêtés dans la journée même. La journée avait été bonne, car, dans la matinée, une trentaine d'officiers appartenant aux meilleures familles de Saint-Pétersbourg avaient été dégradés et condamnés à la prison ou à l'exil pour des fautes qui méritaient à peine une réprimande. Le comte ordonna qu'une douzaine de traîneaux se tinssent prêts à la porte des différentes prisons où étaient enfermés ceux qu'on voulait s'associer ; puis, voyant ses complices décidés, il se rendit chez le tzarévitch Alexandre.

Celui-ci venait de rencontrer son père dans un corridor du palais et avait été, comme d'habitude, droit à lui ; mais Paul, lui faisant signe de la main de se retirer, lui avait enjoint de rentrer chez lui et d'y demeurer jusqu'à nouvel ordre. Le comte le trouva donc d'autant plus inquiet, qu'il ignorait la cause de cette colère qu'il avait lue dans les yeux de l'empereur ; aussi à peine aperçut-il Pahlen, qu'il lui demanda s'il n'était point chargé, de la part de son père, de quelque ordre pour lui.

— Hélas ! répondit Pahlen, oui, Votre Altesse, je suis chargé d'un ordre terrible.

— Et lequel ? demanda Alexandre.

— De m'assurer de Votre Altesse et de lui demander son épée.

— À moi ! mon épée ! s'écria Alexandre ; et pourquoi ?

— Parce que, à compter de cette heure, vous êtes prisonnier.

— Moi, prisonnier ! et de quel crime suis-je donc accusé, Pahlen ?

— Votre Altesse impériale n'ignore pas qu'ici, malheureusement, on encourt parfois le châtiment sans avoir commis l'offense.

— L'empereur est doublement maître de mon sort, répondit Alexandre, et comme mon souverain et comme mon père. Montrez-moi l'ordre et, quel qu'il soit, je suis prêt à m'y soumettre.

Le comte lui remit l'ordre ; Alexandre l'ouvrit, baisa la signature de son père, puis commença à lire. Seulement, lorsqu'il fut arrivé à ce qui concernait Constantin :

— Et mon frère aussi ! s'écria-t-il. J'espérais que l'ordre ne concernait que moi seul.

Mais, parvenu à l'article qui concernait l'impératrice :

— Oh ! ma mère, ma vertueuse mère ! cette sainte du ciel descendue parmi nous ! C'en est trop, Pahlen, c'en est trop !

Et, se couvrant le visage de ses deux mains, il laissa tomber l'ordre. Pahlen crut que le moment favorable était venu.

— Monseigneur, lui dit-il en se jetant à ses pieds, monseigneur, écoutez-moi : il faut prévenir de grands malheurs ; il faut mettre un terme aux égarements de votre auguste père. Aujourd'hui, il en veut à votre liberté ; demain peut-être, il en voudra à votre...

— Pahlen !

— Monseigneur, souvenez-vous d'Alexis Petrovitch.

— Pahlen, vous calomniez mon père !

— Non, monseigneur, car ce n'est pas son cœur que j'accuse, c'est sa raison. Tant de contradictions étranges, tant d'ordonnances inexécutables, tant de punitions inutiles ne s'expliquent que par l'influence d'une maladie terrible. Ceux qui entourent l'empereur le disent tous, et ceux qui sont loin de lui le répètent, monseigneur, votre malheureux père est insensé.

— Mon Dieu !

— Eh bien, monseigneur, il faut le sauver de lui-même. Ce n'est pas moi qui viens vous donner ce conseil, c'est la noblesse, c'est le sénat, c'est l'empire, et je ne suis ici que leur interprète ; il faut que l'empereur abdique en votre faveur.

— Pahlen ! fit Alexandre en reculant d'un pas, que me dites-vous là ? Moi, que je succède à mon père, vivant encore ! que je lui arrache la couronne de la tête et le sceptre des mains ! C'est vous qui êtes fou, Pahlen... Jamais ! jamais !

— Mais, monseigneur, vous n'avez donc pas vu l'ordre ? Croyez-vous qu'il s'agisse d'une simple prison ? Non pas ; croyez-moi, les jours de Votre Altesse sont en danger.

— Sauvez mon frère ! sauvez l'impératrice ! c'est tout ce que je vous demande, s'écria Alexandre.

— Eh ! en suis-je le maître? dit Pahlen ; l'ordre n'est-il pas pour eux comme pour vous? Une fois arrêtés, une fois en prison, qui vous dit que des courtisans trop pressés, en croyant servir l'empereur, n'iront pas au-devant de ses volontés? Tournez les yeux vers l'Angleterre, monseigneur : même chose s'y passe ; quoique le pouvoir, moins étendu, rende le danger moins grand, le prince de Galles est prêt à prendre la direction du gouvernement, et cependant la folie du roi George est une folie douce et inoffensive. D'ailleurs, monseigneur, un dernier mot : peut-être, en acceptant ce que je vous offre, sauvez-vous la vie, non seulement du grand-duc et de l'impératrice, mais encore de votre père !

— Que voulez-vous dire?

— Je dis que le règne de Paul est si lourd, que la noblesse et le sénat sont décidés à y mettre fin par tous les moyens possibles. Vous refusez une abdication? Peut-être, demain, serez-vous obligé de pardonner un assassinat.

— Pahlen ! dit Alexandre, ne puis-je donc voir mon père?

— Impossible, monseigneur ; défense positive est faite de laisser pénétrer Votre Altesse jusqu'à lui.

— Et vous dites que la vie de mon père est menacée?

— La Russie n'a d'espoir qu'en vous, monseigneur, et, s'il faut que nous choisissions entre un jugement qui nous perd et un crime qui nous sauve, nous choisirons le crime.

Pahlen fit un mouvement pour sortir.

— Pahlen, s'écria Alexandre en l'arrêtant d'une main, tandis que, de l'autre, il tirait de sa poitrine un crucifix qu'il y portait suspendu à une chaîne d'or ; Pahlen, jurez-moi sur le Christ que les jours de mon père ne courent aucun danger, et que vous vous ferez tuer, s'il le faut, pour le défendre. Jurez-moi cela ou je ne vous laisse pas sortir.

— Monseigneur, répondit Pahlen, je vous ai dit ce que je

devais vous dire. Réfléchissez à la proposition que je vous ai faite ; moi, je vais réfléchir au serment que vous demandez.

A ces mots, Pahlen s'inclina respectueusement, sortit et plaça des gardes à la porte ; puis il entra chez le grand-duc Constantin et chez l'impératrice Marie, leur signifia l'ordre de l'empereur, mais ne prit point les mêmes précautions que chez Alexandre.

Il était huit heures du soir et, par conséquent, nuit close, car on n'était encore arrivé qu'aux premiers jours du printemps. Pahlen courut chez le comte Talitzine, où il trouva les conjurés à table ; sa présence fut accueillie par mille demandes différentes.

— Je n'ai le temps de vous rien répondre, dit-il, sinon que tout va bien et que, dans une demi-heure, je vous amène des renforts.

Le repas, interrompu un instant, continua ; Pahlen se rendit à la prison.

Comme il était gouverneur de Saint-Pétersbourg, toutes les portes s'ouvrirent devant lui. Ceux qui le virent entrer ainsi dans les cachots, entouré de gardes et l'œil sévère, crurent ou que l'heure de leur exil en Sibérie était arrivée, ou qu'ils allaient être transférés dans une prison encore plus dure. La manière dont Pahlen leur ordonna de se tenir prêts à monter en traîneau les confirma encore dans cette supposition. Les malheureux jeunes gens obéirent ; à la porte, une compagnie des gardes les attendait. Les prisonniers montèrent dans les traîneaux sans résistance, et à peine y furent-ils qu'ils se sentirent emportés au galop.

Contre leur attente, au bout de dix minutes à peine, les traîneaux firent halte dans la cour d'un hôtel magnifique ; les prisonniers, invités à descendre, obéirent ; la porte s'était refermée derrière eux : les soldats étaient restés en dehors, il n'y avait avec eux que Pahlen.

— Suivez-moi, leur dit le comte en marchant le premier.

Sans rien comprendre à ce qui se passait, les prisonniers firent ce qu'on leur disait de faire.

En arrivant dans une chambre qui précédait celle où étaient réunis les conjurés, Pahlen leva un manteau jeté sur une table et découvrit un faisceau d'épées.

— Armez-vous ! dit-il.

Tandis que les prisonniers, stupéfaits, obéissaient à cet ordre et replaçaient à leur côté l'épée que le bourreau en avait arrachée ignominieusement le matin même, commençant à soupçonner qu'il allait se passer pour eux quelque chose d'aussi étrange qu'inattendu, Pahlen fit ouvrir les portes, et les nouveaux venus virent à table, le verre à la main, et les saluant du cri de « Vive Alexandre ! » des amis dont, dix minutes auparavant, ils croyaient encore être séparés pour toujours. Aussitôt, ils se précipitèrent dans la salle du festin. En quelques mots, on les mit au fait de ce qui allait se passer ; ils étaient encore pleins de honte et de colère du traitement qu'ils avaient subi le jour même. La proposition régicide fut donc accueillie avec des cris de joie, et pas un ne refusa de prendre le rôle qu'on lui avait réservé dans la tragédie terrible qui allait s'accomplir.

À onze heures, les conjurés, au nombre de soixante à peu près, sortirent de l'hôtel Talitzine, et s'acheminèrent, enveloppés de leurs manteaux, vers le palais Saint-Michel. Les principaux étaient Benningsen, Platon Zoubof, ancien favori de Catherine, Pahlen, gouverneur de Saint-Pétersbourg, Depreradovitch, colonel du régiment de Simionovsky, Arkamakof, aide de camp de l'empereur ; le prince Tatetsvill, major général d'artillerie ; le général Talitzine, colonel du régiment de la garde Préobrajensky ; Gardanof, adjudant des gardes à cheval ; Sartarinof ; le prince Vereinskoï et Sériatine.

Les conjurés entrèrent par une porte du jardin du palais Saint-Michel ; mais, au moment où ils passaient sous les grands arbres qui l'ombragent l'été et qui, à cette heure, dépouillés de leurs feuilles, tordaient dans l'ombre leurs bras décharnés, une bande de corbeaux, réveillés par le bruit qu'ils faisaient, s'envola en poussant des croassements si lugubres, qu'arrêtés par ces cris, qui, en Russie, passent pour un mauvais présage, les conspirateurs hésitèrent à aller plus loin ; mais Zoubof et Pahlen ranimèrent leur courage et ils continuèrent leur route. Arrivés à la cour, ils se séparèrent en deux bandes : l'une, conduite par Pahlen, entra par une porte particulière que le comte avait l'habitude de prendre lorsqu'il voulait entrer chez l'empereur sans être vu ; l'autre, sous les ordres de Zoubof et de Benningsen, s'avança, guidée par Arkamakof, vers le grand escalier, où elle parvint sans empêchement, Pahlen ayant fait relever les postes du palais et y ayant placé, au lieu de soldats, des officiers conjurés. Une seule sentinelle qu'on avait oublié de changer comme les autres, cria : *Qui vive?* en les voyant s'approcher ; alors, Benningsen s'avança vers elle, et, ouvrant son manteau pour lui montrer ses décorations :

— Silence ! lui dit-il, ne vois-tu pas où nous allons ?

— Passez, patrouille, répondit la sentinelle en faisant de la tête un signe d'intelligence.

Et les meurtriers passèrent.

En arrivant dans la galerie qui précède l'antichambre, ils trouvèrent un officier déguisé en soldat.

— Eh bien, l'empereur ? demanda Platon Zoubof.

— Rentré depuis une heure, répondit l'officier et sans doute couché maintenant.

— Bien, répondit Zoubof.

Et la patrouille régicide continua son chemin.

En effet, Paul, selon sa coutume, avait été passer la soirée chez la princesse Gagarine. En le voyant entrer plus pâle et plus sombre qu'à l'ordinaire, celle-ci avait couru à lui et lui avait demandé avec instance ce qu'il avait.

— Ce que j'ai ? avait répondu l'empereur. J'ai que le moment de frapper mon grand coup est arrivé et que, dans peu de jours, on verra tomber des têtes qui m'ont été bien chères !

Effrayée de cette menace, la princesse Gagarine, qui connaissait la méfiance de Paul pour sa famille, saisit le premier prétexte qui se présenta de sortir du salon, écrivit au grand-duc Alexandre quelques lignes dans lesquelles elle lui disait que sa vie était en danger, et les fit porter au palais Saint-Michel. Comme l'officier qui était de garde à la porte du prisonnier avait pour toute consigne de ne pas laisser sortir le tzaretvich, il laissa entrer le messager. Alexandre reçut donc le billet et, comme il savait la princesse Gagarine initiée à tous les secrets de l'empereur, ses anxiétés en redoublèrent.

À onze heures à peu près, comme l'avait dit la sentinelle, l'empereur était rentré au palais et s'était immédiatement retiré dans son appartement, où il s'était couché aussitôt et venait de s'endormir sur la foi de Pahlen.

En ce moment, les conjurés arrivèrent à la porte de l'antichambre qui précédait la chambre à coucher, et Arkamakof frappa.

— Qui est là ? demanda le valet de chambre.

— Moi, Arkamakof, l'aide de camp de Sa Majesté.

— Que voulez-vous ?

— Je viens faire mon rapport.

— Votre Excellence plaisante, il est minuit à peine.

— Allons donc, c'est vous qui vous trompez, il est six heures du matin ; ouvrez vite, de peur que l'empereur ne s'irrite contre moi.

— Mais je ne sais si je dois...

— Je suis de service et je vous l'ordonne.

Le valet de chambre obéit. Aussitôt les conjurés, l'épée à la main, se précipitent dans l'antichambre ; le valet, effrayé, se réfugie dans un coin ; mais un hussard polonais, qui était de garde, s'élance au-devant de la porte de l'empereur et, devinant l'intention des nocturnes visiteurs, leur ordonne de s'éloigner. Zoubof refuse et veut l'écarter de la main. Un coup de pistolet part ; mais, à l'instant même, l'unique défenseur de celui qui, une heure auparavant, commandait à cinquantre-trois millions d'hommes, est désarmé, terrassé et réduit à l'impossibilité d'agir.

Au bruit du coup de pistolet, Paul s'était réveillé en sursaut, avait sauté à bas de son lit et, s'élançant vers la porte dérobée qui conduisait chez l'impératrice, il avait essayé de l'ouvrir ; mais, trois jours auparavant, dans un moment de défiance, il avait fait condamner cette porte, de sorte qu'elle resta fermée. Alors, il songea à la trappe et s'élança vers l'angle de l'appartement où elle se trouvait. Malheureusement, comme il était nu-pieds, le ressort résista à la pression, et la trappe, à son tour, refusa de s'ouvrir. En ce moment, la porte de l'antichambre tomba en dedans et l'empereur n'eut que le temps de se jeter derrière un écran de cheminée.

Beningsen et Zoubof se précipitèrent dans la chambre et Zoubof marcha droit au lit ; mais, le voyant vide :

— Tout est perdu !... s'écria-t-il, il nous échappe.

— Non ! dit Beningsen, le voici.

— Pahlen, s'écrie l'empereur, qui se voit découvert, à mon secours, Pahlen !

— Sire, dit alors Beningsen en s'avançant vers Paul et en le saluant avec son épée, vous appelez inutilement Pahlen : Pahlen est des nôtres. D'ailleurs, votre vie ne court aucun risque ; seulement, vous êtes prisonnier au nom de l'empereur Alexandre.

— Qui êtes-vous ? dit l'empereur, si troublé, qu'à la lueur tremblante et pâle de sa lampe de nuit, il ne reconnaissait pas ceux qui lui parlaient.

— Qui nous sommes ? répondit Zoubof en présentant l'acte d'abdication. Nous sommes les envoyés du sénat. Prends ce papier, lis et prononce toi-même sur ta destinée.

Alors, Zoubof lui remet le papier d'une main, tandis que

de l'autre, il transporte la lampe à l'angle de la cheminée, pour que l'empereur puisse lire l'acte qu'on lui présente. En effet, Paul prend le papier et le parcourt. Au tiers de la lecture, il s'arrête, et, relevant la tête et regardant les conjurés :

— Mais que vous ai-je fait, grand Dieu ! s'écria-t-il, pour que vous me traitiez ainsi ?

— Il y a quatre ans que vous nous tyrannisez ! crie une voix.

Et l'empereur se remet à lire.

Mais, à mesure qu'il lit, les griefs s'accumulent ; les expressions de plus en plus outrageantes le blessent ; la colère remplace la dignité ; il oublie qu'il est seul, qu'il est nu, qu'il est sans armes, qu'il est entouré d'hommes qui ont le chapeau sur la tête et l'épée à la main ; il froisse violemment l'acte d'abdication et, le jetant à ses pieds :

— Jamais ! dit-il, plutôt la mort !

A ces mots, il fait un mouvement pour s'emparer de son épée, posée à quelques pas de lui sur un fauteuil.

En ce moment, la seconde troupe arrivait ; elle se composait en grande partie des jeunes nobles dégradés ou éloignés du service, parmi lesquels un des principaux était le prince Tatetsvil, qui avait juré de se venger de cette insulte. Aussi, à peine entré, il s'élance sur l'empereur, le saisit corps à corps, lutte et tombe avec lui, renversant du même coup la lampe et le paravent. L'empereur jette un cri terrible, car, en tombant, il s'est heurté la tête à l'angle de la cheminée et s'est fait une profonde blessure. Tremblant que ce cri ne soit entendu, Sartarinof, le prince Vereinskoï et Sériatine s'élancent sur lui. Paul se relève un instant et retombe. Tout cela se passe dans la nuit, au milieu de cris et de gémissements tantôt aigus, tantôt sourds. Enfin, l'empereur écarte la main qui lui ferme la bouche.

— Messieurs, s'écrie-t-il en français, messieurs, épargnez-moi, laissez-moi le temps de prier Di...

Le dernier mot est étouffé ; un des assaillants a dénoué son écharpe et l'a passée autour des flancs de la victime, qu'on n'ose étrangler par le cou, car le cadavre sera exposé, et il faut que la mort passe pour naturelle. Alors, les gémissements se convertissent en râle ; bientôt le râle lui-même expire ; quelques mouvements convulsifs lui succèdent, qui cessent bientôt et, quand Beningsen rentre avec des lumières, l'empereur est mort. C'est alors seulement qu'on s'aperçoit de la blessure de la joue ; mais peu importe : comme il a été frappé d'une apoplexie foudroyante, rien d'étonnant qu'en tombant il se soit heurté à un meuble et se soit blessé ainsi.

Dans le moment de silence qui suit le crime, et tandis qu'à la lueur des flambeaux que rapporte Beningsen, on regarde le cadavre immobile, un bruit se fait entendre à la porte de communication ; c'est l'impératrice qui a entendu des cris étouffés, des voix sourdes et menaçantes, et qui accourt. Les conjurés s'effrayent d'abord ; mais ils reconnaissent sa voix et se rassurent ; d'ailleurs, la porte, fermée pour Paul, l'est aussi pour elle : ils ont donc tout le temps d'achever ce qu'ils ont commencé et ne seront point dérangés dans leur œuvre.

Beningsen soulève la tête de l'empereur et, voyant qu'il reste sans mouvement, il le fait porter sur le lit. Alors seulement, Pahlen entre l'épée à la main ; car, fidèle à son double rôle, il a attendu que tout fût fini pour se ranger parmi les conjurés. À la vue de son souverain, auquel Beningsen jette un couvre-pieds sur le visage, il s'arrête à la porte, pâlit, et s'appuie contre le mur, son épée pendant à son côté.

— Allons, messieurs, dit Beningsen, qui, entraîné dans la conspiration un des derniers, et qui seul, pendant cette fatale soirée a conservé son inaltérable sang-froid, il est temps d'aller prêter hommage au nouvel empereur.

— Oui, oui ! s'écrient en tumulte les voix de tous ces hommes, qui ont maintenant plus de hâte à quitter cette chambre qu'ils n'ont mis de précipitation à y entrer ; oui, oui, allons prêter hommage à l'empereur. Vive Alexandre !

Pendant ce temps, l'impératrice Marie, voyant qu'elle ne peut pas entrer par la porte de communication, et entendant le tumulte qui continue, fait le tour de l'appartement ; mais, dans un salon intermédiaire, elle rencontre Petaroskoï, avec trente hommes sous ses ordres. Fidèle à sa consigne, Petaroskoï lui barre le passage.

— Pardon, madame, lui dit-il en s'inclinant devant elle, mais vous ne pouvez aller plus loin.

— Ne me connaissez-vous point ? demanda l'impératrice.

— Si fait, madame. Je sais que j'ai l'honneur de parler à Votre Majesté ; mais c'est Votre Majesté surtout qui ne doit point passer.

— Qui vous a donné cette consigne ?

— Mon colonel.

— Voyons, dit l'impératrice, si vous oserez l'exécuter.

Et elle s'avance vers les soldats.

Mais les soldats croisent les fusils et barrent le passage.

En ce moment, les conjurés sortent tumultueusement de la chambre de Paul en criant :

— Vive Alexandre !

Beningsen est à leur tête ; il s'avance vers l'impératrice ; elle le reconnaît et, l'appelant par son nom, le supplie de la laisser passer.

— Madame, lui dit-il, tout est fini maintenant ; vous compromettriez inutilement vos jours et ceux de Paul sont terminés.

À ces mots, l'impératrice jette un cri et tombe sur un fauteuil ; les deux grandes-duchesses Marie et Christine, qui se sont levées au bruit et qui accourent, se mettent à genoux de chaque côté du fauteuil. Sentant qu'elle perd connaissance, l'impératrice demande de l'eau. Un soldat en apporte un verre ; la grande-duchesse Marie hésite à le donner à sa mère, de peur qu'il ne soit empoisonné. Le soldat devine sa crainte, en boit la moitié et, présentant le reste à la grande-duchesse :

— Vous le voyez, dit-il, Sa Majesté peut boire sans crainte.

Beningsen laisse l'impératrice aux soins des grandes-duchesses et descend chez le tzarevitch. Son appartement est situé au-dessous de celui de Paul ; il a tout entendu : les cris, la chute, les gémissements et le râle ; alors, il a voulu sortir pour porter secours à son père ; mais la garde que Pahlen a mise à sa porte l'a repoussé dans sa chambre ; les précautions sont bien prises : il est captif, et ne peut rien empêcher.

C'est alors que Beningsen entre, suivi des conjurés. Les cris de « Vive l'empereur Alexandre ! » lui annoncent que tout est fini. La manière dont il monte au trône n'est plus un doute pour lui ; en apercevant Pahlen, qui entre le dernier :

— Ah ! Pahlen, s'écrie-t-il, quelle page pour le commencement de mon histoire !

— Sire, répond Pahlen, celles qui suivront la feront oublier.

— Mais, s'écrie Alexandre, mais ne comprenez-vous pas qu'on dira que c'est moi qui suis l'assassin de mon père ?

— Sire, dit Pahlen, ne songez en ce moment qu'à une chose...

— Et à quoi voulez-vous que je songe, mon Dieu ! si ce n'est à mon père ?

— Songez à vous faire reconnaître par l'armée.

— Mais ma mère, mais l'impératrice! s'écrie Alexandre, que deviendra-t-elle ?

— Elle est en sûreté, sire, répond Pahlen ; mais, au nom du ciel, ne perdons pas une minute.

— Que faut-il que je fasse ? demande Alexandre, incapable, tant il est abattu, de prendre une résolution.

— Sire, reprend Pahlen, il faut me suivre à l'instant même, car le moindre retard peut amener les plus grands malheurs.

— Faites de moi ce que vous voudrez, dit Alexandre, me voilà.

Pahlen entraîne alors l'empereur à la voiture qu'on avait fait approcher pour conduire Paul à la forteresse. L'empereur y monte en pleurant ; la portière se referme ; Pahlen et Zoubof montent derrière, à la place des valets de pied, et la voiture, qui porte les nouvelles destinées de la Russie, part au galop pour le palais d'Hiver, escortée de deux bataillons de la garde. Beningsen est resté près de l'impératrice, car une des dernières recommandations d'Alexandre a été pour sa mère.

Sur la place de l'Amirauté, Alexandre trouve les principaux régiments de la garde.

— L'empereur ! l'empereur ! crient Pahlen et Zoubof en indiquant que c'est Alexandre qu'ils amènent.

— L'empereur ! l'empereur ! crient les deux bataillons qui l'escortent.

— Vive l'empereur ! répondent d'une seule voix tous les régiments.

Alors, on se précipite vers la portière ; on tire Alexandre, pâle et défait, de sa voiture ; on l'entraîne, on l'emporte enfin ; on lui jure fidélité avec un enthousiasme qui lui prouve que les conjurés, tout en commettant un crime, n'ont fait qu'accomplir le vœu public. Il faut donc, quel que soit son désir de venger son père, qu'il renonce à punir les assassins.

Ceux-ci s'étaient retirés chez eux, ne sachant pas ce que l'empereur allait résoudre à leur égard.

Le lendemain, l'impératrice, à son tour, prêta serment de fidélité à son fils. Selon la constitution de l'empire, c'était elle qui devait succéder à son mari ; mais, lorsqu'elle vit l'urgence de la situation, elle renonça la première à ses droits.

Le chirurgien Vette et le médecin Stof, chargés de l'autopsie du corps, déclarèrent que l'empereur Paul était mort d'une apoplexie foudroyante ; la blessure de la joue fut attribuée à la chute qu'il avait faite lorsque l'accident l'avait frappé.

Le corps fut embaumé et exposé pendant quinze jours sur un lit de parade, aux marches duquel l'étiquette amena plusieurs fois Alexandre ; mais pas une fois il ne les monta ou ne les descendit, qu'on ne le vit pâlir ou verser des larmes. Peu à peu, les conjurés furent éloignés de la cour : les uns reçurent des missions, les autres furent incorporés dans des régiments stationnés en Sibérie ; il ne restait que Pahlen, qui avait conservé sa place de gouverneur militaire de Saint-Pétersbourg, et dont la vue était devenue presque un remords pour le nouvel empereur ; aussi Alexandre profita-t-il de la première occasion qui se présenta pour l'éloigner à son tour.

Voici comment la chose arriva :

Quelques jours après la mort de Paul, un prêtre exposa une image sainte qu'il prétendit lui avoir été apportée par un ange, et au bas de laquelle étaient écrits ces mots : *Dieu punira tous les assassins de Paul Ier.* Informé que le peuple se portait en foule à la chapelle où l'image miraculeuse était exposée et augurant qu'il pouvait résulter de cette menée quelque impression fâcheuse sur l'esprit de l'empereur, Pahlen demanda la permission de mettre fin aux intrigues du prêtre, permission qu'Alexandre lui accorda. En conséquence, le prêtre fut fouetté, et, au milieu du supplice, déclara qu'il n'avait agi que par les ordres de l'impératrice. Pour preuve de ce qu'il avançait, il affirma que l'on trouverait dans l'oratoire de celle-ci une image pareille à la sienne. Sur cette dénonciation, Pahlen fit ouvrir la chapelle de l'impératrice et, ayant effectivement trouvé l'image désignée, il la fit enlever. — L'impératrice, avec juste raison, regarda cet enlèvement comme une insulte et vint en demander satisfaction à son fils. Alexandre ne cherchait qu'un prétexte pour éloigner Pahlen ; il se garda donc bien de laisser échapper celui qui se présentait, et, au même instant, M. de Beckleclef fut chargé de transmettre au comte de Pahlen, de la part de l'empereur, l'ordre de se retirer dans ses terres.

— Je m'y attendais, dit en souriant Pahlen, et mes malles étaient faites d'avance.

Une heure après, le comte Pahlen avait envoyé à l'empereur la démission de toutes ses charges et, le même soir, il était sur le chemin de Riga.

II

COMMENT ON EST SERVI EN RUSSIE

Soyez rassurés, Dandré n'était point parti pour la Sibérie, nos cinquante-sept colis n'étaient pas confisqués ; après trois jours d'attente, le tout a reparu.

J'ai sauté sur la caisse où étaient mes livres — la plupart étaient des livres défendus en Russie et je craignais que la douane n'eût fait main basse dessus. Pas un d'eux n'avait été ouvert ! Je ne sais comment l'autorité russe avait été instruite de ma future arrivée, mais l'ordre avait été donné de ne pas même ouvrir mes malles.

Ce qui avait retardé Dandré, c'étaient les quatre-vingts robes et les trente-six chapeaux de la comtesse. Tout cela est arrivé sans accident, sauf le panama du comte...

Le panama du comte, comme tous les panamas, est double ; cette qualité a inquiété les douaniers, qui ont cru deviner, entre la doublure et l'endroit, plusieurs mètres de dentelles d'Angleterre ou de point d'Alençon.

Les douaniers ont sondé le panama comme ils eussent fait d'une futaille de vin ou d'un ballot de café ; il en est résulté six ouvertures qui rendent le pauvre panama inhabitable.

Le comte a pris la chose en philosophe et a donné l'ordre qu'on lui achetât un panama de fabrique russe. Sa persistance à porter de la paille, au lieu de porter du feutre, se comprend : il fait une chaleur de 30 degrés à l'ombre.

Je me suis emparé des trois colis qui me sont personnels et les ai fait porter dans ma chambre. J'ai maintenant chemises et habits et je pourrai fêter l'anniversaire de ma compatriote.

Rien ne se fait ici comme ailleurs ; ce matin, vers sept heures, j'ai entendu le pas d'une troupe, marchant comme une patrouille. Ce pas s'est arrêté dans la chambre de Moynet, qui précède la mienne, et le bruit d'une espèce de discussion franco-russe lui a succédé.

Moynet, qui me croyait sans doute endormi, paraissait défendre les approches de ma chambre.

À un moment donné, il me parut que Moynet était vaincu et forcé de céder le terrain.

En effet, le pas se rapprocha avec la même régularité, ma porte s'ouvrit et je vis une troupe de douze hommes en chemise rouge ou rose, armés chacun d'une machine et d'une brosse à cirer le parquet.

C'étaient les frotteurs du comte.

Ils s'emparèrent alors de ma chambre et se mirent à l'œuvre tous les douze à la fois.

Je me réfugiai sur une chaise, comme, pour fuir les vagues furieuses, on se réfugie sur un rocher.

Mes vagues s'agitèrent si bien, que les unes frottant debout, les autres frottant à quatre pattes, moi sautant avec ma chaise de place en place, au bout de cinq minutes, le parquet fut luisant comme un miroir.

En France, je n'en eusse pas été quitte au bout d'une heure.

Cette multiplicité de frotteurs a ses avantages, mais elle a aussi ses inconvénients. Le moujik a une odeur particulière connue en France sous le nom de cuir de Russie.

Est-ce le moujik qui donne son odeur au cuir ou le cuir qui donne son odeur au moujik? Grand et mystérieux problème qui n'est pas encore résolu.

Mais tant il y a, que ma chambre, lorsqu'elle fut cirée, sentait le cuir de Russie, ou le moujik, au point que je fus obligé d'ouvrir les fenêtres et de brûler du vinaigre de Bully.

Même opération s'était accomplie dans la chambre de Moynet et avait été exécutée avec la même rapidité.

En deux ou trois heures, tout le rez-de-chaussée de Bezborodko — qui peut mesurer un espace de deux ou trois arpents — fut frotté. Un homme seul eut mis une semaine à accomplir cette gigantesque besogne, de sorte qu'il arriverait à temps pour refrotter la première pièce en sortant de la dernière.

Au reste, on n'a pas l'idée de cette armée de serviteurs de toute espèce s'agitant autour d'une maison russe. Le maître lui-même n'en connaît pas le nombre. J'ai dit que la maison du comte se composait de quelque chose comme quatre-vingts domestiques.

Mais je n'ai parlé que des serviteurs de jour ; restent les serviteurs de nuit.

En ville, ils s'appellent les *dvorniky ;* ce sont les portiers.

À la campagne, ils s'appellent les *karaoulny ;* ce sont les gardiens.

En ville, les portiers ne couchent chez eux qu'une nuit sur deux.

Chaque portier s'entend avec son voisin ; un portier veille sur deux maisons.

Quelque temps qu'il fasse, il passe la nuit dehors. C'est à lui de s'abriter comme il peut pendant les nuits d'automne, où l'eau tombe par torrents, pendant les nuits d'hiver, où le froid monte de 25 à 30 degrés.

Il tient, d'une main, une planche et, de l'autre, une baguette à tambour ; il bat sur cette planche un certain air — toujours le même — qui indique qu'il veille et, par conséquent, fait son service.

Quelquefois, il supprime la planche et bat son air sur les colonnes en bois qui sont devant les maisons.

L'air n'en est que plus retentissant.

On est réveillé toutes les heures mais, au moins, on sait que l'on peut dormir tranquille : le dvornik veille.

Le dvornik, c'est la police entretenue et payée par les particuliers, au lieu d'être entretenue et payée par le gouvernement.

Le dvornik a cela de commode que, lorsqu'on cherche une maison la nuit, de dvornik en dvornik, on finit nécessairement par la trouver.

Il y a plus : si vous avez affaire dans cette maison, comme le dvornik a la clef des deux portes sur lesquelles il veille, il vous examine et, si votre mise et votre tournure lui inspirent une confiance suffisante, il vous ouvre la porte que vous cherchez, et, si vous êtes novice relativement à l'intérieur, il vous prend par la main et vous conduit dans l'obscurité jusqu'à l'étage auquel vous avez affaire.

Cela a son avantage et son inconvénient.

Il n'y a pas la ressource du *cordon s'il vous plaît !* que notre somnolent portier parisien tire avec une si majestueuse indifférence, et qui vous laisse, tout en gardant l'incognito, votre liberté d'action.

Mais l'inconvénient du dvornik disparaît moyennant un rouble et même moins, et, comme en Russie il n'y a que des portiers et pas de portières, il en résulte que les secrets amoureux ne courent pas les rues.

Passons aux karaoulny.

Le karaoulnoï (singulier de karaoulny) est ordinairement un vieux soldat.

En Russie, les vieux soldats, quoiqu'ils sortent de la classe des paysans esclaves — la recrue ordinaire est de huit hommes sur mille hommes — après leurs dix-huit, vingt ou vingt-cinq ans de service, reviennent libres au lieu d'où ils étaient partis esclaves.

En France, nous dirions poétiquement : *rentré dans ses foyers.*

Mais, hélas ! jusqu'à présent du moins, pour le pauvre vétéran, il n'y a pas de foyer en Russie.

Il n'a plus droit à l'*enclos,* plus droit au *labourage* des six arpents, plus droit à la *zastolnaïa,* plus droit à rien enfin. En servant son pays, il est devenu paria.

En récompense de ses services, le gouvernement le chasse et le propriétaire lui ferme sa porte.

Il y a bien, sur la route de Tsarskoie-Selo, un hôtel des invalides, bâti à l'instar du nôtre, et qui peut contenir trois mille personnes.

Mais, dans cet hôtel d'un nouveau genre, il y a cent cinquante employés et dix-huit invalides.

En Russie comme ailleurs, mais en Russie plus que partout ailleurs, les établissements philanthropiques ont surtout pour but de faire vivre un certain nombre d'employés.

Ceux pour lesquels ils sont fondés ne viennent qu'après, ou parfois ne viennent pas du tout.

Qu'importe ! l'établissement existe ; c'est tout ce qu'il faut.

La Russie est une grande façade. Quant à ce qu'il y a derrière la façade, personne ne s'en occupe. Celui qui se dérange pour regarder derrière cette façade, ressemble au chat qui, se voyant pour la première fois dans une glace, tourne autour de cette glace, espérant trouver un chat de l'autre côté.

Et, ce qu'il y a de curieux, c'est qu'en Russie, le pays des abus, tout le monde, depuis l'empereur jusqu'au dvornik, désire la cessation des abus.

Tout le monde parle de ces abus, tout le monde les connaît, les analyse, les déplore ; c'est à qui lèvera les yeux au ciel pour dire : « Notre Père, qui êtes aux cieux, délivrez-nous des abus ! » Les abus n'en vont que la tête plus haute.

On compte fort sur l'empereur Alexandre II pour l'abolition

des abus, et l'on a raison ; il veut sincèrement et de tout son cœur la réforme universelle.

Mais, dès qu'on touche à un abus en Russie, savez-vous qui jette les hauts cris ?

L'abus auquel on touche ?

Non, ce serait par trop maladroit.

Ceux qui jettent les hauts cris sont les abus auxquels on ne touche pas encore, mais qui craignent que leur tour ne vienne.

Dans l'artichaut, les feuilles les plus dures à arracher sont les premières que l'on mange.

Les abus sont un immense artichaut tout hérissé de piquants : on n'arrive pas au cœur sans se piquer les doigts.

Au reste, nous les passerons en revue.

Ceux des Russes qui croiront que je dis du mal de leur pays parce que je signalerai les abus qui en sont la plaie, ceux-là se tromperont. Ils agiront comme l'enfant qui prend pour son ennemi le médecin qui lui met les sangsues, ou le dentiste qui lui arrache les mauvaises dents.

Revenons à nos karaoulny.

Nous avons donc dit que les militaires, en sortant du service, sont de véritables parias, qui n'ont plus droit à l'enclos, plus droit au labourage des six arpents, plus droit à la zastolnaïa.

S'il a une famille, et que cette famille le prenne en pitié, le vétéran rentre dans sa famille ; et, s'il a conservé ses quatre membres, il aide sa famille : on *tolère* son travail.

Mais, s'il n'a pas de famille, il n'a pas même le droit de se louer comme *rabotnick*, c'est-à-dire comme travailleur.

S'il n'a pas de médaille, il se fait voleur, c'est sa seule ressource.

S'il a deux ou trois médailles, il se fait mendiant, se tient à genoux sur les grandes routes ou sous les porches des églises, baise la terre quand vous passez et vit des quatre ou cinq kopeks que lui jettent, par jour, les âmes charitables.

Les jours où il ne rencontre pas d'âmes charitables — il y a de ces jours-là dans le calendrier — il se passe de manger, à moins qu'il n'y ait eu, la veille, abondance d'âmes charitables.

S'il a cinq, six, sept ou huit médailles, il a une chance : c'est de devenir karaoulnoï.

Les karaoulny du comte ont jusqu'à six ou huit médailles.

Nous avons dit que les gardiens, à la campagne, s'appelaient karaoulny.

Karaoul veut dire littéralement service, garde.

Lorsqu'un homme est attaqué la nuit et qu'il veut appeler du secours, il crie :

— *Karaoul ! karaoul !*

C'est appeler à la garde.

Donc, nous avons autour de nous six ou huit karaoulny qui, nuit et jour, sont sur pied.

Ils se tiennent à la porte du côté du quai, aux portes de la maison, aux portes des allées, aux angles des jardins.

Selon toute probabilité, ils se relayent, et les uns dorment lorsque les autres veillent.

Ce que je sais, c'est qu'à quelque heure du jour ou de la nuit que nous sortions, nous trouvons karaoulnoï dans l'antichambre, karaoulnoï à la porte, karaoulnoï au perron du jardin.

Dès que nous apparaissons, les pauvres diables se lèvent et se raidissent sur les jarrets en portant la main à leur casquette.

Impossible de faire un pas, à quelque heure que ce soit, sans rencontrer un karaoulnoï, le petit doigt à la couture du pantalon, la main droite à la hauteur de la casquette.

Supposez un fantaisiste qui, au lieu d'accomplir l'acte chez lui, aille, au clair de la lune, faire une de ces choses prévues par notre vieil et excellent préfet de la Seine M. de Rambuteau : tant que l'acte ne sera pas accompli, il aura, à deux pas de lui, un karaoulnoï, ou plus, l'œil fixe, le corps immobile.

Cela gêne d'abord, comme de voir passer les enterrements sous sa fenêtre ; mais on s'y habitue.

Ce qui nous a fait donner ce bon souvenir à M. de Rambuteau, c'est qu'il n'y a pas encore eu en Russie de grand maître de police assez amateur du pittoresque pour bâtir, soit sur la Perspective, soit sur la grande Morskoï, soit sur les quais, de ces petites colonnes à globe d'azur étoilé d'or qui font l'ornement des boulevards de Paris.

Il y a amende pour l'étranger qui, ne se préoccupant pas de l'absence de colonnes concaves, n'y verrait qu'un oubli, et non pas une loi.

Il est défendu de fumer, aussi bien que de s'arrêter le long des maisons ou à l'angle des rues pour autre chose que pour remettre sa jarretière ou renouer les cordons de ses souliers.

Chaque délit commis par l'une ou l'autre catégorie de délinquants est puni d'une amende d'un rouble.

L'empereur Nicolas rencontra un jour un Français qui, ignorant ou bravant l'ordonnance, fumait à grosses et sensuelles bouffées un pur havane.

Nicolas se promenait seul, selon son habitude, en drojky.

Il le fit monter près de lui, le conduisit au palais d'Hiver et le fit entrer dans le fumoir des jeunes grands-ducs.

— Fumez ici, monsieur, dit-il ; c'est le seul endroit de Saint-Pétersbourg où il soit permis de fumer.

Le Français acheva son cigare et demanda, en sortant, quel était le monsieur qui avait eu l'obligeance de l'amener au seul endroit de Saint-Pétersbourg où il fut permis de fumer.

On lui répondit :

— C'est l'empereur.

Au reste, on comprend cette défense de fumer dans un pays où tout est construit en bois et où un bout de cigare imprudemment jeté a parfois causé l'incendie de tout un village.

Sans doute, elle défend la ville, mais elle la menacc encore davantage ; sans doute, elle a été bâtie pour repousser les Suédois, mais elle a servi à emprisonner les Russes.

C'est la Bastille de Saint-Pétersbourg ; comme la Bastille du faubourg Saint-Antoine, c'est surtout la pensée qu'elle a tenue prisonnière.

Ce serait une terrible histoire à écrire que celle de la forteresse. Elle a tout vu, tout entendu ; seulement, elle n'a encore rien révélé.

Il viendra un jour où elle ouvrira ses flancs comme la Bastille, et l'on sera effrayé de la profondeur, de l'humidité, de l'obscurité de ses cachots. Il viendra un jour où elle parlera comme le château d'If.

Ce jour-là, la Russie aura une histoire ; jusqu'à présent, elle n'a que des légendes.

Une de ces légendes, je vais vous la raconter.

Un de mes amis chassait, au mois de septembre 1855, à une centaine de verstes de Moscou, du côté de Pereslof. La chasse l'avait entraîné trop loin pour qu'il pût revenir le même soir chez lui. Il se trouvait dans le voisinage d'une petite maison habitée par un vieux gentilhomme qui, depuis cinquante-sept ans, en était propriétaire.

Ce vieux gentilhomme était venu l'habiter à l'âge de vingt ans, sans qu'on sût comment il l'avait achetée, d'où il venait ni qui il était. Depuis le jour où il en était entré en possession, il ne l'avait jamais quittée, même pour aller à Moscou.

Pendant dix ans, il n'avait vu personne, fait aucune connaissance dans le voisinage, n'avait parlé que pour dire ce qu'il avait strictement besoin de dire.

Jamais il ne s'était marié, quoique son bien, qui se composait de deux mille déciatines de terre, habitées par cinq cents paysans, lui constituassent une fortune de quatre à cinq mille roubles argent de revenu.

Ce bien était situé entre le couvent de Troïtza et la petite ville de Pereslof.

Quelque peu hospitalier, de réputation du moins, que fût le gentilhomme, notre chasseur n'hésita point à lui demander la permission de passer la nuit chez lui, une place sur un banc, une part du souper. La chaleur du poêle, c'est ce que ne refuse jamais le paysan russe au voyageur étranger ; à plus forte raison, un gentilhomme à son concitoyen, nous voulons dire à son compatriote ; on n'est encore que compatriote en Russie.

Sous l'empereur Alexandre II, on deviendra concitoyen.

Il était sept heures du soir ; le crépuscule commençait à descendre, accompagné de cette bise froide qui, trois semaines d'avance, annonce l'hiver russe, lorsque le chasseur frappa à la porte du *palate*.

C'est ainsi que l'on appelle, en Russie, cette habitation qui est un peu moins que le château, un peu plus que la maison.

Au coup frappé à la porte, un vieux domestique vint ouvrir. Le chasseur lui exposa sa demande ; le vieux domestique rentra pour la transmettre au pomeschik, priant le solliciteur d'attendre un instant dans l'antichambre.

Cinq minutes après, il reparut.

Le pomeschik invitait notre chasseur à entrer.

Celui-ci entra, et trouva son hôte attablé avec un convive, qu'il reconnut pour un voisin de campagne de son père.

Il avait donc une protection près du prétendu misanthrope, au cas où celui-ci reviendrait sur sa première décision. Mais il n'en avait pas besoin, le pomeschik se leva et vint à lui en l'invitant à prendre place à table.

C'était un beau vieillard de soixante-quinze ans, à l'œil vif, et même un peu inquiet, à la santé robuste, et auquel de beaux cheveux blancs et une belle barbe blanche n'ôtaient rien de ses apparences de vigueur.

Il portait le costume russe dans sa rigide exactitude, bottes venant au-dessous du genou, pantalon de velours noir à larges plis, surtout de drap gris, et bonnet garni d'astrakan.

On était à la fin du repas ; les deux convives prenaient une tasse de thé en fumant. Le vieillard ordonna, en s'excusant auprès de son hôte de le recevoir d'une façon si peu en harmonie avec son désir, de remettre sur la table les restes du dîner.

Ces restes du dîner étaient, d'ailleurs, assez copieux pour satisfaire l'appétit du chasseur le plus affamé.

Le nôtre mangea assez rapidement pour rejoindre les deux vieux compagnons, à leur cinquième ou sixième tasse de thé, et à leur troisième ou quatrième cigare.

Il va sans dire que le convive du vieillard et mon ami le chasseur s'étaient fait les politesses d'usage, et que le pomeschik savait que ses deux hôtes n'étaient point étrangers l'un à l'autre.

La conversation s'engagea sur les affaires du temps : on parlait alors avec une liberté qui semblait d'autant plus douce. que l'on sortait de trente-trois ans de mutisme.

L'empereur Nicolas était mort le 18 février de la même année ; et l'empereur Alexandre II avait débuté par des paroles et par des actes qui ouvraient à la Russie un avenir qu'elle avait cessé d'espérer.

Le vieillard, contre l'habitude des gens de son âge, qui regrettent toujours le passé, paraissait heureux d'avoir changé de régime et respirait à pleine poitrine ; il semblait un homme longtemps oppressé par la voûte d'un cachot, qui vient d'être rendu à la liberté, et qui la savoure avec délices.

La conversation intéressait singulièrement notre chasseur : le vieillard, qui avait une mémoire prodigieuse, parlait des époques les plus reculées, comme s'il eut parlé d'événements écoulés de la veille. Il se rappelait Catherine II, les Potemkine, les Orlof, les Zoubof, ces héros d'un autre siècle, qui apparaissent à notre génération comme les spectres d'une époque évanouie.

Il avait donc vécu à Saint-Pétersbourg avant de venir prendre possession de son bien ; il avait donc vu la cour et coudoyé les grands seigneurs avant de se retirer au milieu de ses paysans.

Cette loquacité de la part de son hôte étonnait d'autant plus notre chasseur que, comme nous l'avons dit, le vieux gentilhomme était loin de passer pour être bavard.

Sans doute le besoin de parler était d'autant plus grand chez lui, que plus longtemps il s'était tu. Aussi répondait-il avec une complaisance parfaite aux questions réitérées du jeune homme.

Mais celui-ci, retenu par une certaine circonspection, n'osait lui faire la question qui l'intéressait par-dessus toute autre :

— Comment un homme de votre distinction a-t-il quitté Saint-Pétersbourg à dix-huit ans, pour venir s'enterrer pendant cinquante-sept ans dans le fond d'une province ?

Mais, le vieillard s'étant levé et étant sorti un instant, cette question qu'il n'osait lui faire à lui, il la fit à l'ami de son père.

— Je ne suis guère plus avancé que vous sur ce point, lui répondit celui qu'il interrogeait, quoiqu'il y ait bientôt trente ans que je connais mon mystérieux voisin. Seulement, j'ai quelque idée qu'il m'eût fait ce soir confidence entière, s'il n'y eut là un étranger : il était en train de parler, et c'est la première fois que je le vois en pareille disposition.

Le vieillard rentra.

Après la confidence qu'il venait de recevoir, c'était une indiscrétion à notre chasseur de rester plus longtemps en tiers avec les deux amis. Il se leva et demanda au vieillard s'il voulait bien lui indiquer la chambre qui lui était destinée.

Le vieillard lui désigna la chambre voisine.

Il fit même mieux que de la lui indiquer, il l'y conduisit.

Une simple cloison séparait cette chambre de la salle à manger ; et, comme si ce n'eut point été assez, pour donner toute carrière à cette curiosité, en se retirant, il laissa la porte ouverte.

Notre chasseur vit avec effroi qu'il ne se dirait point une parole dans cette salle à manger, qu'il n'entendît comme s'il y était. C'était tenter Dieu !

Et cependant, c'est une justice à rendre à notre chasseur, il fit tout ce qu'il put pour s'endormir et, par conséquent, pour ne pas entendre ; mais il avait beau se tourner et se retourner sur son divan, fermer les yeux, tirer sa couverture par-dessus sa tête, le sommeil semblait fuir avec la même obstination qu'il l'invoquait ; ou, s'il paraissait se rendre à son appel, à ce moment suprême où les idées se troublent, où l'on voit à travers les paupières fermées voltiger autour de soi des esprits aux ailes de phalène, une souris se mettait à ronger une planche, une araignée à tisser sa toile, un chien à balayer le plancher avec sa queue, et il se réveillait les yeux tout grands ouverts et l'oreille malgré lui tendue du côté de cette porte entr'ouverte, qui, par son entre-bâillement, laissait entrer dans sa chambre la lumière et le son.

Il crut alors de son devoir de signaler sa présence et surtout son voisinage au maître de la maison. Il toussa, cracha, éternua. A chaque bruit, en effet, la conversation s'interrompait, mais pour reprendre aussitôt que le bruit avait cessé.

Pendant cinq minutes, il eut l'imprudence de se taire et d'essayer de se faire diversion à lui-même en songeant aux choses qui d'habitude faisaient tomber de leur côté la balance de la pensée ; mais les deux plateaux restèrent égaux et l'équilibre qui se fit dans son esprit fut tel, au contraire, que, tout s'étant tu dans sa mémoire et dans son cœur, en lui et autour de lui, il entendit les premiers mots de cette histoire qu'il avait tant envie de connaître, et qu'ayant entendu les premiers mots, il n'eut pas la force de fermer l'oreille aux derniers.

Cette histoire, la voici. C'est le vieillard qui parle ; nous le laisserons parler.

IV

UNE LÉGENDE DE LA FORTERESSE DE PÉTERSBOURG

« J'avais dix-huit ans : j'étais depuis deux ans comme enseigne au régiment de Paulovsky.

» Le régiment était caserné dans le grand bâtiment qui existe encore de l'autre côté du champ de Mars, en face du Jardin d'Été.

» L'empereur Paul Ier régnait depuis trois ans et habitait le palais Rouge, qui venait d'être achevé.

» Une nuit où, après je ne sais quelle escapade, la sortie que j'avais demandée pour faire une partie avec quelques-uns de mes camarades m'avait été refusée, et où je restais à la chambrée à peu près seul des officiers de mon grade, je fus tiré de mon sommeil par une voix dont le souffle effleurait mon visage et qui me disait à l'oreille :

» — Dmitri-Alexandrovitch, réveillez-vous et suivez-moi.

» Je rouvris les yeux ; un homme était devant moi, qui me renouvela, éveillé, l'invitation qu'il venait de me faire pendant que j'étais endormi.

» — Vous suivre ? répétai-je, et où cela ?

» — Je ne puis vous le dire. Cependant, sachez que c'est de la part de l'empereur.

» Je frissonnai.

» De la part de l'empereur ! Que pouvait-il me vouloir, à moi, pauvre enseigne, de bonne famille, mais toujours trop éloigné du trône pour que mon nom fût parvenu jusqu'à l'empereur ?

» Je me rappelai le sombre proverbe russe, né au temps d'Ivan le Terrible : *Près du tzar, près de la mort.*

» Il n'y avait cependant pas à hésiter. Je sautai à bas de mon lit et je m'habillai.

» Puis je regardai avec attention l'homme qui était venu m'éveiller. Tout enveloppé qu'il était de sa pelisse, je crus le reconnaître pour un ancien esclave turc, barbier d'abord, puis ensuite favori de l'empereur.

» Cet examen, d'ailleurs, ne fut pas long. En se prolongeant, il n'eut peut-être pas été sans danger.

» — Je suis prêt, dis-je au bout de cinq minutes, en serrant à tout hasard mon épée contre moi.

» Mon inquiétude redoubla lorsque je vis mon conducteur, au lieu de prendre le chemin de l'entrée de la caserne, descendre par un petit escalier tournant dans les salles basses de l'immense bâtiment. Il éclairait lui-même notre marche avec une espèce de lanterne sourde.

» Après plusieurs tours et détours, je me trouvai en face d'une porte qui m'était complètement inconnue.

» Pendant toute la route parcourue, nous n'avions rencontré personne ; on eut dit que le bâtiment était désert.

» Je crus bien voir passer une ou deux ombres ; mais ces ombres, insaisissables d'ailleurs, disparurent, ou plutôt s'évanouirent dans l'obscurité.

» La porte à laquelle nous aboutissions était fermée ; mon conducteur y frappa d'une certaine façon ; la porte s'ouvrit toute seule, évidemment mise en mouvement par un homme qui attendait de l'autre côté.

» Effectivement, lorsque nous fûmes passés, je vis distinctement, malgré les ténèbres, un homme qui refermait cette porte et qui nous suivait.

» Le passage dans lequel nous étions entrés était une espèce de souterain de sept à huit pieds de large, creusé dans un sol dont l'humidité suintait à travers les briques qui en tapissaient les parois.

» Au bout de cinq cents pas, à peu près, le souterrain était coupé par une grille à claire-voie.

» Mon conducteur tira une clef de sa poche, ouvrit la grille et la referma derrière nous.

» Nous continuâmes notre chemin.

» Je commençai alors à me rappeler cette tradition qui disait qu'une galerie souterraine communiquait du palais Rouge à la caserne des grenadiers de Paulovsky.

» Je compris que nous suivions cette galerie et que, puisque nous étions partis de la caserne, nous devions aller au palais.

» Nous arrivâmes à une porte pareille à celle par laquelle nous étions sortis de prime abord.

» Mon conducteur frappa à cette porte de la même façon qu'il avait frappé à l'autre ; elle s'ouvrit comme l'autre, mise en mouvement par un homme qui attendait du côté opposé.

» Nous nous trouvâmes en face d'un escalier que nous montâmes ; il donnait entrée dans des appartements inférieurs, mais à l'atmosphère desquels on pouvait reconnaître que nous entrions dans une maison chauffée avec soin.

» Cette maison prit bientôt les proportions d'un palais.

» Alors, tous mes doutes cessèrent : on me conduisait à l'empereur — à l'empereur, qui m'envoyait chercher, moi infime, caché dans les derniers rangs de la garde.

» Je me rappelais bien ce jeune enseigne qu'il avait rencontré dans la rue, qu'il avait appelé derrière sa voiture et qu'il avait nommé successivement, en moins d'un quart d'heure, lieutenant, capitaine, major, colonel et général.

» Mais je ne pouvais espérer qu'il m'envoyât chercher pour la même cause.

» Quoi qu'il en fût, nous arrivâmes à une dernière porte, devant laquelle allait et venait une sentinelle.

» Mon conducteur me mit la main sur l'épaule en me disant :

» — Tenez-vous bien, vous allez être devant l'empereur !

» Il dit un mot tout bas à la sentinelle. Celle-ci se rangea.

» Il ouvrit la porte, autant qu'il me parut, non pas en employant la clef de la serrure, mais au moyen d'un secret.

» Un homme de petite taille, vêtu à la prussienne, avec des bottes venant à moitié cuisse, un habit tombant jusque sur ses éperons, coiffé, quoique dans sa chambre, d'un tricorne gigantesque, en grande tenue, quoiqu'il fût minuit, se retourna au bruit.

» Je reconnus l'empereur. Ce n'était pas chose difficile : il nous passait en revue tous les jours.

» Je me rappelai qu'à la revue de la veille, son regard s'était arrêté sur moi ; il avait fait sortir des rangs mon capitaine, lui avait, en me regardant, fait quelques questions tout bas, puis avait parlé à un officier de sa suite du ton dont on donne un ordre plein et absolu.

» Tout cela ne faisait que redoubler mon inquiétude.

» — Sire, dit mon conducteur en s'inclinant, voici le jeune enseigne auquel vous avez désiré parler.

» L'empereur s'approcha de moi et, comme il était petit de taille, se leva sur la pointe des pieds pour me regarder. Sans doute me reconnut-il pour celui à qui il avait affaire, car il fit un signe approbatif de la tête et, en pivotant sur lui-même, il dit :

» — Allez !

» Mon conducteur s'inclina, sortit et me laissa seul avec l'empereur.

» Je vous le déclare, j'eusse autant aimé rester seul avec un lion dans sa cage de fer.

» L'empereur parut d'abord ne faire aucune attention à moi ; il alla et vint, marchant à grands pas, s'arrêtant devant une fenêtre à un seul vitrage, ouvrant, pour respirer, un carreau mobile ; puis, lorsqu'il avait respiré, revenant à une table sur laquelle était posée sa tabatière, il prenait une prise de tabac.

» C'était la fenêtre de sa chambre à coucher, de celle où il a été tué depuis et qui, dit-on, est restée fermée depuis l'époque de sa mort.

» J'eus le temps d'en examiner chaque disposition, chaque meuble, chaque fauteuil, chaque chaise.

» Près d'une des fenêtres était un bureau en retour. Sur ce bureau, un papier ouvert.

» Enfin, l'empereur parut s'apercevoir de ma présence et vint à moi.

» Sa figure me sembla furieuse ; elle n'était cependant qu'agitée de mouvements nerveux.

» Il s'arrêta en face de moi.

» — Poussière, me dit-il, poussière, tu sais que tu n'es que poussière, n'est-ce pas et que c'est moi qui suis tout ?

» Je ne sais comment j'eus la force de lui répondre :

» — Vous êtes l'élu du Seigneur, l'arbitre de la destinée des hommes.

» — Hum ! fit-il.

» Et, me tournant le dos, il se promena de nouveau, ouvrit de nouveau la fenêtre, aspira une nouvelle prise de tabac, puis une seconde fois revint à moi :

» — Ainsi tu sais que, quand je commande, je dois être obéi sans résistance, sans observation, sans commentaire ?

» — Comme on obéirait à Dieu, oui, sire, je sais cela.

» Il me regarda fixement.

» Il y avait dans ses yeux une expression si étrange que je ne pus supporter son regard.

» Je me détournai.

» Il parut satisfait de l'influence qu'il exerçait sur moi. Il l'attribuait au respect, c'était du dégoût.

» Il alla à son bureau, prit le papier, le relut, le plia, le mit dans une enveloppe, cacheta cette enveloppe, non pas avec le sceau impérial, mais avec une bague qu'il portait au doigt.

» Puis il revint à moi.

» — Souviens-toi que je t'ai choisi entre mille pour exécuter mes ordres, dit-il, parce que j'ai pensé que, par toi, ils seraient bien exécutés.

» — J'aurai toujours devant les yeux l'obéissance que je dois à mon empereur, lui répondis-je.

» — Bon ! bon ! Souviens-toi que tu n'es que poussière, et que je suis tout, moi !

» — J'attends les ordres de Votre Majesté.

» — Prends cette lettre, porte-la au gouverneur de la forteresse, accompagne-le où il lui plaira de te conduire, assiste à ce qu'il fera et viens me dire : « J'ai vu. »

» Je pris le paquet en m'inclinant.

» — J'ai vu, tu entends ? j'ai vu.

» — Oui, sire.

» — Va !

» L'empereur referma la porte derrière moi et sur lui en répétant :

» — Poussière, poussière, poussière !

» Je restai tout étourdi au seuil.

— Venez ! me dit mon conducteur.

» Nous nous remîmes en route, mais par un chemin différent.

» Celui-là conduisait à l'extérieur de la forteresse. Un traîneau attendait dans la cour : nous y montâmes tous les deux, mon conducteur et moi.

» La porte de la forteresse donnant sur le pont de la Fontanka s'ouvrit et le traîneau partit au grand trot, attelé en troïka. Nous traversâmes toute la place et nous arrivâmes au bord de la Néva. Nos chevaux s'élancèrent sur la glace et, guidés par le clocher Pierre-et-Paul, nous traversâmes le fleuve.

» La nuit était obscure, le vent soufflait d'une façon lugubre et terrible.

» A peine m'aperçus-je, au ressaut des rives, que je venais de toucher la terre ferme ; nous étions à la porte de la forteresse.

» Le soldat prit le mot d'ordre et nous laissa passer.

» Nous entrâmes dans la forteresse ; le traîneau s'arrêta à la porte du gouverneur.

» Le mot d'ordre une seconde fois donné, on entra chez le gouverneur comme on était entré dans la forteresse.

» Le gouverneur était couché ; on le fit lever avec ce mot tout-puissant :

» — Par ordre de l'empereur !

» Il arriva en cachant son inquiétude sous un sourire.

» Avec un homme comme Paul, il n'y avait guère plus de sécurité pour les geôliers que pour les captifs, pour les bourreaux que pour les victimes.

» Le gouverneur nous interrogea des yeux ; mon conducteur lui fit signe que c'était à moi qu'il avait affaire.

» Il me regarda alors avec plus d'attention ; cependant il hésitait à s'adresser à moi. Sans doute, ma jeunesse l'étonnait.

» Pour le mettre à son aise, je lui donnai, sans dire une parole, l'ordre de l'empereur.

» Il s'approcha de la bougie, examina le sceau, reconnut le cachet particulier de l'empereur, le chiffre des ordres secrets ; il s'inclina, fit un signe de croix presque imperceptible et ouvrit la lettre.

» Il lut l'ordre une première fois, me regarda, le relut et, m'adressant la parole :

» — Vous devez voir ? me dit-il.

» — Je dois voir, répondis-je.

» — Que devez-vous voir ?

» — Vous le savez.

» — Mais vous, le savez-vous ?

» — Non.

» Il resta un instant pensif.

» — Vous êtes venu en traîneau ? demanda-t-il.

» — Oui.

» — Combien de personnes peuvent tenir dans votre traîneau ?

» — Trois.

» — Monsieur vient-il avec nous ? demanda-t-il en montrant mon conducteur.

J'hésitai, ne sachant que dire.

— Non, répondit celui-ci, j'attends.

» — Où ?

— Ici.

» — Qu'attendez-vous ?

» — Que la chose soit faite.

» — C'est bien ; préparez un second traîneau, choisissez quatre soldats et que l'un prenne un levier, l'autre un marteau, les deux autres des haches.

» L'homme auquel s'adressait le gouverneur sortit aussitôt.

» Alors, se retournant vers moi :

» — Venez, reprit le gouverneur, et vous verrez.

» Il sortit le premier pour me montrer le chemin ; je le suivis ; un porte-clefs vint derrière nous.

» Nous marchâmes jusqu'à ce que nous fussions en face de la prison.

» Le gouverneur désigna du doigt une porte.

» Le geôlier l'ouvrit, passa le premier, alluma une lanterne et nous éclaira.

» Nous descendîmes dix marches, nous trouvâmes un premier rang de cachots, mais nous ne nous y arrêtâmes point ; puis dix autres marches, nous ne nous y arrêtâmes point encore ; puis cinq ; là, seulement, nous nous arrêtâmes.

» Les portes étaient numérotées : le gouverneur s'arrêta devant la porte désignée par le chiffre 11.

» Il fit un signe muet ; on eût dit que, dans ce séjour de tombeaux, comme les morts qui l'habitent, on perdait la faculté de parler.

» Il faisait au dehors un froid de 20 degrés ; dans les profondeurs où nous étions, ce froid était mélangé d'une humidité qui pénétrait jusqu'aux os ; la moelle des miens était glacée et cependant j'essuyais la sueur sur mon front.

» La porte s'ouvrit ; on descendait six marches rapides et gluantes et l'on se trouvait dans un cachot de huit pieds carrés.

» Il me sembla, à la lueur de la lanterne, voir une forme humaine se mouvoir au fond de ce cachot.

» On entendait un sourd et étrange bruissement. Je regardai autour de moi ; je vis une meurtrière d'un pied de long sur quatre pouces de large.

» Le vent venait par cette ouverture et établissait un courant avec la porte ouverte.

» Je compris quel était ce bruit et d'où il venait : c'était l'eau de la Néva qui battait les murs de la forteresse ; le cachot était au-dessous du niveau de la rivière.

» — Levez-vous et habillez-vous, dit le gouverneur.

» J'eus la curiosité de savoir à qui s'adressait cet ordre.

» — Éclaire, dis-je au geôlier.

» Le geôlier dirigea sa lanterne sur le fond du cachot.

» Je vis alors se soulever un maigre et pâle vieillard à cheveux blancs et à barbe blanche. Sans doute, il était descendu dans ce cachot vêtu des habits avec lesquels il avait été arrêté ; mais ces habits avaient eu le temps de tomber pièce à pièce, et il n'était plus vêtu que d'une pelisse en lambeaux.

» A travers ces lambeaux, on voyait son corps nu, grelottant et osseux.

» Peut-être ce corps avait-il été couvert de vêtements splendides ; peut-être les cordons des plus nobles ordres s'étaient-ils croisés sur cette poitrine décharnée. Aujourd'hui, c'était un squelette vivant qui avait perdu son rang, sa dignité, jusqu'à son nom, et qui s'appelait le numéro 11.

» Il se leva, s'enveloppa dans les débris de sa pelisse sans pousser une plainte ; son corps était courbé, vaincu par la prison, l'humidité, le temps, les ténèbres, la faim peut-être : l'œil était fier, presque menaçant.

» — C'est bien, dit le gouverneur ; venez.

» Il sortit le premier.

» Le prisonnier jeta un dernier regard sur son cachot, sur son siège de pierre, sur sa cruche d'eau, sur sa paille pourrie.

» Il poussa un soupir.

» Il était impossible cependant qu'il regrettât rien de tout cela.

» Il suivit le gouverneur et passa devant moi. Je n'oublierai jamais le regard qu'il me jeta en passant et ce qu'il y avait de reproche dans ce regard.

» — Si jeune, semblait-il me dire, et déjà aux ordres de la tyrannie !

» Je détournai les yeux ; ce regard avait pénétré dans mon cœur comme un poignard.

» Je m'effaçai pour qu'il ne me touchât point en passant.

» Il franchit la porte du cahot. Depuis combien de temps y était-il entré ? Peut-être l'ignorait-il lui-même.

» Il avait dû cesser depuis longtemps de mesurer les jours et les nuits au fond de cet abîme.

» Je sortis derrière lui ; le geôlier vint après nous et referma soigneusement le cachot.

» Peut-être ne le vidait-on que parce qu'on en avait besoin pour un autre.

» A la porte du gouverneur, nous trouvâmes les deux traîneaux.

» On fit monter le prisonnier dans celui qui nous avait

amenés ; nous nous assîmes, le gouverneur à ses côtés, moi sur le devant.

» L'autre traîneau était monté par les quatre soldats.

» Où allions-nous ? Je l'ignorais. Qu'allions-nous faire ? Je l'ignorais encore.

» L'action ne me regardait pas, on se le rappelle. Je devais *voir* voilà tout.

» Je me trompe, il me restait encore quelque chose à faire ; il me restait à dire : « J'ai vu. »

» Nous partîmes.

» Par ma position, je me trouvais avoir les genoux du vieillard entre les miens ; je les sentis trembler.

» Le gouverneur était enveloppé dans des fourrures ; j'étais boutonné dans mon surtout militaire et le froid nous envahissait.

» Le vieillard était nu, ou à peu près, et le gouverneur ne lui avait rien offert pour le couvrir.

» J'eus un instant l'idée d'ôter mon surtout et de le lui donner ; le gouverneur devina mon intention.

» — Ce n'est pas la peine, dit-il.

» Je gardai mon surtout.

» Nous avions repris notre course et nous avions regagné la Néva.

» Arrivé au milieu du fleuve, notre traîneau prit la direction de Cronstadt.

» Le vent venait de la Baltique et soufflait avec violence, le grésil nous fouettait le visage ; un de ces terribles chasse-neige comme il n'en existe que dans le golfe de Finlande, se préparait.

» Si habitués que fussent nos yeux à l'obscurité, la vue ne s'étendait pas à plus de dix pas.

» Lorsque nous eûmes dépassé la pointe, le chasse-neige se déclara.

» Vous n'avez pas une idée, mon ami, de ce qu'était ce

tourbillon de vent et de glace, au milieu de ces terrains bas et marécageux, où pas un arbre ne s'opposait à sa violence.

» Nous avancions à travers une atmosphère mouvante, mais où flottaient des flocons si pressés, qu'elle semblait près de devenir solide et à nous étouffer entre des murailles de neige.

» Nos chevaux renâclaient, hennissaient, refusaient d'avancer. Notre cocher ne les forçait de continuer leur chemin qu'à grands coups de fouet. À tout moment, ils déviaient et allaient nous heurter aux rives du fleuve.

» Alors, avec des luttes inouïes, on regagnait le milieu.

» Je savais que parfois, en plein jour, des traîneaux, chevaux et équipages, s'engloutissaient dans des abîmes où l'eau ne gèle jamais. Nous pouvions rencontrer un de ces trous et nous y engloutir tous.

» Quelle nuit, mon ami, quelle nuit !

» Et ce vieillard, dont les genoux grelottaient de plus en plus entre les miens !

» Enfin, nous nous arrêtâmes. Nous devions être à une lieue à peu près de Saint-Pétersbourg.

» Le gouverneur descendit, s'approcha du second traîneau. Les quatre soldats étaient déjà descendus, tenant chacun à la main l'instrument dont on leur avait recommandé de s'armer.

» — Faites un trou dans la glace, leur dit le gouverneur.

» Je ne pus retenir un cri de terreur. Je commençais à comprendre.

» — Ah ! murmura le vieillard avec un accent qui ressemblait au rire d'un squelette, l'impératrice se souvient donc de moi ? Je croyais qu'elle m'avait oublié.

» De quelle impératrice parlait-il ? Trois impératrices s'étaient succédé : Anne, Élisabeth, Catherine.

» Il était évident qu'il croyait vivre encore sous l'une d'elles et qu'il ignorait le nom même de celui qui le faisait mourir.

» Qu'était donc l'obscurité de cette nuit près de celle de son cachot ?

» Les quatre soldats s'étaient mis à l'œuvre. Ils brisaient la glace avec leurs marteaux, la taillaient avec leurs haches, soulevaient les blocs avec leurs leviers.

» Tout à coup, ils firent un saut en arrière ; la glace était brisée, l'eau montait.

» — Descendez, dit le gouverneur au vieillard en se retournant vers lui.

» L'ordre était inutile, le vieillard était descendu de lui-même.

» Agenouillé sur la glace, il priait.

» Le gouverneur donna tout bas un ordre aux quatre soldats ; puis il revint s'asseoir près de moi : je n'avais pas quitté le traîneau.

» Au bout d'une minute, le vieillard se releva.

» — Je suis prêt, dit-il.

» Les quatre soldats se jetèrent sur lui.

» Je détournai les yeux ; mais, si je ne vis pas, j'entendis.

» J'entendis le bruit d'un corps qui tombait dans le gouffre.

» Malgré moi, je me retournai.

« Le vieillard avait disparu.

» J'oubliai que ce n'était point à moi de donner des ordres, et je criai au cocher :

» — *Pachol ! pachol !*

» — *Stoï !* cria le gouverneur.

» Le traîneau, qui avait déjà fait un mouvement, s'arrêta.

» — Tout n'est pas fini, me dit le gouverneur en français.

» — Qu'avons-nous donc encore à faire ? lui demandai-je.

» — À attendre, répondit-il.

» Nous attendîmes une demi-heure.

» — La glace est prise, Excellence, dit un des soldats.

» — En es-tu sûr ? demanda le gouverneur.

» Il frappa sur la superficie de l'abîme ; l'eau était redevenue solide.

» — Partons, dit le gouverneur.

» Les chevaux repartirent au galop. On eût dit que le démon des tourmentes les poursuivait.

» En moins de dix minutes, nous étions de retour à la forteresse.

» J'y repris mon conducteur.

» — Au palais Rouge ! dit-il au cocher.

» Cinq minutes après, la porte de l'empereur se rouvrait pour me laisser passer.

» Il était debout et tout habillé, comme je l'avais vu la première fois.

» Il s'arrêta devant moi.

» — Eh bien ? demanda-t-il.

» — J'ai vu, répondis-je.

» — Tu as vu, vu, vu ?

» — Regardez-moi, sire, lui dis-je, et vous ne douterez pas.

» J'étais devant une glace. Je m'y voyais ; seulement, j'étais si pâle ; seulement, mes traits étaient si bouleversés, qu'à peine si, moi-même, je me reconnaissais.

» L'empereur me regarda et, sans dire un mot, il alla prendre sur le bureau, à la place où était le premier, un second papier.

» — Je te donne, dit-il, entre Troïtza et Pereslof, une terre avec cinq cents paysans. Pars cette nuit et ne reviens jamais à Saint-Pétersbourg. Si tu parles, tu sais comment je punis. Va !

» Je partis, je ne revis jamais Moscou, et c'est la première fois que je raconte à une âme vivante ce que je viens de vous raconter. »

Voilà une des mille légendes de la forteresse.

Je vais vous en dire une autre, plus courte, non moins terrible.

V

LA RÉGENCE DE BIREN

Dans notre étude sur Pierre Ier, nous avons dit un mot de la naissance de ses deux filles Anne et Élisabeth.

Anne épousa un prince de Holstein-Gottorp et eut de lui un fils qui fut depuis Pierre III.

Quant à Élisabeth, la seconde fille de Pierre, comme sa sœur Anne, elle était doublement adultérine, étant née de Catherine Ire pendant le mariage de son père avec Eudoxie Lapoukine, et pendant celui de sa mère avec le brave traban qui ne fit que paraître et disparaître, mais qui, quoique disparu, vivait toujours.

Sa tante Anne-Ivanovna, fille de l'idiot Ivan, qui avait régné conjointement avec le tzar Pierre et qui était mort en 1696, sa tante Anne-Ivanovna, disons-nous, en vertu du droit que s'étaient arrogé en Russie les empereurs et les impératrices de nommer leurs successeurs, l'avait écarté du trône pour y faire monter le petit Ivan-Antonovitch, son neveu, petit-fils de sa sœur, qui avait épousé un duc de Mecklembourg.

De ce mariage était née Anne de Mecklembourg qui, mariée au duc Antoine-Ulrich de Brunswick, était accouchée du jeune tzar Ivan-Antonovitch, justement trois mois avant la mort de l'impératrice et comme pour tirer celle-ci d'embarras.

La cause de cette préférence du petit-fils de la fille d'Ivan sur la fille de Pierre tenait à ce que la princesse Élisabeth, ayant trente et un ans, régnerait seule, tandis que le petit Ivan, âgé de trois mois, laissait tout le pouvoir aux mains d'un régent.

Le pauvre enfant en régna huit et paya ce règne éphémère par vingt-deux ans de prison et une mort sanglante.

Biren avait été nommé son régent.

Biren était le petit-fils d'un palefrenier de Jacques III, duc de Courlande.

Celui-ci avait accompagné, à titre d'écuyer, le fils de son maître, qui fut tué d'un coup de feu au siège de Bude, à son retour, il reçut, en récompense de son dévouement, le titre de capitaine des chasses.

L'aîné, Jean-Ernest, gagna les bonnes grâces de Beslie-chef grand maître de la cour de la duchesse de Courlande,devint l'amant de la duchesse et dès lors se fit descendre des *Biron* de France.

Lorsque la duchesse de Courlande était devenue impératrice de Russie, Biren, lui, était devenu duc de Courlande.

Biren était profondément haï des Russes, d'abord comme Courlandais — les Russes ont la haine instinctive de l'étranger — puis comme favori de l'impératrice.

Lui-même haïssait profondément les Russes ; il n'avait jamais voulu apprendre leur langue, pour ne pas lire les placets, les demandes en grâce adressés à l'impératrice par ses sujets.

C'était un sombre et féroce despote que ce favori et qui avait du grand dans sa taciturne férocité. Avec lui point de procès, point même l'apparence des formes judiciaires. Un homme lui déplaisait, il masquait quatre sbires ; les sbires se jetaient sur l'homme désigné, l'enfermaient dans une voiture couverte ; la voiture partait pour la Sibérie et revenait vide. Qu'était devenu cet homme ? Ses parents n'osaient pas même le demander. Jamais on ne le revoyait, jamais on n'en entendait plus parler.

Vingt-cinq mille personnes, dit-on, disparurent exilées, assassinées ou exécutées pendant les dix ans de pouvoir du terrible favori. Il avait — chose rare après Phalaris, Néron et Louis XI ! — trouvé un supplice nouveau. Par ces terribles froids de 25 et de 30 degrés qui règnent en Russie, il faisait verser de l'eau sur la tête du patient jusqu'à ce que le corps vivant, se refroidissant peu à peu, fût changé en statue de glace.

Un seigneur nommé Vonitzine avait adopté la religion juive ; il le fit brûler vif avec celui qui l'avait converti.

Il en résulta que, tant que l'impératrice Anne vécut, Biren fut sauvegardé de la haine des Russes par l'amour de l'impératrice. Mais, l'impératrice morte, son amour avec elle au tombeau, la haine nationale resta seule, comme un serpent, dans l'herbe de son chemin.

Biren s'aveuglait ; il ignorait cette haine. L'insensé se croyait populaire.

Il traitait hautainement la mère de l'empereur, la petite-fille d'Ivan et, un jour, il alla jusqu'à lui dire :

— Songez bien, madame, que je puis vous envoyer, vous et votre mari, en Allemagne, et qu'il y a de par le monde un duc de Holstein que je puis faire venir en Russie. Et ainsi ferai-je, si l'on m'y force.

Ce duc de Holstein était Pierre de Holstein, fils d'Anne, première fille de Pierre le Grand, dont nous avons dit un mot au commencement de ce chapitre et qui fut depuis Pierre III.

Nous le verrons venir, en effet, à son tour, appelé non par Biren, mais par Élisabeth, pour satisfaire une autre vengeance. Celui-là ne régna guère plus longtemps qu'Ivan, ne vécut guère plus longtemps que lui et mourut d'une mort non moins tragique.

C'est une sombre histoire que celle des empereurs de Russie au XVIIIe et même au XIXe siècle.

À partir de cette menace du régent, la glace fut rompue entre Biren et les parents du tzar.

Il y avait alors à la cour de Russie un vieux général allemand dur à lui et dur aux autres. Il avait fait, avec le prince Eugène, qui l'appelait son élève chéri, la guerre de la succession ; puis il était passé au service de Pierre le Grand, qui lui avait confié l'exécution du canal de Ladoga. À la mort de Pierre III, Anne-Ivanovna avait partagé les honneurs entre lui et le vice-chancelier Ostermann, autre homme de génie parti de bas, qui devait monter sur l'échafaud pour en redescendre jusqu'à l'exil.

Anne-Ivanovna avait fait ce vieux général allemand feld-maréchal et conseiller privé. On le nommait Christophe Burchard, comte de Munich.

Avec ce titre, il avait battu les Polonais et les Turcs et s'était emparé de Pérékop, d'Otchakof et de Chokzim.

Biren, qui craignait son influence, l'envoyait guerroyer au loin, tandis que lui régnait tranquillement. Chacun avait sa part, Munich, la gloire ; le favori, la haine.

Une de ces guerres suscitées par cette crainte de Biren coûta à l'empire cent mille hommes : elle fut désastreuse ; mais, au milieu du désastre, Munich grandit encore, s'il lui était possible de grandir.

Toujours à la tête des troupes, au milieu des marches les plus difficiles, il maintenait la discipline par une justice terrible.

Des officiers généraux avaient, brisés de fatigue, prolongé une halte plus longtemps que ne l'avait permis l'infatigable Munich.

Ils étaient attachés à des canons pendant de longues marches et, quand ils ne pouvaient plus traîner, ils étaient traînés.

Les soldats, dans la crainte des déserts sablonneux qui séparent les deux empires, feignaient d'être malades pour ne pas aller plus loin.

Munich publia un ordre du jour par lequel il défendait d'être malade sous peine d'être enterré vif.

Trois soldats, atteints et convaincus du crime de maladie

volontaire, furent enterrés vifs, au front de l'armée, qui passa sur eux, foulant aux pieds la tombe où peut-être ils respiraient encore.

À partir de ce moment, tout le monde se porta bien.

Au siège d'Otchakof, une bombe avait allumé dans la ville un incendie que les habitants ne pouvaient éteindre.

Munich profita de l'événement pour ordonner l'assaut. L'incendie s'étendait jusqu'au rempart qu'on voulait emporter ; il fallait lutter non seulement contre l'ennemi, mais encore contre la flamme.

Les Russes reculèrent.

Munich fit pointer derrière eux et contre eux une batterie de canons, de sorte qu'ils n'avaient de refuge que sur les remparts.

Trois magasins à poudre sautèrent, couvrant de débris assiégés et assiégeants ; mais, placés entre deux morts, les Russes choisirent la moins certaine.

La ville fut prise. Tout autre que Munich y eût échoué.

À force de victoires, il était devenu premier ministre.

Un jour qu'il portait à la mère du jeune empereur un de ces messages désagréables que ne lui ménageait point Biren, la princesse lui dit :

— Monsieur Munich, obtenez pour moi une chose de Son Altesse, c'est qu'elle me laisse retourner en Allemagne avec mon mari et mon fils.

— Pourquoi cela ? demanda Munich.

— Parce que c'est, je crois, dit-elle, le seul moyen d'échapper au sort qui nous attend.

— Ce n'est pas toute votre espérance ! lui dit Munich en la regardant fixement.

— Non. J'ai toujours eu celle qu'un homme de courage comprendrait ma situation et m'offrirait ses services.

— Et cet homme de courage, l'avez-vous choisi ?

— J'attendais qu'il s'offrît de lui-même.

— N'avez-vous parlé à personne de ce que vous dites là ?

— À âme qui vive.

— C'est bien, dit Munich, l'homme de courage est trouvé. Je me charge de tout, à la condition que je ferai l'affaire seul et comme je l'entends.

— Je me fie à votre honneur, général.

— Comptez sur lui.

— Et quand vous mettez-vous à l'œuvre ?

— Cette nuit.

Anne de Mecklembourg s'effraya et voulut faire quelques objections.

— Ce sera ainsi, madame, lui dit Munich, ou cela ne sera point.

Anne réfléchit un instant ; puis, avec résolution :

— Faites, dit-elle.

Munich sortit.

C'était le 28 octobre 1740.

Munich dîna et soupa avec le régent.

Pendant le dîner, Biren était sombre et rêveur ; Munich lui demanda quelle chose le troublait.

— C'est étrange ! dit-il ; je suis sorti aujourd'hui, j'ai vu très peu de monde dans les rues et ce peu qu'il y avait m'a paru triste, abattu, inquiet.

— C'est, dit Munich, que tout le monde désapprouve la conduite du duc de Brunswick, qui n'a pas pour Votre Altesse toute la reconnaissance qu'il lui doit.

— Au fait, c'est possible, répondit Biren, toujours prêt à s'abuser.

Mais il n'en demeura pas moins, pendant tout le dîner, pensif et silencieux.

Après le dîner, Munich se rendit chez la princesse Anne.

— Votre Altesse a-t-elle quelques nouveaux ordres à me donner ? demanda-t-il.

— Est-ce donc toujours pour cette nuit ?

— Toujours.

— Dites-moi, au moins, comment vous comptez vous y prendre.

— Ne me le demandez pas ; vous seriez ma complice si je vous le disais. Seulement, ne vous effrayez pas si j'éveille Votre Altesse et la fais sortir du lit vers trois heures du matin.

La princesse fit un signe de tête.

— C'est bien, dit-elle ; je remets mon fils, mon époux et moi-même entre vos mains.

En quittant la princesse, Munich rencontra le comte Lœvenwold ; il se rendait, de son côté, chez le duc de Courlande, où, comme Munich, il était invité à souper.

Ils trouvèrent le duc dans la même inquiétude, se plaignant de l'accablement de son esprit et d'une pesanteur que, de sa vie, il n'avait éprouvée. Il était couché tout habillé sur son lit.

Tous deux lui dirent que ce n'était qu'une indisposition qu'une bonne nuit ferait passer.

Munich, pour entretenir la conversation qui languissait, parla de ses campagnes et des diverses actions auxquelles il avait assisté pendant plus de quarante années de services.

Tout à coup, Lœvenwold lui demanda :

— Monsieur le maréchal, dans vos expéditions militaires, n'avez-vous rien entrepris d'important pendant la nuit.

La question venait si à point que Munich tressaillit ; mais, faisant bonne contenance, il répondit tranquillement :

— Je ne me rappelle pas avoir entrepris de chose extraordinaire pendant la nuit ; mais j'ai pour principe de saisir toutes les occasions qui me sont favorables.

Et, tout en répondant ainsi, il jeta un regard de côté sur le duc de Courlande.

Le duc se souleva un peu à la question de M. de Lœvenwold, resta appuyé sur le coude et la tête dans sa main pendant tout le temps que dura la réponse de Munich, puis se laissa retomber sur son lit avec un soupir.

À dix heures, on se sépara. Munich rentra chez lui et se mit au lit comme d'habitude ; mais il avoua lui-même n'avoir pu fermer les yeux.

À deux heures du matin, il se leva et fit appeler son aide de camp Manstein, lui donna ses ordres et se rendit avec lui au palais de la princesse Anne.

Il rassembla dans son antichambre les officiers qui étaient de garde auprès d'elle ; puis il entra chez la princesse et ressortit presque aussitôt avec elle.

— Messieurs, dit-il, Son Altesse ne saurait supporter plus longtemps les outrages dont l'abreuve le régent ; elle en appelle à votre patriotisme contre cet étranger et vous met sous mes ordres. Il s'agit d'arrêter le duc de Courlande ; êtes-vous prêts ?

— Ce n'est point le maréchal Munich qui ordonne, c'est moi qui prie, messieurs, dit la princesse en donnant ses mains à baiser aux officiers.

Les officiers se précipitèrent sur ses mains et les baisèrent, quelques-uns à genoux.

Il n'y eut qu'un cri contre le duc qui était universellement haï.

La garde était composée de cent quarante hommes ; on en laissa quarante au palais ; Munich, son aide de camp et les officiers se rendirent au palais d'Été, où logeait Biren.

La petite troupe fit halte à deux cents pas du palais ; là, le maréchal députa Manstein vers les officiers de la garde du régent pour leur annoncer ce qui se passait. Ceux-ci, qui, tout autant que leurs camarades, détestaient Biren, non seulement se réunirent à eux, mais offrirent même leur secours pour arrêter le duc.

Manstein rapporta ces bonnes dispositions à Munich.

— Alors, fit le maréchal, ce sera encore plus facile que je ne croyais. Prenez avec vous un officier et vingt hommes, pénétrez avec eux dans le palais, arrêtez le duc et, s'il fait résistance, tuez-le comme un chien.

Manstein obéit ; il pénétra dans la chambre à coucher du duc. Celui-ci était dans le même lit avec sa femme ; tous deux dormaient si profondément que le bruit d'une porte qu'il fallut forcer ne les éveilla point.

Manstein, voyant que rien ne bougeait, alla droit au lit et tira les rideaux en disant :

— Éveillez-vous, monsieur le duc !

Le duc et sa femme s'éveillèrent et, voyant leur lit entouré de gens armés, leur premier mouvement fut de crier :

— Au secours !

En même temps, le duc se laissait glisser à terre pour se cacher sous le lit ; mais Manstein l'arracha de la ruelle ; les soldats se précipitèrent sur lui et le bâillonnèrent. On lui lia les mains avec une écharpe ; on fit, des couvertures arrachées du lit, des manteaux pour le mari et pour la femme, et on les emporta au corps de garde.

Lorsque la duchesse apprit que c'était Munich qui avait dirigé cette arrestation :

— J'aurais plutôt cru, dit-elle, que le Dieu tout-puissant pût mourir, que le maréchal se conduire ainsi à mon égard.

Biren et sa femme furent envoyés en Sibérie. Le prince Ulrich de Brunswick, père de l'empereur, fut déclaré généralissime, et Munich, premier ministre ; ce qui enlevait à Ostermann à peu près toute son importance.

Il en résulta qu'Ostermann, au bout de trois mois, était parvenu à prouver à la régente et à son mari, nommé co-régent, que ce qu'ils avaient de mieux à faire, ne pouvant récompenser dignement l'homme auquel ils devaient tout, c'était d'être ingrats envers lui.

C'est un de ces conseils qui ont tant d'attrait pour les princes, qu'ils y résistent rarement.

Au bout de trois mois, Munich offrait sa démission, qui

était acceptée. Après quoi, il demeura à Saint-Pétersbourg, se contentant, dit l'histoire, d'inquiéter ses ennemis par sa présence.

La duchesse Anne n'avait pas négligé cette formalité passablement inutile, mais à laquelle les souverains tiennent on ne sait pas pourquoi, de se faire prêter serment de fidélité en prenant la régence.

Au nombre des personnes qui avaient prêté ce serment, était la princesse Élisabeth qui, étant fille de Pierre Ier, pouvait bien se croire autant de droits à la couronne qu'en avaient eu la fille d'Ivan et l'arrière-petit-fils de Pierre.

Cependant elle n'avait fait aucune difficulté de prêter ce serment ; seulement, elle s'était laissé dire et avait gardé dans sa mémoire que la plupart des soldats qui, sous le commandement de Munich, avaient arrêté le duc de Courlande, avaient cru agir par son commandement et à son profit.

D'ailleurs, on s'inquiétait peu de la princesse Élisabeth : c'était une belle et sensuelle personne, qui pour être libre, non seulement de son cœur, mais encore de ses sens, n'avait jamais voulu se marier et qui professait cette douce maxime qu'elle n'était heureuse que quand elle était amoureuse.

Elle aimait fort la table ; avec cela, le luxe et les plaisirs ; de sorte que la régente avait une conviction, c'est que, tant qu'elle ne laisserait pas la princesse Élisabeth manquer d'argent, elle n'avait rien à craindre de celle-ci.

En effet, la princesse Élisabeth menait joyeuse vie et ne paraissait s'inquiéter en rien de la politique.

Dès le règne de la reine Anne, au reste, de grandes facilités lui avaient été données pour cela.

Nous avons sous les yeux une dépêche de M. Rondeau, notre ministre en Russie, en date du 28 mai 1730, c'est-à-dire de dix ans antérieure à l'époque où nous sommes arrivés — Élisabeth n'ayant que vingt et un ans — dans cette dépêche, nous lisons :

« La princesse Élisabeth est malade ou feint de l'être depuis quelque temps ; les uns disent que c'est parce qu'on lui a préféré la tzarine Anne ; d'autres croient que c'est un prétexte pour ne pas se trouver au couronnement, parce que l'on soupçonne qu'elle est grosse, du fait d'un grenadier dont elle est amoureuse, et qu'elle ne peut se montrer en grand habit sans découvrir son état.

» Si c'est la raison ou non, je ne saurais l'affirmer ; mais ce qui est certain, c'est qu'elle mène une vie très irrégulière, et la tzarine paraît n'être point fâchée qu'elle se perde dans l'opinion ; car, au lieu d'éloigner le grenadier favori, qui est, il est vrai, un gentilhomme, Sa Majesté l'a dispensé de tout service, afin qu'il puisse toujours être à la disposition de la princesse[1]. »

Vous conviendrez, chers lecteurs, que c'était bien gracieux de la part de l'impératrice. Il est vrai qu'ayant toute l'armée à son service, elle pouvait bien laisser un grenadier, si beau qu'il fût, au service de sa cousine.

Malheureusement, cet état de choses ne put durer. Le duc de Courlande s'inquiéta du grenadier et eut l'idée de lui substituer son frère, le major Biren.

Il en résulta que le pauvre grenadier fut, un beau jour, réveillé au milieu de son bonheur, dépouillé de tout ce que lui avait donné la princesse et envoyé en Sibérie, ni plus ni moins que s'il eût été un grand seigneur.

« Cela contrarie fort la sœur aînée d'Élisabeth, la duchesse de Mecklembourg, nous annonce encore notre ministre M. Rondeau ; elle craint que, si la princesse Élisabeth devient la maîtresse du major Biren, elle ne soit plus aussi bien choyée par la tzarine.

» Au reste, ajoute l'infatigable observateur, la duchesse de Mecklembourg continue d'être fort malade, et on pense qu'elle

1 Cet heureux mortel s'appelait Schoubine.

aura beaucoup de peine à en échapper, *à cause de la quantité d'eau-de-vie qu'elle a bue dans les dernières années.* »

Oui, d'*eau-de-vie*, belles lectrices, vous avez bien lu.

Bah ! il faut bien passer quelque chose à la fille aînée de Pierre le Grand et de Catherine Ire.

Ce que craignait cette bonne duchesse de Mecklembourg, dans ses moments de lucidité, ne se réalisa point. La princesse Élisabeth, qui était une femme de fantaisie, se refusa constamment à prendre le major Biren ; ce qui fit qu'à la mort de l'impératrice Anne, le jeune Ivan, ce petit-fils de la prévoyante duchesse de Mecklembourg, qui avait bu tant d'eau-de-vie, qu'elle en était morte, lui fut préféré.

Mais ce n'était point, comme on le pense bien, pour se consacrer au culte de la déesse Vesta que la princesse Élisabeth avait refusé le major Biren.

Voyons un peu ce qui se passe le jour et la nuit chez cette bonne princesse, que les Russes appelèrent Élisabeth la Clémente, parce qu'elle ne permit pas qu'une seule exécution eût lieu sous son règne.

Cela faisait un changement après le règne de la reine Anne, où onze mille personnes avaient perdu la vie par toute sorte de supplices, quelques-uns même, comme nous l'avons dit, fort ingénieux.

Il ne faut jamais reprocher à une princesse d'aimer les hommes ; l'amour des hommes conduit à l'amour de l'humanité.

VI

ÉLISABETH ET LESTOCQ

Nous en étions à l'exil du beau grenadier, n'est-ce pas?

C'était un homme d'un si grand mérite, qu'un seul successeur ne put le faire oublier et que force fut à la princesse d'en prendre deux.

Ces deux successeurs de Schoubine furent Alexis Razoumovsky et Michel Voronzof.

Disons ce qu'étaient ces deux hommes qui jouèrent un si grand rôle sous le règne d'Élisabeth.

Un paysan de la Petite Russie, Grégoire Razoumovsky, avait eu deux fils : Alexis et Cyrill.

Alexis avait une belle voix : il parvint à être chantre de la chapelle impériale, après avoir chanté dans les chœurs d'une petite ville de sa province.

La princesse Élisabeth remarqua la voix, puis l'homme ; et, comme ce n'était point un de ces ténors douteux que le pape réclame pour chanter le *Miserere* dans la chapelle Sixtine, mais une belle voix de basse, elle le prit au service de sa chapelle particulière.

Quant à Voronzof, il était d'une bonne famille, quoiqu'il ne fût point de ces illustres Voronzof qui furent si célèbres au XVe et au XVIe siècle. L'extinction de cette famille de boyards eut lieu en 1576, et se trouve constatée au livre de velours.

Non ; le premier aïeul authentique de ces seconds Voronzof, plus célèbres aujourd'hui que les premiers, était mort en 1678, au siège de Tchigirine en Petite-Russie.

Son fils Hilarion Voronzof eut trois fils : Roman, Michel et Jean.

Ce fut Michel que la princesse Élisabeth adjoignit à Razoumovsky, non pas comme chantre de sa chapelle, mais comme simple enfant de chœur — lisez : cœur.

En effet, Razoumovsky était né en 1709, et, par conséquent, était du même âge que la princesse, tandis que Michel Voronzof avait vingt-trois ou vingt-quatre ans à peine.

À ces deux favoris s'en joignit un troisième, qu'il ne faut pas compter, attendu que c'était le médecin particulier de la bonne princesse.

Il se nommait Hermann Lestocq.

Ah ! celui-là, vous le connaissez : mon confrère M. Scribe a fait sur lui, avec la sévérité historique qui lui est habituelle, un opéra-comique qui a eu un fort grand succès.

Cependant, il ne faudrait peut-être pas juger seulement Lestocq par l'opéra de M. Scribe. Mieux vaudrait le juger sur les dépêches des ambassadeurs qui se trouvaient à la cour de Russie, lorsqu'il y fit la révolution de 1741.

C'était le fils d'un barbier. Les fils de barbier, à cette époque, naissaient la lancette à la main.

Lorsqu'on sait saigner, on est plus près d'être chirurgien que barbier.

Lestocq se fit chirurgien, partit pour Saint-Pétersbourg et parvint à entrer dans la maison de la princesse Élisabeth.

Bonne maison, ma foi ! tout le monde voulait en être.

Lestocq n'en fut pas plutôt qu'il songea à faire de la princesse une impératrice.

Ce n'était pas bien difficile. La princesse représentait le vieux parti russe ; la régente et son mari vivaient dans la plus grande mésintelligence. La favorite, mademoiselle Mengden, était toute-puissante, et l'on cherchait, sans la trouver, ou en la trouvant dans une singulière cause, la raison de cette amitié excessive de la régente Anne de Mecklembourg pour une femme. Munich, la véritable épée de ce trône chancelant, avait été écarté. Ostermann, qui eut dû en être l'œil, avait la goutte et, la plupart du temps, dirigeait la politique de son lit.

D'ailleurs, la régente, si jalouse de son autorité, qu'elle n'en cédait pas une parcelle à son mari, la régente, après avoir renvoyé Munich, n'eut point été fâchée de renvoyer Ostermann. Mademoiselle Mengden, qui remplaçait si bien son mari, ne pouvait-elle pas remplacer aussi le premier ministre et le chancelier ?

Au reste, un passage d'une dépêche de M. Finch, ministre d'Angleterre, donnera une idée des sentiments du parti russe, sentiments qui, aujourd'hui, après cent vingt ans écoulés, sont absolument les mêmes :

« Les nobles qui ont quelque chose à perdre sont, pour la plupart, favorables à ce qui est, et suivent le courant. Un grand nombre d'entre eux sont Russes invétérés, et la violence et la force peuvent seules les empêcher de revenir à leurs anciennes mœurs. Il n'y en a pas un d'entre eux qui ne souhaite voir Saint-Pétersbourg au fond de la mer, et toutes les provinces conquises au diable, afin de pouvoir retourner à Moscou, où, étant dans le voisinage de leurs terres, ils pourraient vivre dans une plus grande splendeur et avec moins de dépense. Ils ne veulent avoir rien à démêler avec l'Europe. Ils haïssent les étrangers ; tout au plus voudraient-ils les employer dans la guerre, et ensuite se débarrasser d'eux. Ils ont en égale abomination les voyages sur mer et préféreraient être envoyés en Sibérie, dans les endroits les plus horribles et les plus reculés, plutôt qu'à bord d'une flotte. Le clergé a beaucoup d'influence, et l'on peut juger à certains indices qu'il donnera des inquiétudes et des embarras au gouvernement présent. »

Voilà l'opinion politique de M. Finch, ministre d'Angleterre.

Maintenant, voulez-vous connaître son opinion morale ? Elle est concise et nette :

« Je ne connais personne ici qui, dans un autre pays, passât pour un homme médiocrement honnête. »

Et il signait, le digne puritain.

C'est sur cette société-là qu'allait opérer le chirurgien Lestocq.

En général, les princesses du caractère d'Élisabeth sont sympathiques au peuple ; chez la princesse, on excuse facilement les faiblesses de la femme.

Élisabeth s'était fait des amis parmi les officiers et même parmi les soldats, qu'elle abordait toujours avec un visage riant et la main ouverte.

Lestocq la poussait fort à cette popularité militaire.

Il avait, en outre, de fréquentes entrevues avec notre ministre, M. de la Chetardie.

Ces entrevues furent dénoncées à son gouvernement par ce digne M. Finch, qui jouait vraiment le rôle de Diogène à Saint-Pétersbourg et qui, malgré sa lanterne diplomatique, n'y pouvait trouver un honnête homme.

Il écrivait, le 21 juin 1741, c'est-à-dire presque à la veille de la catastrophe qui renversa la régente, son mari et le petit empereur, il écrivait, disons-nous :

« J'ai fait diverses communications au comte Ostermann touchant les envoyés de France et de Suède : il a joué l'ignorant. C'est son habitude de se tenir sur la réserve dans les circonstances difficiles : c'est ainsi, par exemple, qu'il avait la goutte à la main droite lorsque, à la mort de Pierre II, il dut signer le document qui limitait le pouvoir de son successeur. C'est un pilote de beau temps, qui se cache dans les écoutilles pendant la tempête. Il se met toujours à l'écart lorsque le gouvernement vacille. »

M. Finch s'ouvrit de ses inquiétudes au prince de Brunswick.

De son côté, le prince de Brunswick savait que l'ambassadeur de France se rendait souvent la nuit et déguisé chez la princesse.

Il se promettait, si la conduite de la princesse devenait de plus en plus équivoque, de l'enfermer dans un couvent.

« Ce qui, dit toujours le judicieux M. Finch, pourrait être un expédient dangereux, la princesse n'ayant aucune disposition à la vie religieuse et étant extrêmement aimée et populaire. »

Lestocq, instruit de cette disposition, jugea qu'il était temps d'agir.

C'était un homme qui avait toute sorte de talents que Lestocq. Non seulement il faisait de la médecine et de la politique, mais encore il dessinait dans ses moments perdus.

Il fit un grand et beau dessin qu'il présenta à Élisabeth.

Ce dessin était double. D'un côté, il avait représenté la princesse sur le trône de Russie, avec le sceptre à la main et la couronne des tzars sur la tête, et lui sur les marches de ce trône, avec le grand cordon de Saint-André en sautoir, de l'autre côté, il avait représenté la princesse la tête rasée et lui sur une roue.

Puis, au bas, il avait écrit : « Aujourd'hui l'un ou demain l'autre. »

Vous voyez que la concision était le mérite des hommes politiques de cette époque.

Élisabeth se décida ; la nuit suivante fut fixée pour l'exécution de ce grand dessein : c'était la nuit du 24 au 25 novembre 1741.

A minuit, l'impératrice s'agenouilla devant une image de la Vierge et pria ; puis elle se passa au cou le cordon de Sainte-Catherine, fondation de Pierre Ier, à propos de la délivrance miraculeuse de son armée cernée par les Turcs.

Lestocq et Michel Voronzof montèrent derrière son traîneau.

Tous trois se rendirent à la caserne des gardes du régiment

de Préobrajensky. Vous vous le rappelez : c'est le premier régiment régulier fondé par le tzar Pierre.

Là, les amis qu'elle s'était faits attirèrent bientôt à leur parti trois cents grenadiers.

— Amis ! leur dit Élisabeth, vous savez de qui je suis fille ; suivez-moi !

— Nous sommes prêts ! répondirent-ils. Nous les tuerons tous.

C'était plus que n'en demandait Élisabeth ; elle leur recommanda, au contraire, de ne tuer personne et marcha sur le palais d'Hiver.

Les trois cents grenadiers la suivaient, fusil chargé, la baïonnette au bout du fusil.

Au premier corps de garde, un tambour battit l'alarme ; mais la caisse fut à l'instant même crevée d'un coup de couteau.

Qui donna cet habile coup de couteau ? Fut-ce Élisabeth ? fut-ce Lestocq ? Tous deux le réclamèrent.

Nous sommes tenté de croire que ce fut Lestocq, habitué à se servir du bistouri et de la lancette.

D'ailleurs, où l'impératrice eut-elle pris un couteau en ce moment ?

Le tambour se tut, le corps de garde fut pris, les soldats se réunirent à leurs camarades ; on entra dans le palais d'Hiver sans éprouver aucune résistance.

A la porte du petit empereur seulement, la sentinelle abaissa sur les conjurés sa baïonnette.

— Malheureux ! lui cria Lestocq, que fais-tu là ? Demande ta grâce à ton impératrice.

La sentinelle tomba à genoux.

Le duc et la duchesse de Brunswick furent arrêtés dans leur lit, comme ils avaient fait arrêter le duc et la duchesse de Courlande.

Quant au petit Ivan, éveillé en sursaut dans son berceau impérial et se voyant entouré de soldats, il se prit à pleurer.

Pauvre victime dont le supplice devait durer vingt et un ans !

Sa nourrice accourut, le prit dans ses bras ; mais ses caresses, presque maternelles, ne purent le calmer.

On emporta le père, la mère, l'enfant dans le palais même d'Élisabeth.

La même nuit, on arrêta Munich, Ostermann et quelques-uns de ceux qui avaient concouru au renversement de Biren et à l'élévation du jeune Ivan.

Trois jours après, Élisabeth déclara que la princesse Anne, son époux et leur fils n'ayant aucun droit au trône de Russie, ils seraient renvoyés en Allemagne. En attendant, elle les fit enfermer à la forteresse de Riga, d'où ils passèrent au fort de Dunamonde, puis à Kholmogori, puis à Schlusselbourg, où l'enfant arriva orphelin.

Dans le trajet, Anne était morte et le duc de Brunswich, que son incapacité rendait peu à craindre, avait été mis en liberté, ou à peu près.

Lestocq reçut une pension de sept mille roubles (vingt-huit mille francs) par an ; il fut nommé comte, conseiller intime de l'impératrice, resta son médecin ordinaire et fut gratifié du portrait, orné de diamants, de celle qu'il avait faite impératrice. La garniture valait quatre-vingt mille francs.

Voronzof fut nommé comte et entra au ministère.

Razoumovsky fut nommé comte, grand veneur, eut le cordon de Saint-André et, plus tard, reçut le grade de feld-maréchal.

Son frère Cyrille fut, à vingt-deux ans, nommé hetman des Cosaques.

M. de la Chetardie devint le directeur de la politique et la dirigea au profit de la France.

Swarts, un musicien allemand qui avait accompagné l'impératrice dans son expédition nocturne, fut récompensé en argent.

Les trois cents grenadiers formèrent une compagnie de gardes du corps dont les simples soldats eurent le grade de lieutenant, les caporaux et les sergents ceux de capitaine et de major.

Les six officiers qui avaient débauché les autres furent faits lieutenants-colonels.

L'impératrice se nomma capitaine dans la compagnie et dans certaines circonstances en porta l'uniforme.

Élisabeth, nous l'avons dit, représentait le vieux parti russe.

La première exigence du parti que représentait l'impératrice fut l'expulsion des étrangers. Ces étrangers, c'étaient l'instruction, la science, les arts, la guerre.

On fit le procès de Munich, un des plus grands généraux de l'époque ; le procès d'Ostermann, un des plus grands politiques.

Ils furent condamnés à être écartelés.

Le 18 février 1742, les condamnés furent conduits à l'échafaud.

C'étaient Ostermann, Munich, Golovkine, Mengden et Lœvenwold ; ces trois derniers devaient être seulement décapités.

Ils arrivèrent sur le lieu du supplice à dix heures du matin ; tous s'étaient laissé couper la barbe, à l'exception de Munich, qui s'était fait poudrer et friser comme d'habitude.

Depuis le commencement du procès, il n'avait pas témoigné la moindre crainte et, durant tout le trajet de la citadelle à l'échafaud, il avait plaisanté avec ses gardes.

Ostermann avait été apporté sur une chaise. Il était incapable de marcher. C'était lui que l'impératrice haïssait le plus, il le savait et ne s'attendait à aucune grâce ; cependant, en jetant un regard sur l'échafaud, il n'y vit qu'un billot auprès duquel l'exécuteur attendait.

On lui lut son accusation ; par un violent effort de volonté, il l'entendit debout et avec une contenance ferme et attentive.

La sentence, comme nous l'avons dit, le condamnait à

périr sur la roue, mais la clémence de l'impératrice avait changé cette peine en celle de la décapitation.

Il fit un mouvement de tête et, d'une voix calme :

— Vous remercierez pour moi l'impératrice, dit-il.

Des soldats lui enlevèrent son bonnet et sa perruque.

Puis, après l'avoir dépouillé de la robe de chambre dont il était vêtu et déboutonnant le col de sa chemise :

— A genoux et posez votre tête sur le billot ! lui dit-il.

Ostermann obéit.

L'exécuteur leva son sabre ; mais, au lieu de frapper, il le tint suspendu au-dessus de la tête du patient.

En ce moment, le greffier reprit sa lecture et annonça à Ostermann que Sa Majesté lui faisait grâce de la vie et le condamnait seulement à un exil éternel.

Ostermann fit une inclination de tête, se releva et dit au bourreau :

— Alors, je vous prie, rendez-moi ma perruque et mon bonnet.

Il les remit sur sa tête, reboutonna, sans dire autre chose, le col de sa chemise, se revêtit de sa robe de chambre et descendit avec un visage aussi calme qu'il était monté.

Comme pour Ostermann, la peine de Munich et celle de ses trois compagnons furent commuées en un exil éternel.

Munich fut envoyé à Petim, en Sibérie, dans la même maison qui avait été élevée sur ses plans pour Biren.

Ostermann fut interné à Beresof, où Menchikof était mort, et y mourut lui-même sept ans après sa condamnation, en 1747.

Le beau grenadier Schoubine fut cherché de tous côtés.

Un homme n'est pas facile à trouver lorsqu'il est perdu sur sept cents lieues de terrain. Enfin, après deux ans de persistance, le hasard le mit en face de ceux qui le cherchaient.

Élisabeth ne lui rendit pas son amour ; mais elle lui donna un rang dans ses gardes, en lui conférant le grade et le titre de major général.

Avec la meilleure volonté du monde, l'impératrice, comme nous allons le voir tout à l'heure, n'avait plus de place pour Schoubine.

Probablement aussi, le beau grenadier, guéri de l'ambition par trois ou quatre années de Sibérie, n'insista-t-il pas beaucoup ; car, s'il eut insisté, la bonne impératrice, qui était tout cœur ou plutôt tout corps, n'aurait pas eu la force de lui résister.

Elle ne résista point à Razoumovski, lequel, en sa qualité d'ancien chantre de chapelle, avait des mœurs, et qui insista pour qu'un mariage légitimât leur liaison.

L'impératrice qui, du temps où elle était princesse, avait refusé de se marier pour rester libre, se débattit quelque temps sous la pression ; enfin, pour ne pas faire trop de chagrin à Razoumovski, qu'elle aimait tendrement et qu'elle aima toujours, elle y consentit. Mais, comme impératrice, elle fit ses conditions.

Nous n'avons pas le sous-seing privé où ces conditions sont établies ; mais on peut deviner, par la suite du règne d'Élisabeth et par la liberté dont elle jouit, quels étaient les privilèges qu'elle s'était réservés.

Au reste, rien de caché, sous ce rapport, pour le public. La célébration du mariage eut lieu dans l'église de Perovo, près de Moscou ; et Élisabeth eut, de ce seul mariage, cinq enfants qui ne vécurent pas.

Nous disons de ce seul mariage, parce que, en dehors de ce mariage, elle eut quatre autres enfants que la bonne impératrice ne cacha guère plus qu'elle ne cachait ceux qu'elle pouvait regarder comme légitimes.

Quant à Razoumovski, au lieu d'abuser de sa position, comme Biren, il se tint toujours, soit modestie, soit insouciance, en dehors du pouvoir, laissant Ivan Schouvalof et Bestuchef faire la politique comme ils l'entendaient.

Il y a plus.

Longtemps après la mort d'Élisabeth, et lorsque Grégoire

Orlof, dont les remords, s'il en avait, devaient être moins innocents que ceux de Razoumovsky, tourmentait Catherine pour qu'elle suivît l'exemple d'Élisabeth, Catherine, lasse de lutter, y consentit, et un légiste fut chargé d'aller demander à Razoumovsky les actes qui avaient consacré son union avec Élisabeth, afin que le mariage de Catherine et de Grégoire Orlof s'accomplît dans les mêmes conditions et avec les mêmes formes.

Le légiste se rendit chez le vieux Razoumovsky et lui exposa le but de sa mission.

Razoumovsky réfléchit un instant ; puis, sans rien dire, il se leva, alla à son secrétaire, l'ouvrit, en tira un coffret plein de papiers, prit les papiers dans le coffret ; puis, toujours sans rien dire, alla les jeter dans la cheminée, resta les yeux fixés dessus jusqu'à ce qu'ils fussent réduits en cendre ; et, lorsqu'il n'en resta plus qu'une couche noire où couraient capricieusement quelques étincelles qui s'évanouissaient les unes après les autres et un peu de fumée se volatilisant de plus en plus, il se retourna vers l'envoyé de Catherine ou plutôt vers celui d'Orlof.

— Je ne sais pas ce que vous voulez dire en demandant les papiers relatifs à mon mariage avec l'impératrice Élisabeth. Je n'ai jamais eu l'honneur d'être l'époux de Sa Majesté.

Catherine comprit le conseil et resta veuve.

Maintenant, pour n'y pas revenir, disons tout de suite ce qu'il advint de celui qui avait fait toute cette révolution.

Lestocq partagea d'abord avec notre ambassadeur, M. de la Chetardie, tout le pouvoir politique et donna d'excellents conseils à l'impératrice. Ce fut lui qui reconstitua le ministère et qui fit entrer Bestuchef à la place d'Ostermann.

Ce fut la cause de sa perte.

Bestuchef était un de ces hommes qui mettent en pratique, chaque fois qu'ils en trouvent l'occasion, ce grand précepte d'un de nos philosophes modernes : « L'ingratitude est l'indépendance du cœur. »

Disons quelques mots de cet homme qui, sous trois règnes,

joua un certain rôle politique à la cour des souverains de Russie.

Bestuchef était né en 1693, à Moscou ; mais, en 1712, il était entré au service de l'électeur de Hanovre qui, devenu roi d'Angleterre, l'avait nommé ministre résident à Saint-Pétersbourg. En 1718, il était rentré au service de la Russie et avait été désigné par Pierre Ier pour accompagner à Mittau sa fille aînée, la même qui fut depuis impératrice et qui épousa le duc de Courlande. Nommé ministre à Copenhague, Biren le rappela à lui pour lui donner la succession de Volonsky. Il aida fort à la régence du duc de Courlande ; mais, quand vint la chute de Biren, il fit volte-face et devint le principal témoin à la charge du favori précipité.

Biren, qui, dans toute cette catastrophe, dépassa toujours de la tête ceux qui disposaient de son sort, fut très digne et très noble à l'endroit de Bestuchef. Confronté avec lui, le duc déclara qu'il était prêt à avouer tout ce dont l'accusait son ancien ami, si Bestuchef osait répéter devant lui et en face de lui la déposition qu'il avait faite en arrière.

Il prononça ces paroles d'un ton si solennel, fixa sur Bestuchef des regards si assurés, que celui-ci, courbé sous ce regard, plia les genoux et tomba aux pieds du duc en disant qu'il était obligé de demander pardon à Dieu, mais que tout était faux dans la confession qu'il avait faite.

C'était ce même homme que Lestocq faisait la faute d'appeler au pouvoir.

A peine y fut-il, qu'il travailla à la ruine de son protecteur.

Le premier malheur de Lestocq fut que M. de la Chetardie quittât Saint-Pétersbourg. Il revint en France avec un million que lui avait donné l'impératrice Elisabeth.

Dix-huit mois après avoir fait Elisabeth impératrice, Lestocq, accusé de haute trahison, traduit devant l'inquisiteur secret, était mis trois fois à la torture, et, tout brisé, envoyé en exil dans la petite ville d'Ouglitch, sur le Volga ;

puis, comme c'était encore trop près de Saint-Petersbourg, à Oustioug-Veliki, près d'Arkhangel.

Quant à la pauvre impératrice, caractère faible et sensuel, elle passait sa vie dans les plaisirs et dans les transes.

Chaque soir, il y avait orgie ; car l'impératrice eût difficilement décidé lesquels elle préférait, des plaisirs de la table ou de ceux de l'amour.

Pour que les uns ne nuisissent pas aux autres, on soupait d'habitude dans la chambre à coucher de l'impératrice, et, pour surcroît de précaution, l'impératrice, sans corset et avec des robes faufilées et non cousues, s'asseyait près du favori du moment, auquel l'excellent Razoumovsky eut le bon esprit de ne jamais chercher querelle[1].

La coutume, nous dirons presque l'ordre, était de ne jamais laisser l'impératrice seule jusqu'au jour. Aussitôt qu'elle se trouvait seule dans la nuit, Elisabeth tremblait et jetait des cris de terreur. Elle savait par expérience que c'était pendant la nuit qu'avaient été tramées toutes les conspirations qui avaient renversé du trône les souverains de Russie.

Elle fit chercher par tout le royaume un homme qui ne dormît point ou qui eût le sommeil si léger, que le vol d'un moucheron le réveillât.

On eut le bonheur de trouver cet homme, et, par chance, il était si laid, qu'il put, sans que les plus mauvaises langues

1 Comme on pourrait croire que j'ai été au delà de la vérité dans ce que j'ai dit de l'impératrice Élisabeth, permettez-moi, chers lecteurs, de mettre sous vos yeux ce fragment de dépêche de M. de Swaart, ministre des Provinces-Unies, en 1757.

Je n'ai pas besoin de vous dire que le brave Hollandais était révolté.

« La société présente en Russie un effrayant tableau de licence, de désordre, et une dissolution de tous les liens de la société civile. L'impératrice ne voit et n'entend que les Schouvalof; elle ne s'enquiert de rien et continue sa manière de vivre accoutumée ; elle a littéralement abandonné l'empire au pillage. Jamais il n'y a eu en Russie un état de choses plus désordonné, plus dangereux et plus déplorable. Il n'y reste pas la moindre trace de bonne foi, d'honneur, de pudeur et de justice. »

y trouvassent à redire, rester jour et nuit dans la chambre de l'impératrice.

Et, maintenant, après ces deux chapitres d'histoire, que je n'ai pas eu le courage de supprimer, je vous l'avoue, passons à la deuxième légende de la forteresse.

VII

AUTRE LÉGENDE DE LA BASTILLE MOSCOVITE

Nous avons dit qu'en dehors des cinq enfants à peu près légitimes que l'impératrice Élisabeth avait eus de Razoumovsky, elle en avait mis au jour quatre autres.

L'un de ces quatre autres enfants était la princesse Tarakanof.

Ne souriez pas à ce nom bizarre : la pauvre princesse a fini d'une si triste fin, que vous regretteriez votre sourire.

Elle avait vingt ans, elle était belle, elle était libre, elle jouissait d'une fortune assurée. Toute jeune, on l'avait transportée de Saint-Péterbourg à Florence ; là, elle avait grandi pauvre fleur, comme une plante généreuse du Nord transportée sous le soleil béni des Michel-Ange et des Raphaël.

Elle était la reine des fêtes de Florence, de Pise et de Livourne.

Rien n'était reconnu ni officiel en elle ; mais ce mystère qui laissait entrevoir une naissance impériale, augmentait encore le charme qui l'enveloppait comme un de ces nuages dont s'environnaient les anciennes déesses quand elles ne voulaient point complètement apparaître aux mortels. Deux personnes la devinèrent cependant ; l'une pour l'ambition, l'autre pour la haine : Charles Radzivil et Grégoire Orlof.

Charles Radzivil, palatin de Vilna, ennemi acharné des

Russes, rival des Czartorisky, nommé en 1762, gouverneur de la Lithuranie par Auguste III de Saxe, s'était posé comme le concurrent de Poniatovsky au trône de Pologne.

Mais son ambition allait plus loin.

Il se souvenait de l'ancienne grandeur de la Pologne, quand elle donnait des rois à la Bohême et à la Hongrie, quand elle acquérait la moitié de la Prusse occidentale avec suzeraineté sur la Prusse orientale, laquelle joignait à cette suzeraineté celle de la Courlande, lorsqu'elle réunissait à elle la Livonie, enfin lorsqu'elle prenait Moscou.

Moscou, pris en 1611, pouvait l'être encore en 1764 ou 1768 ; alors, Radzivil mettait sur sa tête la couronne des Monomaques et des Jagellons.

C'était un grand projet, vous le voyez : mais, comme Charles Radzivil était un aussi grand politique qu'un bon soldat, il avait encore rêvé autre chose : c'était de se faire aimer de la princesse Tarakanof, de devenir son époux, et, Moscou pris, de s'appuyer sur cette alliance avec la fille d'Élisabeth, dont on faisait publiquement reconnaître la naissance, pour faciliter l'établissement de son pouvoir sur la Russie.

La pauvre princesse ignorait tous ces projets d'ambition. Elle ne voyait qu'un palatin illustre, encore jeune, beau de visage, élégant de manières ; elle accueillit ses hommages : — avec une sévérité excessive elle n'eût pas été la fille de sa mère ; — et le bruit se répandit que Charles Radzivil, palatin de Vilna, allait épouser la princesse Tarakanof, fille naturelle d'Élisabeth.

Ce bruit arriva bientôt à la cour de Russie.

Catherine en tressaillit, car elle devina les projets du prince Charles Radzivil.

Elle avait beau renverser les obstacles, les obstacles renaissaient sous ses pas.

Elle venait de laisser étrangler Pierre III, elle venait de laisser assassiner le jeune Ivan, et voilà qu'une fatalité lui créait, en Italie, une prétendante à laquelle elle n'avait jamais songé !

Si c'eût été en Russie encore, à Ropscha ou à Shlusselbourg, là où elle pouvait étendre la main; mais en Italie, à Florence, dans les États du grand-duc !

Elle se confia à ses bons amis les Orlof.

Les Orlof n'étaient jamais embarrassés.

Catherine laisserait transpirer son projet de nommer Stanislas Poniatovsky roi de Pologne ; ce projet attirerait à Varsovie Charles Radzivil, qui laisserait, pendant ce temps, la belle princesse sans défense.

Quand à Orlof, voici ce qu'il ferait: il prendrait trois vaisseaux et s'en irait en Italie. Le but ostensible de son voyage serait d'acheter des tableaux, des statues, des bijoux précieux et de ramener des artistes.

Le but caché se révélerait de lui-même et quand il serait temps.

Orlof partit ; son vaisseau était lesté d'or.

La navigation fut heureuse ; il doubla sans accident le cap Finistère ; il traversa le golfe de Gascogne, le détroit de Gibraltar, et vint jeter l'ancre dans le port de Livourne.

Dieu regardait d'un autre côté.

C'était au mois de juillet ; tout ce qu'il y avait de gentilshommes élégants et de femmes à la mode en Toscane étaient venus respirer les brises de la Méditerranée et prendre les bains de mer à Livourne.

L'arrivée de Grégoire Orlof, de l'homme qui avait pris la part principale à la révolution de 1762, de l'amant en titre de Catherine, éveilla, comme on peut le penser, la curiosité. Il y avait bien sur le nom la tache de sang de Ropscha ; mais c'était Alexis, et non Orlof, qui avait eu avec Pierre III cette malheureuse contestation d'ivrognes qui avait si mal tourné pour le pauvre empereur ; puis un crime qui a si bien réussi n'est presque plus un crime.

Quant Dieu a permis, pourquoi les hommes ne pardonneraient-ils pas ?

Enfin, les peintres vous diront qu'un point rouge fait admirablement dans le paysage.

Il y avait un point rouge dans le paysage de Grégoire Orlof, et voilà tout.

Il fut donc reçu, choyé, caressé, fêté. Il était beau, grand, jeune, vigoureux. Il tordait comme Porthos, des barres de fer ; roulait comme Auguste de Saxe, des plats d'argent ; semait l'or à pleines mains, comme Buckingham. Il eut le plus grand succès parmi les dames florentines.

Mais ce n'étaient point les dames florentines que courtisait Grégoire : c'était sa belle compatriote, la princesse Tarakanof ; il n'avait de regards, d'attentions, de prévenances, de soins que pour elle.

Bientôt le bruit courut que le favori de l'impératrice Catherine pourrait bien être infidèle à ses illustres amours pour des amours presque aussi illustres.

Celle qui pouvait, celle qui devait surtout le croire, c'était la belle princesse Tarakanof. Orlof lui avait demandé une entrevue, qu'elle avait accordée, et, au lieu de lui parler d'amour, il lui avait parlé politique.

Il avait révélé à la pauvre princesse des choses qu'elle ignorait elle-même.

Il lui avait parlé de sa naissance, qui, tout illégitime qu'elle était, pouvait, aux yeux des vrais Russes, avoir plus de poids que le mariage de Catherine avec Pierre III, mariage, d'ailleurs, si violemment rompu.

Qu'était Catherine, au bout du compte ? Une princesse d'Anhalt-Zerbst, c'est-à-dire une Allemande qui n'avait pas une goutte de sang Romanof dans les veines.

Il y avait bien le jeune Paul Ier ; mais l'on savait à quoi s'en tenir, ou plutôt, ce qui était bien pis, on ne savait pas à quoi s'en tenir sur sa naissance.

Les probabilités étaient pour la paternité de Soltikof ; mais alors il était, comme elle, illégitime et adultérin.

Élisabeth, elle-même, n'était-elle pas illégitime et adultérine ?

Le tout, dans ce cas, était de rencontrer une main assez forte pour vous soulever jusqu'au trône.

Or, sous ce rapport, on connaissait la force de la main de Grégoire Orlof. Dans cette main, la charmante princesse Tarakanof ne pèserait pas plus qu'une plume. Et les yeux d'Orlof étaient si tendres en parlant politique, que, bien évidemment, il parlait autant pour lui que pour la princesse Tarakanof.

D'ailleurs, Orlof ne cachait point son ambition. Il se plaignait amèrement de l'impératrice Catherine. Il l'avait assez bien servie pour avoir le droit de lui demander une récompense publique.

Tout au moins pouvait-elle faire pour lui ce que l'impératrice Élisabeth avait fait pour Razoumovsky. Au bout du compte, un capitaine dans la garde valait bien un chantre de cathédrale.

La pauvre princesse n'était pas ambitieuse, mais elle était coquette. Orlof s'était trouvé avoir dans son bagage une couronne impériale. Comment cette couronne, qui aurait dû être dans le trésor de Moscou, se trouvait-elle dans les bagages de Grégoire Orlof ?

C'était un problème difficile à résoudre. Mais, du moment qu'elle y était, peu importait la façon dont elle y était venue.

En jouant, il l'essayait sur la tête de la princesse Tarakanof, et la couronne lui allait comme si elle eût été faite pour elle. La princesse se représentait ce qu'elle serait avec le reste du costume impérial.

Elle avait bien parlé de ses engagements avec le prince Radzivil. Mais quelle éventualité, de ce côté ?

Il fallait d'abord qu'il fût élu roi de Pologne, ensuite qu'il vainquît les Russes, ensuite que la victoire fût assez complète pour lui ouvrir les portes de Moscou.

Il fallait, enfin, un triple miracle, et le temps où Dieu faisait des miracles pour la Pologne était passé.

La princesse, qui, d'abord, avait écouté Orlof avec le sourire du doute, commençait à l'écouter avec le silence rêveur de l'espoir.

Puis, le tentateur qu'il était, il lui avait laissé cette couronne impériale, brillante réalité pendant le jour, rêve séduisant pendant la nuit.

Et tout cela se passait au milieu des bals, des fêtes, du soleil, des enchantements du luxe, des merveilles de la nature, des chefs-d'œuvre de l'art.

Orlof était devenu le héros de toutes ces magnificences. Tous ces beaux yeux noirs italiens le regardaient, les uns avec curiosité, d'autres avec amour, d'autres avec désir.

Mais les seuls regards qui lui fussent précieux étaient ceux de la belle princesse.

Bientôt, on apprit qu'Orlof, reconnaissant de la façon dont il avait été reçu, allait donner ou plutôt rendre une fête splendide, en échange de toutes celles qui lui avaient été offertes.

Tout haut, on disait que cette fête était en l'honneur des dames de Livourne et de Florence ; tout bas, on disait que la belle Russe en était la reine.

En effet, il se faisait de grands préparatifs à bord de la frégate amirale.

La fête fut enfin annoncée officiellement. Orlof fit avec tant de grâce ses invitations, qu'un refus ne se présenta à l'esprit de personne.

On attendit impatiemment le jour fixé.

Ce jour-là, la frégate, qui, à cause de son grand tirant d'eau, était ancrée hors de la rade, était resplendissante de flammes. On eut dit la galère magique de Cléophâtre.

Tous les bateliers de Livourne, en habits de fête, attendaient sur le port les invités dans des nacelles jonchées de fleurs.

A neuf heures, un coup de canon parti de la frégate avait annoncé qu'elle attendait ses hôtes.

Une véritable flottille de gazes, de dentelles et de diamants, était partie au signal et couvrait la mer.

En tête, sur la chaloupe de la frégate, voguant avec des voiles de pourpre, couchée sur des tapis de Perse, était la belle princesse.

Orlof l'attendait à l'échelle de sa frégate.

La fête fut splendide ; elle dura jusqu'au jour.

La princesse en eut tous les honneurs.

Quand vint cette brise fraîche du matin qui fait frissonner les fleurs dans les vers de Dante, les femmes, fleurs vivantes, frissonnantes aussi, mirent leurs pelisses de satin, et, les unes après les autres, partirent.

La princesse Tarakanof resta la dernière. De quoi lui parlait le beau régicide ? D'amour ou d'ambition ?

Le fait est que la pauvre créature, au lieu de partir avec les autres, s'attarda, et, restée la dernière à bord, sentit tout à coup que la lame et le vent imprimaient à la frégate un mouvement inusité.

La frégate avait levé l'ancre et voguait sous toutes ses voiles.

La pauvre gazelle était tombée dans le piège ; la malheureuse princesse était prisonnière.

Alors, ce qui nous reste à raconter est terrible.

Sans transition aucune, le gentilhomme courtois, l'amant attentif redevint le sombre et féroce exécuteur des ordres de Catherine.

La princesse, telle qu'elle était vêtue, avec sa robe de bal, ses fleurs, ses diamants, fut enfermée dans une cabine de la frégate.

Elle servit d'abord aux plaisirs d'Orlof ; puis, quand il en fut las, comme elle n'était point assez souillée par son amour aristocratique, elle fut livrée aux caresses brutales des matelots, à qui il fut permis de la traiter à leur fantaisie.

Puis, pour que la fête fût complète, double ration de vin et de liqueurs fortes leur fut distribuée pendant tout le voyage.

Le voyage était long, l'équipage nombreux ; l'étrange Pâris espérait bien qu'Hélène serait morte avant d'arriver à Saint-Pétersbourg.

Contre toute attente, elle survécut, non seulement aux coups, mais aux caresses.

La frégate jeta l'ancre à Cronstadt, et Orlof vint prendre à Saint-Pétersbourg les ordres de l'impératrice.

Le soir du même jour, une barque, fermée comme une gondole, et qui servait à l'impératrice pour ses promenades nocturnes sur la Néva, se détacha des flancs de la frégate amirale, remonta la Néva et s'arrêta vis-à-vis de la forteresse.

Une femme, couverte d'un long voile qui empêchait qu'on ne vît ni ses traits, ni sa taille, ni rien d'elle, descendit de la barque, et prit, conduite par un officier et quatre soldats, le chemin de la forteresse.

L'officier remit un ordre au gouverneur.

Le gouverneur, sans dire un mot, fit signe à un geôlier de venir, lui désigna du doigt un numéro inscrit sur la muraille, et marcha le premier.

— Suivez le gouverneur, dit le geôlier.

La femme obéit.

On traversa la cour, on ouvrit une poterne, on descendit vingt degrés, on ouvrit la porte du no 5, on poussa la femme dans une espèce de sépulcre, et l'on referma la porte derrière elle.

La fille d'Élisabeth, la belle princesse Tarakanof, cette merveilleuse créature que l'on eût crue faite de nacre, de carmin, de velours, de gaze et de satin, se trouva à demi nue dans un humide et obscur cachot du ravelin Saint-André.

Vous connaissez ces cachots ; nous les avons déjà visités une fois.

Au-dessous du niveau de la Néva, l'eau du fleuve roule incessamment avec un bruit sourd contre leurs murailles. Ils sont éclairés par une meurtrière étroite qui permet que le prisonnier voie le ciel, mais qui ne permet pas que le ciel voie le prisonnier. Des larmes incessantes roulent sur ces murailles, froides comme si elles sortaient d'une paupière glacée, et forment une boue liquide sur le sol du cachot.

Un peu de paille était étendue sur cette boue, et formait le lit de la princesse.

Elle qui avait vécu jusque-là dans un lit de duvet et de mousse, elle eut un instant l'espoir qu'elle ne vivrait pas un mois dans un pareil tombeau.

Elle y vécut douze ans !

Elle avait beau demander, à genoux, les mains jointes, dans ce doux langage italien, qui semble fait pour la prière et l'amour, quel crime elle avait commis pour être punie si cruellement ; ses geôliers ne lui répondaient pas.

Elle cessa de parler ; elle cessa de demander ; elle cessa presque de se plaindre. Elle vécut de la vie de ces reptiles qu'elle sentait quelquefois, la nuit, glisser sur son visage humide et sur ses mains glacées.

Elle était devenue non seulement inattentive, mais encore insensible à tous les bruits.

Depuis quelques jours, elle entendait bien les eaux de la Néva mugir avec une plus grande violence ; mais il y avait douze ans qu'elle les entendait mugir plus ou moins fort.

Puis elle entendit tirer le canon.

Elle leva la tête.

Il lui sembla que l'eau du fleuve, arrivée à la hauteur de la meurtrière, s'épanchait dans son cachot.

Bientôt il n'y eut plus de doute, l'eau ruisselait par la meurtrière. Au bout de deux heures, elle s'y engouffra.

La Néva montait.

Elle comprit le danger, la pauvre femme. Si sombre que fut son existence, la mort lui apparut plus sombre encore... Elle n'avait que trente-deux ans.

Elle eut bientôt de l'eau jusqu'aux genoux.

Elle appela ; elle cria. Elle souleva une pierre que, la veille, elle n'eût pas pu remuer, et, avec cette pierre, elle frappa contre la porte. On l'entendit, malgré le bruit du canon, qui continuait de tonner.

Le geôlier vint ouvrir la porte.

— Que voulez-vous ? lui demanda-t-il.

— Je veux sortir ! je veux sortir ! cria la pauvre femme. Ne voyez-vous pas qu'avant demain le cachot sera plein d'eau ? Mettez-moi où vous voudrez, mais, au nom du ciel, laissez-moi sortir !

— On ne sort d'ici qu'avec un ordre écrit de la main de l'impératrice, répondit le geôlier.

Elle voulut s'élancer dehors. Le geôlier la repoussa si violemment, qu'elle tomba à la renverse dans cette eau glacée.

Elle se releva, et alla s'appuyer à la muraille, à l'endroit de son cachot où le sol était le plus élevé. Le geôlier referma la porte.

Plus l'eau montait, plus elle entrait à flots abondants. La prisonnière la sentait monter.

Le soir, elle en eut jusqu'à la ceinture.

On l'entendait jeter d'horribles cris, puis, avec l'accent de la prière, crier en italien :

— *Dio ! Dio ! Dio !...*

Ses cris continuèrent de plus en plus déchirants, ses lamentations se firent entendre de plus en plus en plus suppliantes pendant tout le reste de la journée et pendant presque toute la nuit.

Ces plaintes étaient effrayantes, sortant de l'eau.

Enfin, vers quatre heures du matin, elles s'éteignirent.

L'eau avait complétement empli l'étage inférieur du ravelin Saint-André.

Quand l'inondation cessa, quand l'eau se fut retirée, on pénétra dans le cachot de la princesse, et l'on y trouva son cadavre.

Une fois morte, elle n'avait plus besoin, pour sortir, d'un ordre de l'impératrice.

On creusa une fosse sur les remparts, et on l'enterra nuitamment.

Encore aujourd'hui, on montre — de l'oeil, du doigt, d'un signe, — un tertre sans pierre, sans inscription, et sur lequel s'assoient les soldats de la garnison pour causer ou jouer aux cartes.

C'est le seul monument qui ait été élevé à la fille d'Élisabeth, c'est le seul souvenir qui reste d'elle.

Voilà la seconde légende de la forteresse.

Je pourrais en raconter dix ainsi.

Peut-être sont-elles fausses, peut-être sont-elles créées par l'imagination, engendrées par la terreur du peuple.

Le Bastille n'était-elle pas peuplée de spectres qui s'évanouirent dès que le jour eut pénétré dans ses cachots ?

Mais ce jour n'a pas encore pénétré dans ceux de la forteresse de Pierre-et-Paul.

On parle de prisonniers renfermés dans des cachots qui ont la forme d'un oeuf, qu'on appelle les *sacs*, et dans lesquels on ne peut se tenir ni assis ni debout ; où le pied — un seul — ne pose que de biais ; où le poids du corps, qui va s'entassant sans cesse, pèse sur les articulations qu'il disloque.

On parle d'un captif enchaîné nu par le milieu du corps, à cheval sur une poutre, et qui voit incessamment rouler à dix pieds au-dessous de lui l'eau de la Néva.

Rien de tout cela n'est vrai, grâce au ciel ! et l'on me disait que l'empereur Alexandre II se plaignait avec tristesse de ces bruits, que sous son règne on peut, sans même essayer de les approfondir, traiter de calomnies.

Mais, si j'avais eu l'honneur de m'approcher de lui, si c'était à moi qu'il se fût plaint, je lui eusse dit : « Sire, il y a un moyen bien simple d'imposer silence à toutes ces sombres rumeurs. Le souverain qui a débuté comme vous par faire grâce à tous les condamnés des règnes précédents, et qui, après trois ans de règne, n'a condamné personne, ce souverain-là n'a rien à cacher ni à son peuple ni à l'histoire. En conséquence, à mon premier anniversaire, j'ouvrirais tous les cachots, tous les *sacs*, de la forteresse, et je laisserais tout le monde visiter sacs et cachots ; puis j'aurais là des pionniers qui, à la face de tous, les combleraient, — des maçons qui, sous les regards de tous, en mureraient les portes. Et je dirais : « Enfants, sous les règnes pré-
» cédents, nobles et paysans étaient esclaves. Mes prédéces-
« seurs avaient besoin de cachots. Sous mon règne, tout le mon-
« de est libre, nobles et paysans. Je n'ai plus besoin de tout
« cela. » Alors, sire, ce ne serait plus un cri de joie, ce serait un cri d'admiration, qui s'élèverait des bords de la Néva, et qui irait retentissant aux quatre coins du monde. »

VIII

ALEXANDRE Ier

Revenons à l'histoire ; malheureusement, ce que nous allons raconter n'est plus de la légende.

Savez-vous ce qu'annonçait ce canon qui accompagnait les grondements de la Néva dans son ascension mortelle ?

Il annonçait la naissance du tzarevitch Alexandre.

Ce fut un règne de douceur et de mansuétude que celui de ce doux conquérant, qui prit le parti de Paris contre les souverains alliés, qui voulaient en faire ce que Scipion fit de Carthage.

Mais, comme les sept vaches grasses de la Bible précédaient les sept vaches maigres, comme l'abondance marchait avant la disette, ce règne de philosophie et de douceur préparait un règne d'oppression et de sévérité.

N'allez pas croire cependant que, pour le voir encadré entre Titus et Marc-Aurèle, je serai injuste envers l'inflexible justicier qui vient de mourir, et qui, à douze ans, écrivait cette appréciation de Jean le Terrible, l'un des plus sombres et des plus curieux tyrans qui aient jamais existé :

« Le tzar Jean Vasilievitch fut sévère et emporté ; ce qui donna lieu de le nommer le Terrible. Il était avec cela juste, brave, libéral dans ses récompenses, et surtout il contribua au bonheur et au développement de son pays.

» NICOLAS.

» 17 mars 1808. »

Non, l'empereur Nicolas est une grande figure historique. Il avait beaucoup du Jupiter antique : il savait que le froncement de son sourcil faisait trembler soixante millions d'hommes.

Sachant cela, il a trop souvent froncé le sourcil, voilà tout.

Mais, pour le moment, ce n'est point de lui que nous avons à nous occuper, c'est de son frère Alexandre.

Lui n'était pas une statue de bronze sur un piédestal de granit ; c'était un homme avec toutes les faiblesses, mais aussi avec toutes les vertus de l'humanité.

Élevé en philosophe par le colonel Laharpe, témoin des sombres folies de son père, épouvanté par les exemples historiques qu'il avait sous les yeux, comme Nerva il aurait voulu n'être pas né sur le trône, et tremblait de voir venir le moment où il serait forcé d'y monter.

Voici ce qu'il écrivait le 13 mai 1796 à Victor Kotschoubei, ambassadeur de Russie à Constantinople. — Il est vrai que Catherine vivait encore ; il est vrai que son père devait régner avant lui ; mais rappelez-vous que le bruit courait qu'il allait régner avant son père. Vous n'avez pas oublié les deux testaments, et comment le prince Bezborodko fit sa fortune. N'importe ; voici la lettre d'Alexandre. Il n'avait à cette époque que dix-neuf ans. Elle est écrite en français :

« Cette lettre, mon cher ami, vous sera remise par M. Jarreck, duquel je vous ai parlé dans une de mes lettres précédentes ; ainsi je peux m'exprimer avec vous librement sur quantité de choses.

» Savez-vous, mon cher ami, que réellement, ce n'est pas

bien que vous ne m'instruisiez pas de ce qui vous regarde ? car je viens d'apprendre que vous aviez demandé votre congé pour aller faire un tour en Italie, et que, de là, vous irez en Angleterre pour quelque temps. D'où vient que vous ne m'en dites rien ? Je commence à croire que vous doutez de mon amitié pour vous, ou que vous n'avez pas assez de confiance en moi ; car, j'ose le dire, je la mérite réellement, par l'amitié sans bornes que je vous porte. Ainsi, je vous en conjure, instruisez-moi de tout ce qui vous regarde, et croyez que vous ne pourrez me faire un plus grand plaisir. Au reste, je vous avoue que je suis bien charmé de vous savoir quitte de cette place, qui ne pouvait que vous procurer des désagréments, sans être compensés par aucune jouissance quelconque.

» Ce M. Jarreck est un très-joli garçon ; il a passé quelque temps ici, et, dans ce moment, il va en Crimée, d'où il s'embarquera pour Constantinople. Je le trouve bien heureux, parce qu'il aura l'occasion de vous voir, et je lui envie en quelque façon son sort, d'autant plus que je ne suis nullement content du mien. Je suis enchanté que la matière se soit engagée d'elle-même ; car j'aurais été embarrassé de commencer ce sujet. Oui, mon cher ami, je le répète, je ne suis nullement satisfait de ma position ; elle est beaucoup trop brillante pour mon caractère, qui n'aime que la tranquillité et la paix. La cour n'est pas une habitation faite pour moi. Je souffre chaque fois que je dois être en représentation, et je me fais du mauvais sang en voyant ces bassesses que l'on fait à chaque instant pour acquérir une distinction, pour laquelle je n'aurais pas donné trois sous. Je me sens malheureux d'être obligé de me trouver en société avec des gens que je ne voudrais pas avoir pour domestiques et qui jouissent ici des premières places, tels que ce P. S..., ce M. P..., ce P. B..., les deux G. S..., M... et un tas d'autres, qui ne méritent pas même d'être nommés, qui, hautains avec leurs inférieurs, rampent devant celui qu'ils craignent ; enfin, mon cher ami, je ne me sens pas du tout fait pour la place que j'occupe dans ce moment, et encore moins pour la place qui m'est destinée un jour, et à laquelle je me suis juré de renoncer, soit d'une manière, soit de l'autre.

» Voilà, mon cher ami, le grand secret qu'il me tardait depuis si longtemps de vous communiquer, et sur lequel je n'ai pas besoin de vous recommander le silence ; car vous sentez que c'est une chose qui peut me casser la tête. J'ai prié M. Jarreck qu'au cas où il ne pourrait vous remettre cette lettre, il la brûle et qu'il n'en charge personne pour vous.

» J'ai beaucoup pesé et débattu cette matière, car il faut que je vous dise que ce projet m'est entré en idée avant même que je vous aie connu, et que je n'ai point tardé à me décider au parti que j'ai pris.

» Nos affaires sont dans un désordre incroyable ; on pille de tous côtés ; tous les départements sont mal administrés. L'ordre semble être banni de partout, et l'empire ne fait qu'accroître ses domaines ; aussi comment se peut-il qu'un seul homme suffise à le gouverner, et encore plus à y corriger les abus ? C'est absolument impossible, non-seulement à un homme de capacité ordinaire comme moi, mais même à un homme de génie. J'ai toujours eu pour principe qu'il valait mieux ne pas se charger d'une besogne que de la remplir mal ; c'est d'après ce principe que j'ai pris la résolution dont je vous ai parlé ci-dessus. Mon plan est qu'ayant une fois renoncé à cette place si scabreuse — je ne puis pas fixer l'époque d'une telle renonciation — j'irai m'établir avec ma femme aux bords du Rhin, où je vivrai tranquille, en simple particulier, faisant consister mon bonheur dans la société de mes amis et l'étude de la nature.

» Vous vous moquerez de moi, vous direz que c'est un projet chimérique ; vous en êtes le maître ; mais attendez l'événement, et, après cela, je vous permets de juger.

» Je sais que vous me blâmerez ; mais je ne peux pas faire autrement, car le repos de ma conscience est ma première règle, et elle ne pourrait jamais rester en repos si j'entreprenais une chose au-dessus de mes forces.

» Voilà, mon cher ami, ce qu'il me tardait tant de vous dire.

» A présent que cela est fait, il ne me reste qu'à vous assurer que là où je serai, heureux ou malheureux, sur le faîte ou dans la misère, une de mes plus grandes consolations sera votre amitié pour moi, et croyez que la mienne ne finira qu'avec ma vie.

» Adieu, mon cher et vrai ami ; ce qui pourrait m'arriver, en attendant, de plus heureux, serait de vous revoir.

» Ma femme vous dit mille choses ; elle a des idées toutes conformes aux miennes.

» Alexandre.

Ce 10 mai 1796. »

Ce n'était pas, comme il le dit lui-même, la lettre d'un homme de génie, mais c'était celle d'un cœur honnête ; c'était surtout celle d'un homme tout imbu des idées philosophiques du XVIIIè siècle.

Ce qu'il y avait de particulier à cette époque, c'est que les philosophes étaient ambitieux comme des empereurs, et que les empereurs étaient modestes, je ne dirai pas comme des philosophes, mais comme devraient être des philosophes.

Si Alexandre vidait réellement son cœur dans le cœur du prince Kotschoubei par la lettre que nous venons de mettre sous vos yeux, chers lecteurs, vous devez comprendre ce qu'il lui en coûta de succéder à son père, assassiné au-dessus de sa tête, dont il avait entendu les cris, et dont il avait, en quelque sorte, senti à travers le plancher les derniers frémissements.

Il resta cependant sur le trône. Fut-ce dévouement à son peuple ? fut-ce que le pouvoir a de tels attraits, que, lorsqu'on a porté la coupe à ses lèvres, il faut la vider jusqu'à la fin, l'amertume fût-elle au bord et la lie au fond ?

Nous avons vu, dans la lettre du tzarevitch, qu'à dix-neuf ans il parle de sa femme et des goûts de retraite partagés par elle.

C'eût été pour la pauvre impératrice un grand bonheur que ce projet de retraite eût été mis à exécution ; car à peine sa couronne nuptiale fut-elle fanée à son front, qu'elle se changea en couronne d'épines.

L'impératrice était déjà une vieille épouse à l'âge où l'on est encore jeune femme, tandis que l'empereur, au contraire, resta longtemps beau et toujours infidèle.

Au reste, comme tous les hommes sensuels, Alexandre était essentiellement bon et avait une profonde répugnance à punir.

Il est vrai, qu'Alexandre avait à se faire pardonner par toute cette jeunesse d'être monté sur le trône malgré la lettre écrite au prince Kotschoubei.

Nous verrons plus tard les conséquences terribles que devait avoir cette lettre, échappée à la plume du jeune philosophe.

Suivons, en attendant, Alexandre, non pas dans sa vie politique, — l'histoire est là pour enregistrer ce que la France lui dut en 1814, — mais dans sa vie privée.

Quelques anecdotes donneront une idée exacte de ce qu'était l'homme. Il serait plus difficile de donner une idée aussi exacte de ce qu'était l'empereur.

Napoléon l'appelait le plus beau et le plus fin des Grecs.

Alexandre avait autant de simplicité que son père Paul avait de superbe ; souvent il se promenait à pied, et, au lieu d'exiger que les femmes descendissent de voiture pour lui faire la révérence dans la rue, à peine permettait-il qu'on lui donnât les marques de respect que l'on eût données à un simple général.

Un jour qu'il faisait une de ces promenades pédestres, se

voyant menacé par la pluie, il prit un drojky sur la place et se fit conduire au palais impérial.

Arrivé à la porte, il fouille à sa poche, et s'aperçoit qu'il n'a pas d'argent.

— Attends, dit-il à l'isvotschik en sautant hors de la voiture, je vais t'envoyer le prix de ta course.

— Ah ! bon, dit l'isvotschik, encore un !

— Comment, encore un ?

— Oui, je n'ai qu'à compter là-dessus.

— Comment cela ?

— Oh ! je sais bien ce que je dis.

— Et que dis-tu ? Voyons !

— Je dis qu'autant de personnes je mène devant une maison à deux portes, et qui descendent sans me payer, autant de vingt kopeks aux quels je puis dire adieu.

— Comment ! même devant le palais de l'empereur ?

— C'est surtout là que le tour se fait ; les grands seigneurs ont très-peu de mémoire.

— Il fallait te plaindre, dit l'empereur que la conversation amusait, et faire arrêter les voleurs.

— Arrêter les voleurs ?... Ah ! c'est bon si le voleur était un de nous ; nous, on sait par où nous prendre (et il montra sa barbe). Mais, vous autres, grands seigneurs, avec vos mentons rasés, impossible ! Ainsi donc, que Votre Excellence cherche bien dans ses poches ou qu'elle me dise tout de suite qu'il est inutile de l'attendre.

— Écoute, dit l'empereur, voici mon manteau ; il vaut bien tes vingt kopeks, quoiqu'il ne soit ni neuf ni beau ; tu le remettras à celui qui t'apportera l'argent.

— Eh bien, à la bonne heure, vous, dit l'isvotschik, vous êtes raisonnable.

Dix minutes après, un valet de pied apportait au cocher

cent roubles assignats de la part de l'empereur, et réclamait le manteau.

L'empereur avait payé pour lui et pour ceux qui venaient chez lui.

Le pauvre cocher faillit mourir de terreur en songeant aux paroles qui lui étaient échappées. Mais sa reconnaissance n'en fut que plus grande. Les cent roubles, placés dans un cadre doré, furent mis dans le coin des images, et, lorsque vint le changement des roubles assignats en roubles argent, le cocher aima mieux perdre ses cent roubles que de les porter à la Monnaie.

Aujourd'hui, le petit-fils montre encore les cent roubles envoyés à son grand-père par l'empereur Alexandre. Ce sont peut-être les seuls cent roubles assignats qui restent dans tout l'empire.

Non seulement l'empereur Alexandre ne faisait pas descendre les femmes de voiture et ne les forçait pas, comme son père Paul, à lui faire la révérence dans la boue, mais il les traitait toujours en chevalier.

Il dînait, un jour, chez la princesse Belosersky de Belosersk, qui lui avait réservé la place d'honneur au bout de la table.

Mais l'empereur, toujours galant, en lui donnant le bras pour la conduire à la salle à manger, lui dit, au lieu d'accepter l'honneur qu'elle lui voulait faire :

— Mettez-vous là, princesse ; c'est votre place.

— Ce serait, en effet, la mienne, répondit-elle, si le livre d'ancienneté de la noblesse n'avait pas été brûlé.

— C'est vrai, répondit Alexandre ; seulement, vous êtes une branche et nous sommes un tronc.

En effet, les princes Belosersky de Belosersk, issus d'une branche de la maison de Rourik qui régna à Belosersk, sont de quelque chose comme quatre ou cinq cents ans plus anciens que les Romanof.

Un jour, sur le boulevard de l'Amirauté, Alexandre, dans une de ses promenades à la Henri IV, rencontra un officier de marine qui lui parut effroyablement ivre.

Il s'arrêta pour l'examiner.

L'officier de marine, avant qu'il fût dans les vignes, avait reconnu Sa Majesté Alexandre Ier, et, doublement ému et par le vin et par la présence de l'empereur, redoublait de zigzags, mais sans parvenir à le dépasser.

— Que diable faites-vous donc, capitaine ? demanda Alexandre.

Le capitaine s'arrêta, et, portant respectueusement la main à son chapeau :

— Sire, dit-il, je louvoie pour doubler Votre Majesté.

— Bien, dit l'empereur, mais prends garde à l'écueil.

Et il lui montra le corps de garde.

L'officier fut assez heureux pour arriver à doubler Sa Majesté et à éviter l'écueil.

Mais, tout gracieux et souriant qu'il était avec les femmes, tout poli et affectueux qu'il était avec les hommes, l'empereur Alexandre sentait quelquefois passer sur son front comme des nuages sombres, devant ses yeux comme des lueurs sanglantes ; c'étaient des souvenirs muets mais terribles de cette nuit de meurtre où il avait entendu se débattre au-dessus de sa tête l'agonie paternelle.

A mesure qu'il avança en âge, ces souvenirs l'obsédèrent plus fréquemment et menacèrent de devenir une incessante mélancolie, une hypocondrie splenétique ; alors, il essayait de combattre par le mouvement ces souvenirs qui prenaient parfois les proportions du remords.

Il faisait des voyages qui sembleraient impossibles à nous autres Parisiens. Dans ses différentes courses, tant à l'intérieur qu'à l'extérieur de l'empire, on a calculé que l'empereur Alexandre avait fait quelque chose comme deux cent mille verstes (cinquante mille lieues, près de six fois le tour du monde). Et ce qu'il y avait, dans ces voyages fabuleux, de plus étonnant encore que le voyage, c'est que le jour du retour était fixé dès le jour du départ. Ainsi, par exemple, l'empereur partait pour la Petite-Russie le 26 août, en annonçant qu'il serait de retour le 2 novembre, et, le 2 nobembre, strictement, invariablement, il rentrait, après avoir fait huit cent soixante et dix lieues.

Alexandre, qui avait pour ennemie sa propre pensée, ne pouvait cependant pas se décider, je ne dirai pas à se séparer, mais même à se distraire d'elle ; aussi voyageait-il toujours sans escorte et à peu près seul. L'inattendu était sa distraction. Las de la vie, le danger — non point par courage naturel, mais par indifférence de la vie — semblait ne pas exister à ses yeux ; et cependant c'était le même homme qui, plus jeune, aux heures souriantes où il croyait encore à son avenir et à celui de son peuple, c'était l'homme qui, traversant un lac dans le gouvernement d'Arkhangel, et se trouvant dans une frêle barque, assailli par une violente tempête, disait au pilote :

— Mon ami, il y a dix-huit cents ans, à peu près, qu'un grand général romain disait à son pilote : « Ne crains rien ; tu portes César et sa fortune. » Moi, je suis moins confiant dans mon étoile que César, et je dirai tout simplement : Oublie que je suis l'empereur ; ne vois en moi qu'un homme comme toi, et tâche de nous sauver tous les deux.

La harangue produisit son effet. Le pilote, qui commençait à perdre la tête en songeant à la responsabilité qui pesait sur lui, reprit courage, et la barque, dirigée par une main ferme, atteignit sans accident le rivage.

On comprend, du reste, que l'incognito qu'il conservait strictement pendant ses courses devait amener de temps en temps des quiproquo qui ne manquaient point d'originalité.

Un jour, en arrivant dans un village de la Petite-Russie, tandis que la voiture s'arrêtait pour relayer, Alexandre, vêtu de sa redingote militaire, sans aucune distinction extérieure de son rang, descendit de sa calèche et monta à pied une petite côte, au haut de laquelle le chemin bifurquait. Là se trouvait une petite maison, la dernière du village, et, près du seuil de cette maison, un homme, vêtu d'une capote pareille à celle de l'empereur, était assis et fumait.

— Mon concitoyen (*priatel*), demande l'empereur se servant du terme habituel dont on se sert entre égaux, laquelle des deux routes dois-je prendre pour aller à... ?

L'homme à la pipe toisa l'empereur de la tête aux pieds, étonné qu'un simple voyageur se permît de parler à un homme de son *tchine*[1] avec une pareille familiarité, et, lui désignant l'une des deux routes :

— Voilà, mon petit pigeon (*galoubchik*)[2], lui dit-il en étendant négligemment la main.

L'empereur comprit la faute qu'il avait commise en s'adressant avec si peu de cérémonie à un si haut personnage que son interlocuteur paraissait être.

— Pardon, monsieur, lui dit-il en s'approchant et en portant la main à sa casquette, encore une question, s'il vous plaît.

— Laquelle ? fit dédaigneusement le fumeur.

— Permettez-moi de vous demander quel est votre tchine.

— Devinez.

— Monsieur est peut-être lieutenant ?

— Montez.

— Capitaine ?

— Plus haut.

— Major ?

— Allez toujours.

— Lieutenant-colonel ?

L'empereur s'inclina.

---

1 *Tchine*, mot venu du chinois, et qui signifie le rang réglé par l'étiquette officielle.

2 Petit pigeon est un terme familier aux Russes, mais qui ne se dit, d'habitude, que de supérieur à inférieur.

— Et maintenant, à mon tour, dit l'homme à la pipe ; qui êtes-vous, s'il vous plaît?

— Devinez, répond l'empereur.

— Lieutenant?

— Montez.

— Capitaine?

— Plus haut.

— Major?

— Allez toujours

— Lieutenant-colonel?

— Encore.

Le fumeur se leva.

— Colonel?

— Vous n'y êtes pas.

Le fumeur tira sa pipe de sa bouche et prit une attitude respectueuse.

— Votre Excellence est donc lieutenant général?

— Vous approchez.

— Feld-maréchal, peut-être?

— Encore un effort, colonel, et vous arriverez.

— Sa Majesté impériale ! s'écria le fumeur en laissant tomber sa pipe, qui se brisa en morceaux.

— Elle-même, répondit Alexandre en souriant.

— Oh ! sire, s'écria l'officier en tombant à genoux, pardonnez-moi !

— Que voulez-vous que je vous pardonne? répondit l'empereur. Je vous ai demandé mon chemin ; vous me l'avez indiqué, voilà tout.

Et, à ces mots, comme la voiture avait rejoint, l'empereur salua de la main le pauvre lieutenant-colonel, et remonta dans sa voiture.

Cette aventure fut racontée par le prince Volkonsky, qui accompagnait l'empereur dans cette excursion.

Il ajoutait que, dans ce même voyage, au moment même où lui, prince Volkonsky, venait de s'endormir, la voiture impériale, qui gravissait une montée rapide, lassa, par sa pesanteur, l'effort de l'attelage, qui se mit à reculer.

Au premier mouvement en arrière, l'empereur, sans réveiller son compagnon, avait ouvert la portière, avait sauté à bas de la voiture, et s'était mis à pousser à la roue, avec les *hiemchiks* et ses gens.

Pendant ce temps-là, le dormeur, inquiété dans son sommeil par le changement d'allure du véhicule, se réveille et se trouve seul dans la voiture.

Étonné, il regarde par la portière, et voit l'empereur qui sue sang et eau.

La voiture venait d'arriver au haut de la montée.

— Comment ! sire, s'écrie le prince Volkonsky, vous ne m'avez pas éveillé ?

— Bon ! dit l'empereur en reprenant place près de lui, vous dormiez ; et c'est si bon de dormir !

Puis il ajouta tout bas :

— On oublie !

En effet, oublier était le grand désir de l'empereur Alexandre.

Il avait à oublier la mort de son père ; il avait à oublier la promesse faite, à Tilsit, à Napoléon, et qu'il n'avait pas tenue ; il avait à oublier sa défection à la cause de la liberté.

Mais on n'oublie pas comme on veut, surtout lorsqu'on a charge d'âmes.

Ce fut en 1811, par la violation du blocus continental qu'Alexandre manqua à la promesse faite à Napoléon.

Ce fut en 1821, par son adhésion au congrès de Vérone, qu'Alexandre manqua à son engagement pris avec les libéraux.

Voyons quelles furent les conséquences de ces deux fautes.

Ce détour nous ramènera à l'histoire de la forteresse dont nous nous occupons en ce moment.

Vous permettez, n'est-ce pas ? que nous mettions sous vos yeux quelques pages un peu sérieuses ; elles tourneront promptement au dramatique, je vous le promets.

IX

LE BRAS DROIT DU TZAR

L'unique but de Napoléon, en demandant à l'empereur Alexandre l'entrevue du Niémen, était d'user de l'ascendant qu'il savait exercer sur cet esprit délicat et impressionnable pour arrêter avec lui l'anéantissement de la Prusse et de l'Angleterre, et le partage du monde.

La Prusse était anéantie par l'ablation de ses provinces à l'ouest de l'Elbe et de ses provinces polonaises ; l'Angleterre était anéantie par la perte de l'Inde ; l'Autriche descendait au rang de puissance secondaire, ne possédant plus ni l'Italie ni la Hongrie, c'est-à-dire ayant vingt-trois millions de sujets de moins.

Le projet était gigantesque ; Alexandre y avait adhéré avec enthousiasme.

Nous savons quel était le but ; voyons quels étaient les moyens.

L'empereur de Russie se chargeait de la Prusse.

L'empereur Napoléon se chargeait de l'Autriche : il saisissait la première occasion de déclarer la guerre à l'empereur François.

Cette occasion, on en était bien certain, ne se ferait pas attendre.

Napoléon prenait Vienne et s'emparait du cours du Danube.

C'était ce qu'il fit en 1809.

Après la bataille de Wagram, il était en mesure de tenir sa promesse ; mais Alexandre manqua à la sienne.

Voici pourquoi Napoléon avait besoin d'être le maître du cours du Danube.

L'empereur Alexandre embarquait quarante mille hommes sur le Volga, leur faisait traverser la mer Caspienne, et les débarquait à Asterabad.

Napoléon embarquait quarante mille hommes sur le Danube, leur faisait traverser la mer Noire, et remonter le Don jusqu'à Pestkhouskaïa. C'est le point le plus étroit qui existe entre le Don et le Volga, quatre-vingts verstes (vingt lieues).

En deux marches, les quarante mille hommes étaient à Tzaritzine sur le Volga.

A Tzaritzine, ils trouvaient les bâtiments qui avaient transporté à Asterabad les quarante mille soldats russes ; ils montaient sur ces bâtiments, qui les conduisaient à leur tour au rendez-vous général.

Là, Napoléon se mettait à leur tête, et cet autre Macédonien accomplissait sa conquête de l'Inde.

C'eût été chose facile, les révoltes venant en aide.

Voyez donc où en serait l'Angleterre, si les révoltés d'aujourd'hui avaient pour alliés quarante mille Russes et quarante mille Français ! Voyez donc où en serait le monde si ce projet de division de la terre s'était opéré entre Alexandre et Napoléon !

La chose n'entrait pas dans les desseins de Dieu. Le tzar manqua de parole à l'empereur.

Ce plan gigantesque croula sous Napoléon. La France et lui furent ensevelis sous ses débris.

Napoléon en sortit prisonnier et alla mourir à Sainte-Hélène en regardant le passé ; la France en sortit sa Charte à la main, libre et regardant l'avenir.

Il est probable que c'était Dieu qui avait raison.

En 1822 s'ouvrit le congrès de Vérone.

C'était la ligue des souverains contre les peuples. Arrêté par les engagements qu'il avait pris, Alexandre refusait d'y entrer. Il répondait, disait-il, de la Russie. Voici ce qui arriva sur ces entrefaites.

Potieniskine commandait le régiment de Semenovskoï, le second régiment de la Russie, créé par Pierre Ier, et venant immédiatement après Préobrajensky ; il y avait aboli les punitions corporelles et y était adoré.

Il fut changé par le fameux Aratchéief, dont nous dirons quelques mots dans ce chapitre, et remplacé par Schwartz, espèce de caporal allemand, qui remit les soldats au régime des coups de bâton.

Le régiment se révolta.

Metternich fut instruit de cette révolte avant l'empereur lui-même ; et, comme, le jour même où le diplomate autrichien avait reçu la nouvelle, l'empereur Alexandre répétait sa phrase habituelle : « Je réponds de la Russie ! »

— Parce que Votre Majesté ne sait pas ce qui s'y passe, répondit le ministre autrichien.

— Comment ! je ne sais pas ce qui se passe dans mon empire ? exclama Alexandre.

— Non ; car vous ne savez pas, sire, que, perdu par le carbonarisme, le second régiment de l'empire s'est révolté et a voulu fusiller son colonel.

M. de Metternich n'avait pas achevé, que le courrier arrivait et remettait à Alexandre la dépêche qui lui annonçait la nouvelle qu'il venait d'apprendre de la bouche de Metternich.

C'était un cœur faible. Il plia sous le coup, adhéra au congrès, et la guerre contre les cortès, c'est-à-dire contre la liberté, fut résolue.

Les pariotes russes, qui avaient compté sur lui comme chef du mouvement, doutèrent encore qu'après les engagements pris avec eux et surtout après les sentiments exprimés dans la lettre au prince Kotschoubei, l'empereur pût les abandonner ainsi.

Mais bientôt ils n'eurent plus de doute. Alexandre abolit la maçonnerie dans ses États, et défendit l'association.

Non seulement l'empereur s'était fait parjure, mais encore il se faisait persécuteur.

Une grande société alors existait publiquement en Russie, s'occupant de progrès, d'éducation, d'instruction publique.

Cette société, qui opérait au grand jour, devint dès lors société secrète.

Elle se divisa en deux sociétés, qui prirent les noms de Société du Nord et de Société du Midi.

Les modérés passèrent à la Société du Nord, et reconnurent pour chef Nikita Mouravief ; la Société du Midi, composée des violents, reconnut Pestel pour son dictateur.

Celle du Nord se contentait de bannir ; celle du Midi tuait.

Pendant que cette double conspiration s'organisait, un nouveau malheur arrivait à Alexandre, qui redoublait sa tristesse. Depuis quinze ans, il avait pour maîtresse en titre madame Narychkine. Il en avait eu une charmante enfant nommée Sophie, qu'il adorait, et que l'impératrice elle-même avait prise dans une profonde tendresse.

C'était une véritable fleur ; comme une fleur, elle mourut d'un souffle d'hiver : elle se refroidit en Suisse, en visitant le glacier de Rosenlowi, et mourut d'une fluxion de poitrine.

Ce fut pendant l'accès de mélancolie qui suivit la perte de la pauvre princesse, déjà fiancée au comte Schouvalof qu'Alexandre abandonna complètement la conduite de l'empire à une espèce de mauvais génie nommé Aratchéief.

Il y a toujours autour des trônes de ces lions errants, cherchant, comme dit l'Évangile, qui ils dévoreront ; il faut toujours qu'ils dévorent quelqu'un ; quand ce n'est pas le peuple, c'est l'empereur.

Le comte Aratchéief était un de ces lions-là. Il eût pris à tâche de faire haïr Alexandre, qu'il n'eût pas suivi une autre route.

C'était le fils d'un petit propriétaire ; il avait complètement réorganisé l'artillerie et fondé les colonies militaires ; c'était une belle tête, mais un tempérament féroce. Tout le monde tremblait devant lui.

On cite le général Yermolof comme étant le seul qui ait osé lui répondre, et il manqua y perdre sa carrière. — C'eût été fâcheux que, pour un Aratchéief, on perdît un Yermolof.

Yermolof est celui qui reprit pour la cinquième fois la grande redoute où tomba Caulaincourt. Il ne quitta le mamelon que quand tous les canonniers furent tués sur leurs pièces et leurs pièces enclouées.

Nous aurons occasion de reparler de ce vétéran de l'empire, qui vit toujours et qui habite Moscou, dans sa petite maison de bois.

Il était simple officier d'artillerie. Aratchéief trouve ses équipages en mauvais état.

— Monsieur, lui dit-il, savez-vous que la réputation d'un officier dépend de ses chevaux?

— Oui, général, répondit Yermolof, je sais qu'en Russie la réputation des hommes dépend des bêtes.

Comme le duc de Richelieu, qui n'avait de préférence pour personne et qui frappait sur les siens comme sur les étrangers, il arrivait à Aratchéief de traiter ses favoris — le favori avait naturellement des favoris — comme il traitait tout le monde, c'est-à-dire fort mal.

Au nombre de ses favoris était le fils d'un Prussien, son valet de chambre, promu par lui au grade de général, comme Koutaïsof avait été promu par Paul au tchine de comte. Un jour, dans une grande parade qui avait lieu au manège de Novgorod, sous les ordres du général Klein-Michel, — c'était ainsi que s'appelait le favori — une manœuvre s'exécuta d'une façon déplorable.

Après le mouvement, Aratchéief appela près de lui Klein-Michel, et, devant tous les officiers :

— Tu m'as rapporté, imbécile, lui dit-il, que l'on t'estimait peu, et je t'ai mis des épaulettes sur les épaules. Tu m'as dit que l'on n'avait pas encore assez d'égards pour toi, et je t'ai mis la plaque de Saint-Vladimir sur la poitrine...

Il lui fit sauter d'un revers de la main son chapeau, et lui frappa le front.

— Mais, là, ajouta-t-il, je n'ai pu rien mettre. C'était l'affaire du bon Dieu, et il paraît que le bon Dieu regardait d'un autre côté le jour où tu es venu au monde.

Puis il lui tourna le dos en haussant les épaules et en lui crachant une dernière fois au visage le mot *dourak*.

Le major R..., pour se venger des duretés d'Aratchéief, s'était amusé, pendant les ennuis de l'exil dans une colonie militaire, à se faire une armée d'oies et de dindons auxquels, à force de patience et de volonté, il était parvenu à apprendre la manœuvre. Au mot de *troisa* (range-toi), ils s'alignaient ni plus ni moins qu'un peloton de soldats. Au mot de *sdarovo rebiata* (bonjour, enfants), salutation ordinaire du général quand il passe une revue, ils répondaient par un *glou glou* et un *koin koin* qui rappelaient assez bien la réponse sacramentelle des soldats : *Sdravia, jelaem vaché swiateltsvo* (nous te souhaitons le bonjour, comte.)

Aratchéief apprit à quel amusement le major R... consacrait ses loisirs. Il fit tout exprès un voyage à la colonie militaire, et, sans être attendu, il tomba chez le major.

Le major demanda au comte s'il devait donner l'ordre aux troupes de se réunir.

— Inutile, dit Aratchéief, je suis venu pour passer la revue, non point de vos soldats, mais de vos oies et de vos dindons.

Le major vit qu'il était pris ; il fit contre fortune bon cœur, tira ses miliciens de leur corps de garde, et ordonna bravement la manœuvre.

On eût dit que les intelligents animaux avaient compris devant qui ils avaient l'honneur de faire l'exercice. Jamais ils n'avaient mis dans leurs mouvements pareille régularité, dans leurs réponses pareil enthousiasme.

Aratchéief prodigua les compliments les plus flatteurs au major. Seulement, l'épilogue du discours fut l'ordre donné au major de se rendre à la forteresse avec toute son armée ; et au gardien de lui servir un jour une oie, et un autre jour un dindon, sans rien autre chose, tant que l'armée ne serait pas complètement dévorée.

Le douzième jour, le major éprouvait un tel dégoût pour la chair de ses élèves, qu'il déclarait mieux aimer mourir de faim que de continuer ce régime, et refusait toute nourriture.

Au quatrième jour de jeûne, Aratchéief, prévenu qu'il y allait sérieusement de la vie du major, daigna lui pardonner.

Aratchéief avait dans le gouvernement de Novgorod un bien superbe, nommé Grouzeno ; c'était un don de l'empereur Alexandre, qui le comblait d'argent et de dignités. Comme tous les esprits mesquins, Aratchéief avait le génie de l'ordre et de la régularité poussé jusqu'à l'extrême. Derrière sa maison, il avait fait dessiner un jardin avec des plates-bandes tirées au cordeau, et dont l'une faisait rigidement le pendant de l'autre. Chacune de ces plates-bandes avait une étiquette avec le nom du *dvorezky*[1] qui était chargé de la soigner. Si une fleur d'une plate-bande était cassée, si un pied était marqué sur la terre fraîche, si une herbe étrangère aux plantes qui devaient s'y trouver montrait l'extrémité de sa feuille, le dvorezky, selon la gravité du cas, était condamné à vingt-cinq, cinquante, cent coups de verges, que lui faisait administrer Nastasia.

1 Singulier de *dvoroviès*, gens de la cour. On appelle ainsi ceux qui font partie de la maison du seigneur. Ils ont droit à la *meschina*, — c'est-à-dire à la ration. — Ils ont trente-deux livres de farine par mois, et sept livres de gruau.

Nastasia n'était ni la femme ni la maîtresse d'Aratchéief, c'était sa femelle. Il avait trouvé cette espèce de louve dans un de ses villages, et s'était accouplé avec elle.

La joie de cette créature était de voir des larmes, d'entendre des cris.

Aratchéief, qui avait la direction de toutes les affaires d'État, ne faisait rien sans la consulter ; elle avait sur lui, le cœur indomptable, le pouvoir le plus absolu.

Les gens du peuple disaient que c'était le démon dont il était possédé, qui se faisait visible sous les traits d'une femme.

Enfin, le cocher et le cuisinier du comte, exaspérés des mauvais traitements qu'ils subissaient tous les jours, — la sœur du cuisinier était morte sous le fouet, — résolurent, au risque de ce qui pourrait leur en arriver, de débarrasser la terre de ce monstre.

Une nuit que le comte était hors de la maison, ils assassinèrent Nastasia.

Aratchéief, en apprenant cette nouvelle, resta enfermé cinq jours et cinq nuits, poussant, non pas des sanglots, non pas des cris, mais des rugissements que l'on entendait de l'autre bout de la maison.

Lorsqu'il sortit, tout le monde s'enfuit sur sa route. Il avait les yeux injectés de sang, et était pâle jusqu'à la lividité.

Comme les dvoroviès ne voulaient pas dénoncer les coupables, qui n'avaient fait, au bout du compte, que ce que chacun d'eux avait eu vingt fois l'envie de faire, ils furent tous fouettés à outrance ; deux ou trois moururent sous le fouet.

Alexandre écrivit au comte, à propos de la mort de cette femme :

« Calme-toi, ami ! la Russie a besoin de toi ; elle pleure ton amie fidèle, et, moi, je verse des larmes en pensant à ton malheur. »

Cette tendresse profonde d'Alexandre pour ce cruel parvenu était d'autant plus bizarre que lui, Aratchéief, avait en horreur deux frères de l'empereur, les grands-ducs Nicolas et Michel. Il les faisait venir tous les matins, à dix heures, à sa maison de bois de la Litainaïa (rue de la Fonderie), et, là, recevant avant eux les plus petits officiers, il leur faisait attendre deux heures leur tour d'audience. Sans doute ignorait-il que Constantin eût abdiqué, et que le véritable héritier du trône fût Nicolas.

Quoi qu'il en soit, à peine monté sur le trône, Nicolas le mit à la retraite ; mais, comme le Parthe, il lança, en se retirant, à l'empereur sa dernière flèche.

Il lui laissa son aide de camp Klein-Michel.

Pour arriver à ce résultat, il avait fait semblant de se brouiller avec son protégé, et l'avait ostensiblement chassé de chez lui. Être chassé par Aratchéief, c'était une recommandation près de Nicolas. Le nouvel empereur tomba dans le piège, et s'attacha le disgracié au même titre que celui-ci avait près d'Aratchéief. Lorsque l'ancien favori connut le succès de son stratagème, tout vieux qu'il était, il bondit de joie et dit en souriant :

— Maintenant, m'exilât-il en Sibérie, je suis vengé !

Aratchéief se retira dans sa terre de Grouzeno. Là, il tourmentait ses payans, et, comme les seigneurs du moyen âge, rançonnait les voyageurs qui passaient sur un pont qu'il avait fait bâtir, et pour lequel il exigeait des kopeks de passage.

Un jeune sous-lieutenant, s'en allant en semestre, et trouvant l'impôt abusif, refusa de payer, mais n'en passa pas moins le pont.

Amené chez Aratchéief et sommé par celui-ci d'expliquer pourquoi il voulait se soustraire à la rétribution convenue, le sous-lieutenant répondit que, d'abord, si la rétribution avait été convenue, ce n'était point avec lui ; qu'ensuite le gouvernement, qui lui accordait, pendant son congé, vingt-cinq kopeks par jour, ne l'avait pas prévenu qu'il aurait, en s'en retournant chez lui, à payer deux ponts de dix kopeks ; qu'en conséquence il se refusait absolument à ce payement, pour lequel Aratchéief pouvait s'adresser à ses supérieurs.

Sous Alexandre, le sous-lieutenant eût passé un mauvais quart d'heure, mais il n'en était pas de même sous Nicolas.

Aratchéief se contenta donc de lui montrer le poing, en lui disant :

— Si jamais je reviens au pouvoir, tu n'as qu'à te bien tenir, misérable !

Mais le sous-lieutenant lui répondit en faisant claquer ses doigts :

— Bon ! je crois peu à la résurrection de Jésus-Christ, mais je ne crois pas du tout à celle d'Aratchéief.

Et il n'en fut que cela.

Le temps d'Aratchéief était passé.

Voilà à quel homme Alexandre avait confié le gouvernement de son empire.

Il est vrai que l'abus des femmes, le mysticisme exagéré et un vague remords du mal, non pas qu'il avait fait, mais qu'il avait laissé faire, à partir de la mort de son père, avaient fini par détacher complètement Alexandre des choses du monde.

Il savait qu'une grande conspiration s'ourdissait dans l'empire et il ne s'en inquiétait pas. Au fond du cœur, il sentait bien que c'étaient les conspirateurs qui avaient raison, et qu'après les avances qu'il leur avait faites, le droit était de leur côté.

On présageait une catastrophe, on la sentait vaguement flotter dans l'air.

Le gouvernement éprouvait cet état de malaise qu'éprouve quelquefois l'homme, et qui fait dire à ses plus fidèles :

— Il faut, pour guérir, qu'il fasse une bonne maladie.

Cette catastrophe que l'on pressentait, c'était la mort de l'empereur et la catastrophe du 14 décembre.

Pendant son dernier voyage dans les provinces du Don, l'empereur avait fait une chute violente de drojky et s'était blessé à la jambe.

Il faut que le drojky ait des vertus cachées, qui ne se révèlent qu'aux naturels du pays, ou que les Russes aient une grande constance dans leurs affections, pour persister à s'en servir.

Un Anglais qui s'en servait, lui, bien à contre-cœur,offrait une prime de mille livres sterling à celui qui trouverait une voiture plus incommode.

Il a encore sa prime.

Esclave de la discipline qu'il s'imposait à lui-même, et voulant arriver le jour dit, Alexandre continua son chemin ; mais la fatigue, mais l'absence de précautions envenimèrent sa plaie, l'empereur, pour être le *primus inter pares*, n'en était peut-être que le plus scrofuleux. A plusieurs reprises des érépipèles se portèrent sur sa jambe, le forçant à garder le lit pendant des semaines, à boiter pendant des mois. Les accès de la mélancolie dont il était déjà atteint redoublèrent en se compliquant de cette nouvelle indisposition.

La dernière invasion du mal avait eu lieu dans l'hiver de 1824, à l'époque du mariage du grand-duc Michel, et au moment où il apprenait, par le grand-duc Constantin, les progrès de cette conspiration *du bien-être* dont il avait dû être le chef, et dont il venait de manquer d'être la victime.

En effet, sa dernière indisposition l'avait sauvé de la mort.

En 1823, la venue de l'empereur avait été annoncée à la neuvième division, réunie dans un camp, aux environs de Bobrouisk, forteresse située sur la Bérésina, dans le gouvernement de Minsk. Le régiment de Saratof faisait partie du camp ; il était commandé par Schveikovsky, un des conjurés. Mouravief-Apostol et Bestuchef, réunis, bâtirent là-dessus tout un plan. A l'aide de quelques officiers du régiment de Saratof déguisés en soldats, on s'emparerait de l'empereur, du grand-duc Nicolas et de Diébitch, chef de l'état-major général : le même Diébitch proscrit par Paul Ier parce que sa figure inspirait de la mélancolie aux soldats. Mais l'indisposition de l'empereur fut cause qu'il ne vint pas, et le complot échoua tout naturellement.

On le reprit en 1824. Le bruit s'était répandu que l'empereur viendrait passer la revue du troisième corps de la première armée, près du bourg de Belaïa-Tserkof, et descendrait dans un pavillon situé au milieu du parc d'Alexandrie, propriété de la comtesse Brandcka.

Voici ce que l'on devait faire :

Au moment où l'on relèverait les postes, des officiers déguisés en soldats pénétreraient dans la chambre à coucher du tzar, qu'on étranglerait comme on avait fait de Paul.

A peine l'empereur mort, Serge Mouravief-Apostol et les colonels Schveikovsky et Tiesenhausen, chefs, l'un du régiment de Taratof, l'autre de celui de Poultava, devaient soulever le camp, puis marcher sur Kief et Moscou, où leurs alliés leur eussent tendu la main. De Moscou, Mouravief marchait sur Saint-Pétersbourg, et, là, se réunissant à la Société du Nord, agissait conjointement avec elle.

L'empereur ne vint point à Belaïa-Tserkof, et cette conspiration échoua comme l'autre et pour la même cause.

La Providence avait décidé qu'il y aurait interruption dans le régicide et qu'Alexandre mourrait dans son lit.

L'avant-dernière attaque du mal qui devait emporter l'empereur avait eu lieu à Tsarskoie-Selo, pendant l'hiver de 1824 à 1825.

Après s'être promené dans le parc, seul, comme c'était sa coutume, — car, plus mélancolique et moins égoïste que Louis XIII, il ne voulait point que quelqu'un s'ennuyât avec lui. — il était rentré au château, saisi par le froid, et s'était fait apporter à dîner dans sa chambre. Le même soir, le plus violent des érésipèles qu'il eût encore eus s'était déclaré, accompagné de fièvre, de délire et de transport au cerveau. La même nuit, on avait ramené l'empereur dans un traîneau fermé à Saint-Pétersbourg, et, là, un conseil de médecins, craignant la gangrène, avait décidé l'amputation. Seul, le docteur Wellye, chirurgien de l'empereur, s'était déclaré contre cette mesure extrême, et avait prononcé ces mots, devant lesquels se retire tout médecin qui n'est pas du même avis : « Je prends la responsabilité. » Et, cette fois encore, à force de soins et de dévouement, il avait sauvé l'empereur.

Lorsque arriva l'été, les médecins décidèrent à l'unanimité qu'un voyage était nécessaire au rétablissement complet de la santé du tzar, et ils fixèrent la Crimée comme le point le plus favorable à sa convalescence. Insouciant à force de mélancolie, l'empereur n'avait rien arrêté pour cette année ; peu lui importait donc un point ou l'autre de son vaste empire. L'impératrice sollicita et obtint la permission de l'accompagner. Ce départ amena pour Alexandre un surcroît de travail. Comme si l'on ne devait plus le revoir, chaque ministère s'empressait de terminer avec lui ; il lui fallut donc, pendant les dernières semaines de son séjour à Saint-Pétersbourg, se lever de meilleure heure et se coucher plus tard. Enfin, dans le courant du mois de juin, après un service chanté pour la bénédiction de son voyage, service auquel assista toute la famille impériale, il quitta son bien-aimé Tsarskoie-Selo, qu'il ne devait plus revoir, et où nous retrouverons sa chambre telle qu'il l'a laissée ; et, accompagné de l'impératrice, conduit par son cocher Ivan, suivi de quelques officiers d'ordonnance sous les ordres du général Diébitch, il prit la route de la Crimée.

Vers la fin d'août 1825, l'empereur arrivait à Taganrog, au fond du golf d'Azof, là où la tradition dit qu'une biche apparut à Attila, perdu dans les Palus-Méotides, pour lui montrer le chemin de Rome et de Paris.

C'était le second voyage que l'empereur faisait dans cette ville, dont la situation lui plaisait, et où souvent il avait dit qu'il avait envie de se retirer.

L'empereur était descendu dans la maison du gouverneur, située en face de cette forteresse d'Azof, qui avait donné, vous

vous en souvenez, tant de mal à Pierre le Grand ; mais il n'y restait presque jamais.

Il en sortait le matin et n'y rentrait que pour dîner. Tout le reste du temps, il courait à pied, dans la boue ou dans la poussière, négligeant toutes les précautions que les habitants du pays eux-mêmes prennent contre les fièvres d'automne, qui, du reste, devinrent très nombreuses et très malignes cette année-là.

La nuit, il dormait sur un lit de camp, la tête posée sur un oreiller de cuir. Nous avons déjà constaté l'inutilité des lits pour les individus de la race slave.

Ce fut là qu'il apprit que la conspiration de Belaïa-Tserkof venait d'être découverte et qu'on en voulait non seulement à son trône, mais encore à sa vie.

C'était le comte Voronzof, gouverneur d'Odessa, celui-là même qui avait occupé la France jusqu'en 1818, qui venait lui annoncer cette nouvelle.

Alexandre ! lui, le bien-aimé, l'espérance, le phare de salut des premiers jours, en était arrivé à ce que les conspirateurs, agissant au nom du bien public, fussent convaincus qu'à ce bien public sa mort était nécessaire !

Il laissa tomber sa tête dans ses mains en murmurant :

— Mon père ! mon père !...

Dans la nuit, il écrivit au vice-roi de Pologne, Constantin, et au grand-duc Nicolas.

Puis, lui-même, après avoir promis à l'impératrice de venir la rejoindre à Taganrog, il partit pour la Crimée, où l'on craignait que les conspirateurs n'eussent des adeptes.

L'empereur était dans un état d'irritabilité tellement en opposition avec son caractère, que Wellye voulut le faire rester quelques jours de plus à Taganrog.

Lui au contraire, exigea que l'on partît à l'instant même.

La route ne fit qu'augmenter le malaise moral. Les chevaux

avaient beau courir à fond de train, l'empereur se plaignait de leur lenteur.

Puis il retombait sur le mauvais état des chemins, s'emportait, donnait des ordres pour qu'ils fussent réparés, jetait son manteau loin de lui avec colère, exposant son front couvert de sueur aux souffles glacés et pestilentiels de l'automne ; et plus Wellye le suppliait de prendre des précautions, lui démontrant le danger de pareilles imprudences, plus l'empereur, par des imprudences nouvelles, semblait vouloir braver ce danger.

Le résultat ne se fit pas attendre : l'empereur fut pris d'abord d'une toux obstinée, et, le lendemain, en arrivant à Orietof, d'une fièvre intermittente.

C'était la même qui avait régné pendant tout l'automne de Taganrog à Sébastopol.

Alexandre exigea que l'on reprît à l'instant même le chemin de Taganrog, et, comme s'il eût craint que, cette fois encore, la mort ne le lachât, il fit une partie du retour à cheval : enfin, ne pouvant plus se tenir en selle, il remonta en voiture.

Le 5 novembre, il rentra à Taganrog. En remettant le pied dans la maison du gouverneur, il s'évanouit.

L'impératrice, presque mourante elle-même d'une maladie de cœur, — elle ne devait lui survivre que six mois, — retrouva des forces pour s'occuper de son mari.

Quelques efforts que l'on fît pour la couper, la fièvre fatale reparaissait toujours, et chaque fois reparaissait plus intense.

Le 8, l'empereur était si mal, que Wellye exigea qu'on lui adjoignît Stoptingen, le médecin de l'impératrice.

Le 12, les symptômes d'une fièvre cérébrale se manifestèrent.

Le 13, les deux médecins réunis déclarèrent à l'empereur qu'il était urgent qu'on le saignât.

Alexandre s'y refusa absolument, demandant sans cesse de l'eau glacée, et repoussant tout autre breuvage.

Le même jour, à quatre heures de l'après-midi, il se fit donner de l'encre et du papier, écrivit une lettre, la cacheta, et, comme la bougie restait allumée :

— Mon ami, dit-il au domestique, éteins cette bougie, on pourrait la prendre pour un cierge et croire que je suis déjà mort.

Le lendemain, vers midi, l'empereur, après avoir de nouveau refusé de se laisser saigner, consentit à prendre une dose de calomel ; c'était le 14.

Vers quatre heures du soir, le mal avait fait des progrès si effrayants, qu'il devint nécessaire d'appeler un prêtre.

— Sire, lui dit James Wellye, si vous refusez les secours de la médecine, il est urgent de recevoir ceux de la religion.

— Sous ce rapport, tout ce que l'on voudra, répondit l'empereur.

Le 15, à cinq heures du matin, le confesseur entra dans la chambre de l'illustre malade.

— Mon père, lui dit Alexandre en lui tendant la main, traitez-moi en homme et non en empereur.

Le prêtre s'approcha du lit, reçut la confession impériale, et donna les sacrements au mourant.

Wellye entra pendant que le confesseur était encore là et donnait l'absolution.

— Sire, dit-il, j'ai bien peur que Votre Majesté n'ait fait, en se confessant, une chose inutile.

— Comment cela ? demanda l'empereur.

— Votre Majesté a mis une telle obstination à refuser tous les remèdes, que Dieu pourra regarder votre mort comme un suicide.

Alexandre tressaillit.

— Faites donc de moi tout ce que vous voudrez, dit-il ; à partir de ce moment, je vous appartiens.

Wellye lui appliqua à l'instant même vingt sangsues à la

tête ; mais il était déjà trop tard : le malade était dévoré d'une fièvre tellement ardente, que, malgré la perte du sang, aucun mieux ne se manifesta.

Alors, l'empereur fit signe que l'on s'approchât de lui, comme s'il voulait dire quelque chose tout bas. L'impératrice se pencha sur son lit.

Mais il secoua la tête en disant :

— Oh ! Dieu a voulu qu'au moment de la mort, les rois souffrissent plus que les autres hommes.

Puis, retombant sur son oreiller :

— Ah ! murmura-t-il, ils ont commis là une action infâme...

Était-ce l'ombre de Paul qui lui apparaissait ?

Pendant la nuit du 15 au 16, l'empereur perdit tout sentiment. A deux heures cinquante minutes du matin, il expira.

L'impératrice, penchée sur lui, jeta un cri. Elle avait senti passer son souffle, et avait deviné qu'avec ce souffle passait son âme, qui allait rendre compte à Dieu.

Presque aussitôt, elle tomba à genoux et pria.

Puis, après quelques minutes, se relevant plus calme, elle ferma les yeux de l'empereur, qui étaient restés ouverts, lui serra la tête avec un mouchoir, pour empêcher les mâchoires de s'écarter, baisa ses mains déjà froides, et, retombant à genoux, pria de nouveau jusqu'à ce que les médecins obtinssent d'elle qu'elle se retirât dans une autre chambre.

Ils devaient procéder à l'autopsie du cadavre.

Aussitôt que la maladie avait pris quelque gravité, un courrier avait été envoyé au grand-duc Nicolas, pour lui donner avis de l'état de l'empereur. D'autres courriers avaient été successivement envoyés à mesure que le danger croissait.

Enfin, un dernier partit, portant cette lettre de l'impératrice à l'impératrice mère :

« Notre ange est au ciel, et, moi, je végète encore sur la terre ; mais j'ai l'espoir de me réunir bientôt à lui. »

En effet, au retour de la belle saison, l'impératrice Élisabeth quitta Taganrog pour aller habiter une terre que l'on venait d'acheter pour elle dans le gouvernement de Kalouga.

A peine au tiers du chemin, elle se sentit faible, s'arrêta à Belof, petite ville du gouvernement de Koursk.

Huit jours après, elle avait à son tour rendu le dernier soupir.

X

LA SOCIÉTÉ DU NORD

Disons quelles étaient les nouvelles reçues à Taganrog par l'empereur, et qui avaient produit sur lui un si terrible effet.

Soit hasard, soit soupçon, Schveikovsky, le colonel du régiment de Saratof, sur lequel on avait compté pour s'emparer de l'empereur, du grand-duc Nicolas et de Diébitch à Bobrouisk, avait été destitué.

Cette destitution avait porté le trouble dans la Société du Midi, la plus ardente, nous l'avons dit, des deux sociétés conspiratrices.

Qu'allait-il arriver, si les autres régiments que l'on tenait ou que l'on croyait tenir par leurs colonels, étaient décapités comme celui-là ?

On résolut de soulever à l'instant même le troisième corps de la troisième division de hussards, et l'artillerie de ces divisions; de marcher sur Kief, et d'envoyer à Taganrog des assassins pour frapper Alexandre.

On ne doutait point que la nouvelle inattendue de la mort de l'empereur n'amenât une rupture entre Constantin et Nicolas, une guerre, peut-être ; on profiterait de la circonstance pour proclamer la république.

Le colonel de hussards Artamon-Mouravief s'offrit, dit

l'enquête, à assassiner l'empereur ; mais on lui répondit qu'il était nécessaire à la tête du régiment.

Au premier jour de l'an 1826, notre 13 janvier à nous, le régiment de Viatka devait se trouver à Toulchine et y fournir la garde ; il fut décidé qu'on arrêterait le comte Wittgenstein avec son chef d'état-major Kisselef, et que l'on donnerait aux troupes l'exemple de l'insurrection.

On se rappelle les deux lettres écrites de Taganrog par l'empereur Alexandre au grand-duc Nicolas et au vice-roi de Pologne Constantin.

Elles arrivèrent à temps.

Pestel fut arrêté le 26 décembre de notre style ; le 14 décembre, style russe.

L'arrestation de Pestel décapitait l'Association du Midi, dont les principaux chefs étaient Serge Mouravief-Apostol, Bestuchef-Roumine, Schveikovsky, Artamon-Mouravief, Tiesenhausen, Vionicky, Spiridof et Michel Luomine.

Les directeurs de la Société du Nord étaient Ryléief, le prince Troubetzkoï, le prince Obolinsky, Alexandre Bestuchef, Batenkof et Kakovsky.

Ils apprirent à la fois la mort de l'empereur Alexandre, la désignation qu'il avait faite de Constantin pour son successeur, quoique celui-ci eût renoncé au trône lors de son mariage avec la princesse de Lowics, renonciation qu'il renouvela lors de la mort de son frère, malgré les instances de l'empereur Nicolas.

Ce conflit donna grand espoir à la Société du Nord, qui ignorait l'arrestation de Pestel. Elle eut l'espoir de soulever une partie des troupes et du peuple en leur persuadant que la renonciation de Constantin était fausse, et que son frère Nicolas usurpait sur lui la couronne. Peut-être, à l'aide de cette surprise, couperait-on dans sa racine le règne de Nicolas.

Dans ce cas, voici ce qui était projeté :

1. On établirait, après avoir arrêté l'action du pouvoir

existant, un gouvernement provisoire qui ordonnerait dans les provinces la formation de chambres chargées d'élire des députés;

2. On travaillerait à l'établissement de deux chambres législatives, dont l'une — la chambre haute — serait composée de représentants à vie ;

3. On ferait servir à l'exécution de ce dessein les troupes qui refuseraient de prêter serment à l'empereur Nicolas, en prévenant tout excès de leur part, mais en tâchant d'augmenter leur nombre.

Plus tard, pour donner des garanties à la monarchie constitutionnelle, on procéderait à la formation des chambres de province, qui seraient autant de législatures locales ; au changement des colonies militaires en gardes nationales ; à la remise de la citadelle entre les mains de la municipalité, ce palladium des libertés russes, comme l'appelait Batenkof ; à la proclamation de l'indépendance des universités de Moscou, de Dorpat et de Vilna.

Le 12, — c'est-à-dire deux jours avant l'insurrection, — il y eut réunion chez le prince Troubetzkoï. A cette réunion assistèrent les deux frères Bestuchef, Obolinsky, Kakovsky, Alexandre Adovsky-Southof, Pouschkine[1], Conovnitzine, Batenkof, Yakoubovitch, Stchepine et Rostovsky.

Il y eut un grand enthousiasme dans cette réunion. Le prince Obolinsky répéta plusieurs fois, — sans doute, plus prévoyant que les autres, ne se faisait-il pas illusion sur le résultat :

— Nous mourrons, je le sais bien ; mais quel exemple au monde ! quelle gloire pour nous !

Le 13, nouvelle réunion, même enthousiasme. On venait d'apprendre que, le lendemain, devait paraître le manifeste sur l'avénement au trône de l'empereur Nicolas.

Il fut convenu que, le lendemain, chacun se trouverait

1 Ne pas confondre avec le poète.

espéré, il ordonna au général-major Niedart de porter au régiment de la garde de Simionovsky l'ordre d'aller à l'instant même charger les mutins, et à celui de la garde à cheval de se tenir prêt à la première réquisition. Puis, ces ordres donnés, il descendit lui-même au corps de garde principal du palais d'Hiver, qui était occupé par le régiment de la garde de Finlande, et ordonna au régiment de charger les fusils et d'occuper les principales avenues du palais.

En ce moment même, un grand tumulte se faisait sur la place de l'Amirauté : c'étaient la troisième et la sixième compagnie du régiment de Moscou, conduites par le prince Stchepine et les deux Bestuchef ; elles arrivaient drapeau au vent, tambours en tête, criant :

— Vive Constantin ! à bas Nicolas !

Elles débouchèrent sur la place de l'Amirauté ; mais, au lieu de marcher droit sur le palais d'Hiver, qui n'était pas encore défendu, elles allèrent s'adosser au Sénat.

Elles y furent jointes par les grenadiers du corps, et une cinquantaine d'hommes en frac, qui se mêlèrent à leurs rangs, armés de pistolet et de poignards.

En ce moment, l'empereur parut sous une des voûtes du palais et jeta un coup d'œil sur tout ce tumulte. Il était plus pâle que d'habitude, mais paraissait parfaitement calme.

Pendant tout un long règne de trente ans, on le vit souvent emporté, rageur, furieux, — jamais faible.

On entendit alors, du côté du palais de Marbre, retentir le galop d'un escadron de cuirassiers : c'était la garde à cheval, conduite par le comte Alexis Orlof[1]. Devant lui, les grilles s'ouvrirent ; il sauta alors à bas de son cheval et le régiment se rangea devant le palais.

En même temps, on entendit les tambours du régiment de Préobrajensky, qui arrivait par bataillons. Ils entrèrent

---

1 Alexis-Fœdorovitch Orlof, fils naturel du quatrième Orlof-Fœder Gregorievitch.

dans la cour et y trouvèrent l'empereur, l'impératrice et le jeune grand-duc.

Derrière eux parurent les chevaliers-gardes, se rangeant en équerre, en laissant à l'angle un vide que remplit bientôt l'artillerie.

Les insurgés voyaient s'accomplir toutes ces manœuvres menaçantes sans faire aucune démonstration hostile, sinon de crier : « A bas Nicolas ! vive Constantin ! »

Ils attendaient des renforts.

On avait commencé à crier : « Vive la Constitution ! » mais, les soldats ayant demandé ce que c'était que la constitution, on leur répondit que c'était la femme de Constantin, et l'on abandonna ce cri, qui n'avait pas de retentissement.

Pendant ce temps, le grand-duc Michel, que les conspirateurs disaient arrêté, courait les casernes et protestait par sa présence. Aux casernes du régiment de Moscou, il arriva comme deux compagnies étaient déjà parties ; mais il empêcha les autres de les suivre.

Il était temps.

Au moment où le reste du régiment allait suivre les deux compagnies révoltées, le comte de Lieven, capitaine à la cinquième compagnie, était arrivé, et, du premier coup d'œil, avait vu ce qui se passait.

Il avait aussitôt ordonné de fermer les portes.

Puis, se plaçant devant le front des soldats, il avait tiré son épée en jurant qu'il la passerait au travers du corps du premier qui ferait un mouvement.

Seul, un jeune lieutenant s'était avancé un pistolet à la main, et en avait appuyé le canon sur la poitrine du comte de Lieven. D'un coup du pommeau de son épée, le comte avait fait tomber le pistolet de la main du jeune officier ; mais celui-ci avait ramassé son arme et l'avait de nouveau dirigée vers le comte. Alors, Lieven, croisant les bras, avait marché sur son inférieur, le défiant de faire feu. Tout en reculant devant le comte à la vue du régiment, qui, immobile et muet, regardait l'étrange duel, le sous-lieutenant avait appuyé sur la gâchette et lâché le coup.

Par miracle, l'amorce seule avait brûlé.

En ce moment, on frappait à la porte.

— Qui est là ? crièrent quelques voix.

— Moi, le grand-duc Michel, répondit le frère de l'empereur.

Quelques instants de stupeur profonde succédèrent à ces paroles. Ne venait-on pas d'affirmer à ces soldats révoltés que le grand-duc était prisonnier ?

Le grand-duc entra à cheval dans la cour de la caserne, suivi de quelques officiers d'ordonnance.

— Que signifie cette inaction au milieu du danger ? demanda le grand-duc. Suis-je au milieu de traîtres ou de serviteurs loyaux ?

— Votre Altesse est au milieu de son plus fidèle régiment répondit le comte de Lieven, ainsi qu'elle va en avoir la preuve.

Alors, levant son épée :

— Vive l'empereur Nicolas ! cria le comte.

— Vive l'empereur Nicolas ! répétèrent les soldats d'une seule voix.

Le jeune sous-lieutenant voulut parler ; mais le comte de Lieven le saisit par le bras.

— Ne voyez-vous pas, lui dit-il, que votre cause est une cause perdue ? Taisez-vous ; je ne dirai rien.

— Lieven, dit le grand-duc, je vous confie la conduite du régiment.

Et il avait poursuivi sa course, et partout il avait trouvé sinon de l'enthousiasme, du moins de l'obéissance.

Les nouvelles que recevait l'empereur étaient donc bonnes ; de tous côtés, des renforts lui arrivaient et s'échelonnaient en arrivant ; les sapeurs étaient en bataille devant le palais de l'Ermitage, et le reste du régiment de Moscou, conduit par le comte de Lieven, débouchait de la perspective Nevsky.

Son apparition fit pousser de grands cris aux révoltés ; ils crurent que c'était le secours attendu qui leur arrivait ; mais, au lieu de se joindre à eux, les nouveaux venus se rangèrent devant l'hôtel des Tribunaux, faisant face au palais, et, avec les cuirassiers, l'artillerie, les chevaliers-gardes, achevèrent d'envelopper les révoltés dans un cercle de fer.

En ce moment, on entendit, s'élevant au-dessus du tumulte, le chant des prêtres, et l'on vit le métropolitain arriver sur la place, suivi de tout son clergé ; il sortait de l'église de Kasan, et, précédé des saintes images, il venait, au nom du ciel, ordonner aux révoltés de rentrer dans le devoir.

Mais le clergé grec, perdu de corruption et d'ignorance, était une des causes qui avaient amené la révolte ; aussi les chefs des conjurés, sortant des rangs, crièrent-ils aux prêtres :

— Arrière ! Ne vous mêlez point des choses de la terre !

Nicolas, craignant un sacrilège, leur donna de son côté l'ordre de se retirer.

Le métropolitain obéit.

Alors, l'empereur voulut tenter de sa personne un dernier effort pour ramener les rebelles.

Au premier mouvement qui laissa deviner son intention, ceux qui l'entouraient voulurent l'arrêter ; mais lui, avec cet accent auquel nul ne résista jamais :

— Messieurs, dit-il, c'est ma partie que je joue ; il est donc juste que je mette ma vie au jeu. Ouvrez les grilles!

On obéit. L'empereur s'avança jusqu'au seuil.

Au même instant, le grand-duc Michel arrivait à fond de train, sautait à bas de son cheval, et disait à l'oreille de l'empereur :

— Une partie du régiment de Préobrajensky, dont Votre Majesté est entourée, fait cause commune avec les rebelles, et le prince Troubetskoï, dont vous devez remarquer l'absence, est le chef de la conjuration.

L'empereur baissa la tête et réfléchit un instant.

Au bout d'un instant, il était plus que jamais affermi dans sa résolution.

— Qu'on m'amène l'héritier, dit-il.

On le lui amena ; il avait alors sept ans.

L'empereur souleva l'enfant dans ses deux mains.

— Soldats ! dit-il, si je suis tué, voilà votre empereur ! Ouvrez vos rangs ; je le confie à votre loyauté.

Et il le jeta entre les bras des grenadiers de Préobrajensky. C'était, ne l'oublions pas, le régiment qui avait gardé les avenues du palais Michel pendant qu'on étranglait Paul.

Un cri d'enthousiasme, parti du fond des cœurs, retentit ; les coupables furent les premiers à étendre les bras pour revecoir le jeune grand-duc ; il fut emporté au milieu du régiment, et mis sous la même garde que le drapeau.

L'empereur alors monta à cheval et sortit.

A la porte du palais, les généraux se jetèrent au-devant de l'empereur, le suppliant de ne pas aller plus loin. — Les insurgés avaient déclaré tout haut que c'était à sa vie qu'ils en voulaient, et toutes leurs armes étaient chargées. — Mais l'empereur répondit qu'il en serait ce qu'il plairait à Dieu. Seulement, il défendit que personne le suivît.

Alors, il mit son cheval au galop, piqua droit sur les révoltés; et, s'arrêtant à une portée de pistolet de leur front de bataille :

— Soldats ! cria-t-il, on dit que vous en voulez à ma vie ; si c'est vrai, me voilà ; tirez, et que Dieu décide entre nous.

Le mot *feu !* se fit entendre une première et une seconde fois sans résultat ; mais, au troisième commandement, une vingtaine de coups de fusil partirent. Les balles sifflèrent autour de l'empereur ; pas une ne l'atteignit.

A cent pas derrière lui, le colonel Velho et plusieurs soldats furent blessés par cette décharge.

En ce moment, le grand-duc Michel accourut auprès de l'empereur ; les cuirassiers s'ébranlèrent et vinrent à lui, les artilleurs approchèrent les mèches des canons.

— Halte ! fit l'empereur.

Mais en un instant le comte Orlof et ses hommes avaient enveloppé l'empereur et le ramenaient de force au palais, tandis que le grand-duc Michel s'élançait au milieu des artilleurs, et, saisissant une mèche qu'il approcha d'un canon tout pointé :

— Feu ! cria-t-il, feu sur ces assassins!

Quatre coups chargés à mitraille partirent en même temps que le sien.

Puis, sans qu'il fût possible de rien entendre des ordres de l'empereur, une seconde décharge suivit la première.

L'effet de ces deux volées d'artillerie, à portée de fusil à peine, fut terrible : plus de soixante hommes, tant des grenadiers du corps que du régiment de Moscou, restèrent sur la place ; le reste prit la fuite par la rue de Calernaïa, par le quai Anglais, par le pont d'Isaac et par la Néva, qui était gelée.

Les chevaliers-gardes se mirent à la poursuite des rebelles.

Tout était fini : une conspiration de cinq ans, l'espérance de la liberté de deux peuples, l'affranchissement de quatre-vingts millions d'hommes, — car les conspirateurs n'avaient pas fait différence entre les Russes et les Polonais, — tout cela s'évanouit en un jour ; en un jour, car c'était ce même jour, 14 décembre, que l'on arrêtait Pestel dans le midi de la Russie.

Pestel avait eu le temps de crier en allemand au prince Serge Wolkonsky :

— Ne craignez rien, sauvez mon code russe ; je ne ferai pas de révélations.

Serge et Mathieu Mouravief avaient été arrêtés en même temps que Pestel ; mais il furent délivrés par plusieurs officiers appartenant à la Société des Slaves réunis.

A peine en liberté, Serge Mouravief songea à soulever le régiment de Tchernigof.

Il y réussit.

Alors, il résolut de se porter sur Kief, Belaïa-Tserk[illegible] Jitomir, pour faire sa jonction avec les officiers de la Socié[illegible] des Slaves réunis ; enfin, on se décida pour Brounilof, d'où l'on pouvait, en un jour de marche, gagner Kief ou Jitomir, suivant les circonstances.

Au moment du départ, l'aumônier du régiment dit la messe et lut aux soldats le catéchisme composé par Bestuchef-Roumine.

Mais les soldats ne comprirent absolument rien à ce catéchisme, qui disait que le gouvernement démocratique était le plus agréable à Dieu ; il fallut donc, comme à SaintPétersbourg, employer le nom du grand-duc Constantin.

Sur la route, Mouravief fut informé que les troupes qu'il comptait soulever n'étaient point à Bélaïa-Tserkof ; il revint sur ses pas.

Mais à peine avait-il fait quelques verstes, qu'il se trouvait en face du général Geismar et de ses hussards. Ils étaient justement à sa poursuite.

Mouravief pensa qu'il n'y avait point à hésiter : il ordonna à ses hommes de se porter immédiatement sur l'artillerie que le général Geismar traînait à sa suite.

Le général Geismar, de son côté, ordonnait à ses artilleurs de faire feu.

Le commandement fut exécuté de part et d'autre, mais avec une chance différente.

A la première décharge, Serge Mouravief tomba frappé d'un éclat de mitraille. Il n'était qu'évanoui ; au bout de dix minutes, il revint à lui ; mais ses hommes étaient déjà en déroute.

Il voulut les rallier : il était trop tard.

Mathieu Mouravief, voyant que tout était perdu, tourna contre lui-même le pistolet dont il était armé, et se brûla la cervelle. Les deux autres Mouravief furent arrêtés.

Les deux procès devaient naturellement être réunis.

L'empereur nomma une commission d'enquête sous la présidence du vieux Lapoukine, le même qui avait été fait prince, à la demande de sa fille, par Paul Ier.

L'enquête dura quatre mois et demi.

Les principales charges se réunirent sur cinq individus.

Ces cinq individus étaient Paul Pestel, Conrad Ryléief, Serge Mouravief-Apostol, Michel Bestuchef-Roumine et Pierre Kakovsky.

C'étaient, tous les cinq, des hommes remarquables.

XI

LES MARTYRS

La conspiration embrassait sept princes, deux comtes, trois barons, deux généraux, treize colonels, dix lieutenants-colonels.

Il y avait cent vingt et un prévenus.

L'impératrice Élisabeth, en abolissant la peine de mort pour les crimes ordinaires, l'avait conservée pour les crimes de haute trahison, ou plutôt n'avait point parlé de ceux-ci ; seulement, en vertu du serment fait à elle-même, aucun supplice amenant la mort immédiate ne fut appliqué sous son règne ; mais elle laissa subsister le knout et les verges, sous lesquels on meurt parfaitement, quoique le mot *mort* ne soit point porté dans l'arrêt ; le juge, aussi bien que le bourreau, sait qu'on ne survit pas à cent coups de knout et à deux mille coups de baguette.

Sur les cent vingt et un prévenus, la haute cour en condamna cinq à être écartelés : c'étaient Pestel, Ryléief, Serge Mouravief-Apostol, Michel Bestuchef et Kakovsky ; trente et un à la peine de mort par la décapitation ; dix-sept à la mort politique et à l'envoi aux travaux forcés à perpétuité, après avoir posé leur tête sur le billot ; deux aux simples travaux forcés à perpétuité ; trente-huit aux travaux forcés pour un terme limité, et ensuite à l'exil perpétuel ; dix-huit en Sibérie, avec dégradation préalable et privation de noblesse ; un à servir dans l'armée en qualité de soldat, avec dégradation préalable et privation de noblesse, mais faculté d'avancement ; huit, enfin, à servir comme simples soldats, sans privation de noblesse, et avec faculté d'avancement.

Il y eut donc cent vingt condamnations sur cent vingt et un prévenus.

L'instruction resta secrète, et ne fut connue que par ses résultats.

L'empereur voulut voir plusieurs prévenus et les interroger lui-même.

Il interrogea Ryléief.

— Sire, lui dit le poète, qui d'avance avait chanté sa mort je savais que cette entremise me perdrait ; mais la semence que nous avons jetée germera, et plus tard donnera ses fruits.

Il interrogea Nicolas Bestuchef, le frère de Michel.

— Monsieur, lui dit-il, la fermeté de votre caractère me plaît ; je *pourrais* vous pardonner si j'étais sûr de trouver en vous, dans l'avenir, un fidèle serviteur.

— Et ! sire, répondit le condamné, voilà justement ce dont nous nous plaignons : c'est que l'empereur *puisse* tout pour la vie comme pour la mort, et qu'il n'y ait point de loi pour le peuple contre lui. Ne changez donc rien pour moi, sire, au cours de la loi, je vous en prie au nom de Dieu ! et que le sort de vos sujets ne dépende plus, à l'avenir, de vos caprices ou de vos impressions du moment.

Il interrogea Michel Bestuchef.

— Je ne me repens de rien, se contenta de répondre celui-ci ; je meurs satisfait et sûr d'être vengé.

L'empereur resta longtemps pensif. Cette conviction qu'il avait de son infaillibilité, cette foi qu'il avait dans sa mission, et dont nous parlerons plus tard, furent-elles ébranlées ?

Non, sans doute ; car, lorsque le vieux sénateur Lapoukine lui apporta les arrêts à signer, il commença par celui qui condamnait Pestel, Ryléief, Mouravief-Apostol, Michel

Bestuchef et Kakovsky à être écartelés. Il écrivit d'une main ferme le *but po cemou* (ainsi soit-il), et signa au-dessous : *Nicolas.* puis il rendit l'arrêt au président.

Le vieux Lapoukine, qui avait vu sans sourciller toutes les folies de Paul Ier, pâlit à cette sombre et sévère justice de l'empereur.

Il commencerait donc son règne par une exécution dont il n'y avait pas eu d'exemple depuis le supplice d'Abraham Lapoukine, complice de Glebof, et l'un des ancêtres de celui qui lui présentait l'arrêt à signer !

Nicolas vit cette pâleur. A son point de vue de la majesté impériale, selon la conscience de l'homme qui, enfant, avait écrit qu'Ivan le Terrible n'était qu'un sévère justicier, il était dans son droit, et peut-être cette condamnation lui paraissait-elle encore trop douce.

— Qu'avez-vous, Lapoukine ? demanda-t-il au président en le voyant pâlir et trembler ; est-ce un jeu que nous jouons, et la Cour n'a-t-elle pas jugé en conscience ?

— Si fait, sire, répondit le sénateur ; mais peut-être la Cour n'a-t-elle porté un jugement si terrible que pour laisser place à la clémence de Votre Majesté.

— Je puis approuver un arrêt de la cour ; car, en approuvant, je ne condamne pas, je confirme, voilà tout ; mais, en changeant le mode du supplice, je condamne. Dites à la Cour de faire, en maintenant la peine de mort, tel changement qu'elle voudra.

Et il déchira l'arrêt, pour que la Cour en rendît un autre.

Quant à la peine de la décapitation portée contre les trente-huit individus de la seconde catégorie, parmi lesquels se trouvaient Nicolas Bestuchef et Mouravief-Apostol, il la commua en celle des travaux forcés à perpétuité.

Il fit en outre, et pour l'adoucissement des peines, quelques modifications dans les autres jugements.

Ceci avait lieu le 22 juillet.

Le 23, la Cour se réunit pour le changement à faire dans l'arrêt concernant Pestel, Conrad Ryléief, Serge Mouravief-Apostol, Michel Bestuchef-Roumine et Pierre Kakovsky.

Voici la conclusion de son arrêt.

« La haute cour de justice, prenant pour guide la clémence dont Sa Majesté a donné un si éclatant témoignage par la commutation des peines prononcées contre les autres criminels et usant du pouvoir discrétionnaire dont elle a été investie, arrête :

» Au lieu du supplice d'être écartelés, auquel Paul Pestel, Conrad Ryléief, Serge Mouravief-Apostol, Michel Bestuchef-Roumine et Pierre Kakovsky devaient être livrés en vertu du premier arrêt de la Cour, ces criminels sont condamnés à *être pendus*, en punition de leurs horribles attentats. »

Toute la clémence de la Cour se bornait à remplacer une mort cruelle par une mort infamante.

Les malheureux condamnés s'attendaient à la fusillade ou à la décapitation.

Celui de la potence était inusité en Russie et n'avait pas été appliqué depuis l'extermination des strélitz par Pierre Ier.

L'empereur Nicolas signa la sentence, accorda vingt-quatre heures aux condamnés pour les méditations suprêmes dont l'esprit de l'homme a besoin au moment de paraître devant Dieu, et partit pour Tsarskoie-Selo.

Nul ne peut dire l'effet que produisit sur les condamnés *la grâce* qui leur était accordée. Tous écoutèrent leur arrêt d'un visage impassible et sans faire une seule observation.

Tous acceptèrent les secours de la religion.

Ryléief obtint du prêtre qu'il remettrait lui-même une dernière lettre à sa femme. En échange de cette lettre, et, sans doute pour être sûr qu'elle arriverait à destination, la veuve devait remettre au prêtre une tabatière d'or. — Quand nous parlerons du clergé russe, on verra que cette supposition de la nécessité d'une récompense n'a rien d'injurieux pour lui.

Tous restèrent calmes ; mais, plus qu'eux tous, Pestel demeura impassible, ne reniant aucune de ses convictions, ne se repentant d'aucun de ses actes, et restant jusqu'à la fin convaincu de la sagesse et de l'opportunité des principes consignés dans son *Droit russe.*

Depuis la mutilation d'Artemy-Pétrovitch Volonsky, qui eut la langue arrachée, le poignet coupé, la tête tranchée, c'est-à-dire depuis quatre-vingts ans, Saint-Pétersbourg n'avait pas vu une exécution à mort.

Saint-Pétersbourg allait être dédommagé.

Le 25 juillet, vers deux heures du matin, quoique l'exécution fût annoncée pour dix heures seulement, on dressait sur le rempart de la forteresse une large potence, où cinq corps pussent tenir de front.

C'était en face de la petite église en bois qui, sous l'invocation de la Trinité, est située sur le bord de la Néva, à l'entrée du quartier du vieux Saint-Pétersbourg, premier pied-à-terre de Pierre le Grand.

À cette époque de l'été, la nuit qui commence à onze heures du soir, finit à deux heures du matin ; à deux heures, on pouvait donc déjà commencer à distinguer les objets ; un faible bruit de tambours, la lugubre fanfare de quelques trompettes se faisaient entendre dans les différents quartiers de la ville ; car chaque régiment en garnison à Saint-Pétersbourg devait envoyer une compagnie pour assister à l'exécution.

Les personnes qui passaient n'étant pas encore couchées, ou celles qui, voisines des casernes, et prévenues par des bruits inusités, comprenaient ce dont il était question ; celles enfin auxquelles le spectacle lugubre qui se préparait offrait quelque curiosité, s'acheminèrent d'avance vers l'endroit désigné pour l'exécution.

Les compagnies, détachées isolément chacune de sa caserne, se réunirent à la forteresse et se placèrent au pied des murailles.

Là, un roulement lugubre, sombre, prolongé, exécuté par tous les tambours réunis, se fit entendre. Il était trois heures; le jour se levait.

Deux ou trois cents spectateurs seulement formaient un cercle autour des troupes, et, comme la scène terrible allait se passer sur le rempart, ils voyaient parfaitement par-dessus la tête des soldats.

A trois heures, un second roulement se fit entendre. Alors, on vit s'avancer, se détachant avec vigueur sur cet azur matinal si pur et si limpide, ceux des condamnés auxquels on avait fait grâce de la peine capitale.

On les distribua par groupes, chacun étant placé en face du régiment auquel il avait appartenu, et ayant la potence derrière lui. Ils entendirent d'abord la lecture de leur sentence, puis on les fit mettre à genoux ; on leur arracha leurs épaulettes, leurs décorations, leurs uniformes ; on brisa leurs épées sur leurs têtes rasées, on leur donna un coup du plat de la main en prononçant le mot *vlob*, on les revêtit d'une grosse capote grise de soldat ; puis ils défilèrent un à un devant la potence, tandis que l'on jetait dans un immense brasier leurs uniformes, les insignes de leurs grades et leurs décorations. Puis, un à un, ils rentrèrent dans la forteresse.

Alors, les cinq condamnés à mort parurent à leur tour sur le rempart.

A la distance d'où les spectateurs étaient placés, c'est-à-dire à une centaine de pas d'eux, ils ne pouvaient distinguer leurs traits ; d'ailleurs, les condamnés étaient couverts de capotes grises dont les capuchons étaient rabattus sur leur tête.

Ils montèrent un à un sur la plate-forme, puis, de la plate-forme, sur des escabeaux rangés de front sous la potence et dans l'ordre que leur avait assigné le jugement : Pestel, le premier, à l'extrême gauche de ceux qui regardaient ; puis Ryléief, puis Serge Mouravief-Apostol, puis Bestuchef-Roumine, et enfin, à l'extrême droite, Kakovsky.

On leur passa alors la corde autour du cou, et — fut-ce par ignorance ou par cruauté? — par-dessus leur capuchon ; ce qui devait prolonger le supplice de la strangulation jusqu'à la rupture des vertèbres du cou.

Cette manœuvre opérée, l'exécuteur se retira.

Aussitôt son départ, la plate-forme s'abîma sous les pieds des condamnés.

Alors, il se passa une scène atroce.

Deux des corps, ceux qui étaient aux deux extrêmités, Pestel et Kakovsky, restèrent suspendus à leur corde, et devinrent lentement des cadavres.

Mais les trois autres glissèrent à travers leur nœud coulant et tombèrent avec les escabeaux et le plancher dans les profondeurs de la plate-forme.

Quoique le peuple russe soit peu démonstratif, quelques spectateurs ne purent s'empêcher de pousser un cri d'effroi, et même de douleur.

Peut-être aussi ceux qui donnaient cette marque de sympathie à une souffrance qui n'était point portée dans le jugement, et qui était causée ou par la cruauté ou par l'ignorance des bourreaux, étaient-ils étrangers?

On alla chercher les condamnés dans cette première tombe où ils étaient ensevelis.

Le premier qu'on en tira (ils avaient les mains liées et ne pouvaient s'aider) fut Mouravief-Apostol.

— O mon Dieu ! dit-il en revoyant le jour, avouez qu'il est bien triste de mourir deux fois pour avoir rêvé la liberté de son pays.

Il descendit la plate-forme et alla attendre à quelques pas.

Le second fut Ryléief.

— Voyez un peu à quoi est bon un peuple esclave ! s'écria-t-il ; il ne sait pas même pendre un homme !

Et il alla rejoindre Mouravief.

Puis vint Bestuchef-Roumine ; il s'était brisé une jambe dans sa chute.

On le porta vers ses deux compagnons.

— Il est donc décidé là-haut, dit-il, que rien ne nous réussira, pas même la mort !

Et il se coucha près d'eux, ne pouvant se tenir debout.

L'empereur était à Tsarskoie-Selo, où on lui envoyait, de quart d'heure en quart d'heure, des messagers pour lui dire où en était l'exécution du jugement.

Mais pour une chose si peu importante que trois cordes fonctionnant mal, on ne jugea pas à propos de le déranger.

Que cela soit un regret éternel à ceux qui agirent ainsi.

Peut-être, au récit de cet événement inouï dans les fastes des exécutions criminelles, ce cœur de bronze se fût-il fondu et eût-il fait grâce.

Non : on raccommoda la plate-forme, et, quand elle fut raccommodée, quand les trois escabeaux furent replacés sous les trois cordes pendantes, entre les deux cadavres de Pestel et de Kakovsky, on dit aux condamnés : — Marchons.

Et ils marchèrent résolûment, Mouravief-Apostol et Ryléief.

Quant à Bestuchef, on fut obligé de le porter, sa jambe brisée l'empêchant de se soutenir.

Une seconde fois, la corde leur fut passée au cou ; une seconde fois la plate-forme manqua sous leurs pieds ; une seconde fois, le terrible lacet se serra, mais, cette fois, sans se relâcher.

Et les âmes des trois coupables, dont cette mort atroce avait fait des martyrs, allèrent rejoindre celles de leurs deux compagnons...

Où ? Dieu seul le sait.

XII

LES EXILÉS

Nous n'en avons pas fini avec cette lugubre histoire du 14 décembre, qu'a évoquée sous notre plume la vue de l'endroit même où elle avait eu sa fin. Il nous reste à suivre les autres condamnés dans leur exil ou dans leur prison.

Il y a eu dans tout cela des souffrances inouïes et des dévouements merveilleux. En Russie, peut-être sera-t-on dix ans encore à les faire connaître : devançons cette lumière qui se lèvera à la voix de l'empereur Alexandre, peut-être plus tôt que nous ne le croyons ; car c'est mieux qu'un cœur juste, c'est un cœur miséricordieux et tendre. Je puis dire, je puis écrire, je puis imprimer cela de lui ; je ne l'ai pas vu, je ne lui ai point parlé, et, cela, pour en avoir le droit.

Puis, sachez ceci d'avance, c'est qu'à tout ce qui vivait encore, d'exilés, de proscrits, de captifs politiques, après ce long règne de trente ans, il a fait grâce entière.

Sans doute, trente ans, c'est bien long ; mais l'empereur Nicolas vivant, le grand-duc Alexandre n'était que le premier sujet de son père.

D'ailleurs, c'est Dieu qui mesure le règne des rois, et qui sait quelle moisson de liberté peuvent, dans le sein de la terre et dans le fond des cœurs, faire mûrir trente ans d'oppression ?

Qui sait ce qui sortira de cette Sibérie que tous les cœurs

nobles ont trempée de leurs larmes, que tous les fronts libres ont arrosée de leur sueur?

Qui dit qu'Irkoutsk et Tobolsk ne seront pas un jour les capitales de deux républiques?

Restaient donc, comme nous avons dit, les exilés.

On les mit dans des télégues, quatre par quatre, avec les fers aux pieds : — les blessures que firent ces fers aux jambes de Pouschkine ne sont pas encore fermées aujourd'hui ; — et on les expédia pour la Sibérie.

Le 6 août, ils partirent ; la famille du prince Troubetzkoï et celle du prince Serge Volkonsky les attendaient à la première station après Saint-Pétersbourg, pour leur faire leurs adieux.

Les femmes étaient autorisées à suivre leurs maris.

L'empereur avait eu l'étrange attention de faire prendre des nouvelles de madame Nicolas Mouravief, née comtesse Tchernichef et de la princesse Troubetzkoï, née Laval.

Madame Mouravief avait simplement répondu :

— Dites-lui que le diable l'emporte !

La comtesse Troubetzkoï avait répondu :

— Dites-lui que je me porte bien, et la preuve, c'est que je le prie de me faire délivrer mon passe-port le plus tôt possible.

Les femmes qui demandèrent et obtinrent la permission de suivre leurs maris, outre les deux que nous avons déjà nommées, c'est-à-dire mesdames Nicolas Mouravief et la princesse Troubetskoï, furent madame Alexandre Mouravief, madame Narychkine et la princesse Serge Volkonsky, laquelle cacha sa résolution à sa famille, de peur qu'on ne l'empêchât de l'exécuter.

C'était, au reste, une joie et un bonheur chez toutes ces nobles femmes d'êtres élues par le Seigneur pour adoucir l'exil de leurs maris, et l'on entendit la mère de la princesse Troubetzkoï lui faire cette sublime menace :

— Sophie, si vous n'êtes pas sage, vous n'irez pas en Sibérie.

Au reste, ce qui rendait leur dévouement plus splendide, c'est qu'elles avaient été prévenues qu'une fois arrivées à Irkoutsk, on ne les laisserait plus disposer de leurs bagages et qu'elles n'auraient plus personne pour les servir. En conséquence, pour s'endurcir à la peine, quelques semaines avant de partir, jetant de côté le velours et la soie, s'habillant d'étoffes grossières, elles se mirent, avec leurs belles et blanches mains, à faire leur besogne de ménagère, apprenant la cuisine avec plus d'ardeur qu'elles n'avaient appris le piano, ne mangeant que du pain noir et du gruau, ne buvant que du qwass, afin que leurs palais s'habituassent à la nourriture du peuple, comme leurs mains s'habituaient à son travail.

La Bible n'avait-elle pas dit en parlant des pauvres exilés du paradis terrestre : « Vous mangerez votre pain à la sueur de votre front ! »

Il y eut, à côté de ces nobles exemples, un exemple plus touchant encore. Une jeune Française, mademoiselle Pauline Xavier — ici, nous pouvons dire son nom : le malheur, l'exil et le mariage dans l'exil ont sanctifié leur union — mademoiselle Pauline Xavier vivait avec le comte Annenkof, un des exilés. Elle vendit tout ce qu'elle avait, réunit toutes ses ressources, et se trouva maîtresse d'une somme de deux mille roubles.

Elle allait partir avec cette somme, lorsque cette somme lui fut volée.

Il y avait alors à Saint-Pétersbourg un homme qu'on appelait Grisier. Cet homme avait été le professeur d'escrime du comte Annenkof.

Il courut chez sa pauvre compatriote désolée. Il avait mille roubles. Il les jeta sur la table, gardant un rouble pour passer sa journée. Il retrouverait de l'argent le lendemain. Tous ses élèves étaient riches. — D'ailleurs, Dieu ne laisse pas mourir de faim ceux qui se sont dépouillés par de pareilles actions.

Mais l'empereur Nicolas avait su le dévouement de Pauline Xavier et le malheur qui lui était arrivé au moment où elle hésitait à accepter de Grisier un service qui le ruinait. Elle reçut trois mille roubles que lui envoyait l'empereur Nicolas[1].

L'empereur Nicolas était ainsi fait : inflexible mais grand. Je vous le montrerai tel qu'il était. Non pas tel que la bassesse le jugeait de son vivant, non pas tel que la haine d'une génération étouffée par lui le juge après sa mort, mais tel que le jugera la postérité. Il apparaîtra d'autant plus fermement accusé dans ses contours d'airain, qu'on le verra entre deux natures essentiellement humaines : entre son frère Alexandre Ier et son fils Alexandre II.

Cependant, les condamnés étaient, comme nous l'avons dit, partis sur des télégues, couchés sur la paille et les fers aux pieds. Il faut avoir voyagé dans cette terrible voiture pour se faire une idée de ce qu'ils durent souffrir pendant un voyage de sept mille verstes, dans des chemins défoncés, où, à la moindre pluie, les voitures entrent jusqu'aux moyeux.

Déportés au delà du lac Baikal, qui est plutôt une mer qu'un lac, ils furent réunis dans le village de Tchita, sur l'Ingoda. Là, le climat est un peu moins âpre que dans les autres contrées de la Sibérie ; en effet, depuis 1830, le maximum du froid n'y a pas dépassé 28 degrés, tandis que la plus forte chaleur, celle de 1843, ne s'est élevée qu'à 31 degrés.

Mais ce qui surtout faisait leur sort tolérable, c'est la réunion d'hommes intelligents, souffrant pour la même cause, pouvant s'entretenir de leurs espérances et rêver l'avenir de la liberté, sinon pour eux, du moins pour leur patrie.

Puis on eut pour eux des égards et des considérations que l'on n'avait point pour les autres déportés. On ferma les yeux sur certaines contraventions. Les livres, les plumes, le papier, la lumière le soir, tout cela fut, non pas accordé, mais toléré.

---

1 C'est sur cette charmante femme et sur son mari, le comte Annenkof, que j'ai fait mon roman historique le *Maître d'armes*. Tous deux ont survécu à trente ans d'exil, et sont revenus en Russie. Qui sait ? je les verrai peut-être.

Le travail auquel ils étaient soumis, comme galériens, fut allégé ; on comprit qu'il devait y avoir une différence entre des voleurs et des assassins et des conspirateurs, et on leur laissa assez de loisirs enfin pour qu'ils fondassent une école, bienfait qu'ils ont laisé après eux, et qui perpétuera dans les esprits le souvenir de leur passage, resté dans les cœurs.

Après quelques mois de séparation, les femmes rejoignirent leurs maris.

Dès lors, pour ceux qui retrouvèrent ces chères compagnes, ce ne fut qu'un demi-exil.

Quant à leurs familles, l'empereur ne permit point que pesât sur elles la moindre solidarité.

Il fit venir le père de Pestel ; — la veille de sa mort, son fils lui avait fait une dure réponse[1] ! — il fit venir le père de Pestel, qui avait perdu pour concussion sa place de gouverneur de la Sibérie, et lui donna cinquante mille roubles (deux cent mille francs de notre monnaie) pour le tirer des embarras de fortune où il se trouvait. En outre, il lui abandonna le fermage arriéré d'une terre de la couronne dont Alexandre Ier lui avait accordé la jouissance pendant douze ans. Enfin, il avait attaché à sa personne, en qualité d'aide de camp, le frère de Pestel.

Pourquoi cette rigide impartialité n'arrivait-elle jamais à l'indulgence ? Pourquoi cette mansuétude pour le frère de Pestel, pourquoi cette générosité pour son père, et pourquoi cette rigueur pour tel autre ?

Pour Batenkof, par exemple.

Vous vous rappelez qu'au nombre des conspirateurs nous avons nommé Batenkof ; retenez bien son nom : c'est un martyr, celui-là ; Silvio Pellico et Andryane furent, comparativement à lui, couchés sur des roses.

1. — Pourquoi as-tu conspiré, malheureux ? demandait Pestel à son fils.

2. — Pour que la Russie n'ait plus de fonctionnaire comme vous, mon père.

Disons d'abord ce qu'était Batenkof, d'où il venait, quelle fortune l'avait attaché à elle, quel astre l'avait entraîné dans son tourbillon. Puis nous vous dirons pourquoi il a souffert, et jusqu'à quel point il a souffert.

La Russie a peu de légistes ; dans ce pays d'absolutisme, où la défense de l'accusé n'existe pas, où aucun débat n'est public, où l'empereur est la loi, les légistes sont non seulement rares, mais à peu près inutiles.

Il poussa cependant, au commencement du siècle, un de ces hommes rares, comme un arbre à fruit dans les steppes.

Cet homme s'appelait Speransky.

C'est le fils d'un pope, le seul homme de talent, peut-être mieux que cela, de génie, qui soit sorti du clergé grec.

Il s'appelait Nadiéjda, *Esperance* ; vous trouverez facilement la traduction du mot Espérance dans Speransky.

Le jeune Michel-Michælovitch-Nadiéjda fut mis de bonne heure dans un séminaire, acheva ses études à l'Académie ecclésiastique de Saint-Pétersbourg, et montra tant d'aptitude pour les mathématiques, qu'il fut admis à vingt et un ans au professorat des sciences exactes et physiques à l'école établie au couvent de Saint-Alexandre-Nevsky.

Il donnait en même temps des leçons dans la maison du prince Alexis Kourakine.

Grâce à la protection de cette puissante famille, Speransky put échanger la carrière ecclésiatique contre celle *du service de l'État.*

Il y fit un chemin rapide, dû bien moins à la protection du prince qu'à son amour du travail, à son esprit lucide et à son aptitude à l'application des lois.

En 1801, à l'âge de trente ans, il fut promu au grade de secrétaire d'Etat.

En 1803, il fut chargé de l'organisation du ministère de l'intérieur par le prince Kostchoubei, chef de ce ministère.

En 1808, il fut appelé au sein de la commission instituée par

Catherine II, renouvelée en 1804 et chargée de s'occuper de la codification des lois russes, nommé directeur de la chancellerie de cette commission, donné pour collègue au ministre de la justice.

Enfin, en 1809, il fut promu au rang de conseiller privé.

Alexandre, qui avait compris cette haute intelligence, avait de fréquents rapports avec lui, le consultait dans les occasions graves, recevait volontiers ses inspirations et en arriva à lui accorder une confiance illimitée. Convaincu de la nécessité d'une amélioration dans la machine administrative, il commença des réformes que, par malheur, on voulut entreprendre toutes à la fois, mais qui cependant se firent sentir particulièrement dans les écoles du clergé, dans la réorganisation du conseil de l'empire, conseil dont Speransky devint l'âme ; dans les finances, gravement embarrassées par une émission trop considérable de papier monnaie ; enfin, dans le système des impôts, qui fut modifié.

Et en même temps, un projet de code civil était arrêté par lui. Il jetait les bases d'un code de commerce et d'un code pénal. Il aspirait à étendre ses travaux de réforme à la législation tout entière. Il avait proposé un plan de réorganisation du sénat.

En un mot, l'avenir de la Russie, qu'il espérait améliorer, était le but de travaux qui, matériellement et intellectuellement, semblent n'avoir pu sortir de la tête et n'avoir pu être exécutés par la main d'un seul homme.

L'empereur récompensa ce zèle en donnant à Speransky le grand cordon de Saint-Alexandre Nevsky.

Ce fut l'apogée de sa faveur.

Nous avons parlé de la difficulté qui existait à déraciner les abus en Russie ; nous avons dit comment, lorsque l'on touchait à l'un d'eux, tous les autres criaient haro sur le sacrilège. En Russie, l'abus, c'est l'arche sainte : malheur à celui qui le touche : il est foudroyé !

Un coup de tonnerrre renversa Speransky. On l'accusa

d'avoir contrefait la signature de l'empereur pour puiser au Trésor. Sa disgrâce fut subite, sa chute profonde.

En mars 1812, comme il sortait du palais d'Hiver, où il venait de travailler avec l'empereur, il fut arrêté, mis dans une voiture qui l'attendait à la porte, conduit à Nijny-Novgorod, et, de là, quand les Français entrèrent à Moscou, à Perm ; on ne lui avait pas même donné le temps d'embrasser sa fille.

Le titan Abus respira par ses trois cents têtes.

En 1813, Speransky adressa un mémoire à l'empereur Alexandre ; il lui disait, dans ce mémoire, que, se trouvant dans le plus grand dénûment, il mourait littéralement de faim.

Cette demande frappa l'empereur Alexandre par sa simplicité. Comment un homme qui avait contrefait la signature de son empereur pour puiser dans le Trésor pouvait-il être dénué et mourir de faim, un an après ses concussions?

On fit une enquête ; Speransky était pauvre comme Job, et, de plus que Job, était exilé.

Si Job était couché sur le fumier, c'était au moins sur le sien.

Speransky n'avait pas même un fumier à lui pour s'y coucher.

Alexandre lui fit une petite pension.

Étrange chose que cette justice des souverains. L'empereur reconnaît qu'un homme qui a été dénoncé, accusé, chassé, proscrit comme un voleur ; qui a perdu sa position, ses places, sa fortune comme concussionnaire, est innocent, et, au lieu de lui rendre tout cela avec bruit, avec éclat, avec gloire, au lieu de le réhabiliter, enfin, — il lui fait une petite pension.

Deux ans après, Speransky, — deux ans après qu'on avait reconnu son innocence, — deux ans après, Speransky obtenait de rentrer dans une petite terre qu'il possédait aux environs de Novgorod.

Vous croyez peut-être qu'il y intriguait, qu'il y cabalait, qu'il y conspirait?

Ah bien, oui ! il avait bien autre chose à faire : il y traduisait l'*Imitation de Jésus-Christ.*

En 1816, l'empereur rend un oukase dont voici, sinon le texte, du moins le sens :

« Ayant reçu une grave dénonciation contre Speransky au moment où je partais pour l'armée, je n'ai pas pu soumettre cette dénonciation à un examen rigoureux. Cependant, les faits articulés étaient si graves, que l'éloignement immédiat de l'accusé des affaires m'avait semblé une mesure prescrite par la prudence. Depuis, ayant fait une enquête, et n'ayant pas trouvé les motifs de soupçons assez fondés, je nomme Speransky à la place du gouverneur civil de Penza. »

Speransky, toujours content, alla prendre possession de son île de Barataria.

L'empereur eut honte d'avoir traité Speransky si maigrement, et ajouta bientôt au gouvernement de Penza sept mille déciatines, — quatorze mille arpents de terre.

Enfin, en 1819, Speransky, montant toujours, fut investi des fonctions de gouverneur de la Sibérie.

Là, l'homme intelligent rencontra une intelligence qui séduisit la sienne ; là, le travailleur acharné rencontra un autre travailleur aussi acharné que lui : c'était un jeune homme de vingt-cinq à vingt-six ans, nommé Batenkof.

Il lui proposa de s'attacher à lui ; Batenkof accepta. Speransky en fit son secrétaire. Pauvre Batenkof !

En 1821, après une absence de neuf ans, Speransky rentra à Saint-Péterbourg.

L'empereur le reçut comme s'il n'avait pas eu de torts envers lui, et c'était déjà beaucoup. Ce que les souverains pardonnent le moins facilement, ce sont les torts qu'ils ont eus. Il rendit à Speransky sa place au conseil de l'empire ; son plan pour la Sibérie fut adopté et mis à exécution, et ses travaux sur les lois furent repris par lui où il les avait interrompus.

Alexandre mourut. La conspiration de décembre éclata. Batenkof y était compromis.

Placé dans la deuxième catégorie, c'est-à-dire dans celle des trente-huit condamnés à mort dont la peine avait été commuée en celle des travaux forcés, il ne fut point envoyé avec ses compagnons en Sibérie. Non, il fut mis dans un des cachots du ravelin Saint-Alexis.

D'où venait cette préférence?

Nous allons vous l'apprendre.

Nous avons dit que Batenkof était le secrétaire, mieux que le secrétaire, le confident, l'ami de Speransky.

L'empereur Nicolas, tout en confirmant tout ce que son père avait fait pour l'illustre légiste, tout en l'utilisant à son profit, n'avait en lui, politiquement parlant qu'une confiance médiocre.

Le moyen de croire qu'un homme avec lequel on avait eu de pareil torts ne vous en gardât pas rancune? S'il vous gardait rancune, le moyen de croire qu'il n'eût pas trempé peu ou prou dans la conspiration de décembre?

Eh bien, on espérait que Batenkof, qui avait tous les secrets de Speransky, rachèterait sa liberté en perdant son maître.

Ceux qui avaient eu un tel espoir ne connaissaient pas Batenkof.

On le mit au secret le plus rigoureux.

Combien de temps croyez-vous qu'y resta ce héros?

Vingt-trois ans!

Pendant vingt-trois ans, il resta dans un cachot humide, au-dessous du niveau de la Néva, sans parler à personne, sans voir âme qui vive, excepté son geôlier, ou plutôt ses geôliers, car il en usa trois!

Au bout de onze ans, on lui donna une pipe; au bout de treize ans, les Évangiles; enfin, au bout de vingt-trois ans, — il y en avait neuf que Speransky était mort, — on lui ouvrit les portes de son cachot.

Il y était si habitué, qu'il n'en voulait plus sortir.

Lorsqu'il fut dans la cour, aveuglé par la lumière, oppressé par l'air, il tomba à genoux en pleurant.

Il demandait à être reconduit dans sa prison. Seulement, il faisait des efforts inutiles pour trouver des mots qui exprimassent sa pensée.

Il ne savait plus parler !

Encore aujourd'hui, c'est-à-dire après dix ans de liberté, Batenkof ne parle que lorsqu'il y est forcé, et péniblement ; encore aujourd'hui, il a sur sa table la pipe et les Évangiles que la clémence du souverain lui a rendus, — la pipe au bout de onze ans, les Évangiles au bout de treize.

Descendez dans l'abîme où Dante plonge ses damnés, et calculez ce que Batenkof a dû souffrir pour arriver à ce bonheur-là.

Et maintenant constatons un fait : c'est la profonde vénération que la jeunesse libérale de Saint-Pétersbourg, et, à ce que l'on m'assure, de Moscou et de toute la Russie, a pour les décembristes ; c'est ainsi que l'on appelle les conspirateurs de 1825, morts ou vivants.

Pour les vivants, c'est de l'admiration et de la sympathie ; pour les morts, c'est un culte.

L'empereur Alexandre a fait tout ce que sa piété filiale lui permettait de faire.

Il a rappelé les vivants.

Un jour, la Russie élèvera un monument expiatoire aux morts.

Et nous aussi, nous avons eu nos sergents de la Rochelle et nos martyrs du cloître Saint-Merry.

XIII

L'EMPEREUR NICOLAS

Vous savez que je me suis arrêté devant la forteresse en allant dîner place Michel.

Je continue ma route. — Mais, comme, de la forteresse à la place Michel, j'ai à traverser le pont d'Isaac, la place de la Perspective, nous aurons encore le temps de causer un peu.

Causons de l'empereur Nicolas, et faisons ce que faisaient les Égyptiens avant d'enterrer leurs morts : disons ce qu'il y avait de bon et de mauvais dans le défunt.

La génération qui a aujourd'hui de trente à quarante ans, et sur laquelle a pesé tout ce long règne ; la génération qui n'a intellectuellement, et nous dirons presque matériellement, respiré qu'à l'avénement au trône de l'empereur Alexandre, est inhabile à porter un jugement sur ce tzar Pierre au rebours. Elle ne juge pas, elle condamne ; elle n'apprécie pas, elle maudit.

Un de ceux qui appartiennent à cette génération qui a été enfermée dans la capote militaire, comme Batenkof dans le ravelin Saint-André, me montrait les quatre bas-reliefs de la colonne Nicolas, dont l'un représente la révolte du 14 décembre, l'autre la révolte de la Pologne, l'autre la révolte du choléra, l'autre la révolte de la Hongrie.

— Quatre révoltes, me disait-il ; vous le voyez, c'est tout le règne de l'empereur Nicolas.

Le mot de cet étouffeur de révoltes à propos du buste de Jean III, prouve qu'il s'était cruellement repenti d'avoir étouffé la dernière. Elle lui coûta le protectorat des provinces moldo-valaques.

A son retour de Sébastopol, un des amis du prince Menchikof, qui ne l'avait pas vu depuis trois ou quatre ans, l'abordait par cette phrase, proverbiale en Russie après une longue séparation :

— Il a passé beaucoup d'eau depuis que nous ne nous sommes vus.

— Oui, répondit Menchikof, et le Danube avec.

L'empereur Nicolas eut le bonheur de ne pas voir partir le Danube. — Nul n'est mort plus à son heure. — Ce fut au point que beaucoup dirent que, cette heure, lui-même l'avait fixée et choisie.

Il n'en est rien : l'empereur Nicolas mourut de mort naturelle. Seulement, l'effroyable désappointement que lui causèrent nos victoires de l'Alma et d'Inkermann fut pour beaucoup dans cette mort.

Disons d'abord que la plupart des choses que l'on reproche à l'empereur Nicolas viennent de l'idée exagérée qu'il se faisait de son droit et de ses devoirs.

Nul ne crut davantage à son droit d'autocratie, nul ne s'imposa plus que lui le devoir de défendre la royauté de tous les côtés en Europe.

Son règne de trente ans fut une garde continuelle. Sentinelle de la légitimité européenne, comme ces veilleurs du feu, qui, dans toutes les villes de son empire, donnent le signal qui annonce l'incendie, lui, non-seulement donnait le signal qui annonçait les révolutions, mais se tenait toujours prêt à les étouffer, soit chez lui, soit chez les autres.

Ce fut cette haine pour les soulèvements politiques et pour leurs conséquences qui lui fit répondre à Louis-Philippe Ier et à Napoléon III les deux lettres qui consolidèrent avec l'Angleterre notre alliance, toujours prête à se briser sous les secousses de notre haine nationale.

L'empereur Nicolas, tête étroite, esprit obstiné, coeur inflexible, ne comprit pas que chaque peuple, pourvu qu'il n'inquiète ni ne menace son voisin, est libre de faire chez lui ce qu'il veut. En jetant les yeux sur la carte de son immense empire, en voyant qu'il couvrait à lui seul la septième partie du monde, il crut que les autres peuples de l'Europe n'étaient que des colonies établies sur son territoire, et il voulut peser sur eux comme il pesait sur les colonies allemandes qui sont venues lui demander l'hospitalité.

Diplomate médiocre, il n'a pas compris que l'alliée naturelle de la Russie était la France.

De notre côté, le roi Louis-Philippe se laissa entraîner par les traditions de famille. Il ne vit, comme antériorité diplomatique, que le traité de la quadruple alliance fait par le cardinal Dubois, sous son aïeul le régent. Il oublia que ce traité était tout personnel, tout égoïste, tout de situation. Les trônes de l'Europe étaient occupés par des rois du droit divin ; l'Angleterre seule avait pour souverain régnant l'usurpateur Guillaume III, qui venait de détrôner son beau-père Jacques II.

Or, quelle était la situation du régent ? Tous les héritiers légitimes du roi Louis XIV étaient morts, à l'exception du roi Louis XV, âgé de sept ou huit ans, et dont la faible santé pouvait, d'un moment à l'autre, amener la mort. Le régent était donc, comme premier prince du sang, l'héritier de la couronne.

Mais il y avait à cette couronne deux prétendants qui ne la lui laisseraient pas facilement mettre sur la tête.

L'un de ces prétendants était M. le duc du Maine, que Louis XIV avait appelé à la succession, dans le cas d'extinction de la ligne légitime.

Celui-là était peu à craindre, le testament de Louis XIV ayant été cassé par le parlement.

Mais restait Philippe V, ce duc d'Anjou que la France avait donné pour roi à l'Espagne, et qui, malgré sa renonciation à la couronne de son grand-père, tenait les yeux incessamment fixés sur Versailles.

Celui-là était sérieux. Les ennemis du duc d''Orléans, — et, comme tous les esprits intelligents, progressistes et aventureux, il en avait beaucoup, — les ennemis du duc d'Orléans lui faisaient un parti sérieux en France, en s'armant du mot *légitimité*, et en repoussant le duc d'Orléans avec le mot *usurpation*.

Or, à qui l'*usurpateur* français pouvait-il demander secours ? — A l'usurpateur anglais. Tous les autres princes eussent été du parti de Philippe V.

L'alliance avec l'Angleterre était donc une affaire de circonstance, une combinaison personnelle, un pacte entre deux princes, dont l'un avait accompli son usurpation, dont l'autre méditait la sienne.

La politique européenne n'avait rien à faire là dedans. Le roi Louis-Philippe s'y laissa prendre, et, pendant dix-huit ans, but toutes les hontes que l'Angleterre voulut lui faire avaler.

Mais ce que l'empereur Nicolas craignait surtout dans son contact avec nous, c'était la communication de l'esprit révolutionnaire, dont il s'était constitué l'ange exterminateur.

Ce fut à ce point de vue qu'il passa trente ans, pour ainsi dire, au port d'arme, se regardant comme le soldat de la Russie, mais regardant tous les Russes comme des soldats, et faisant du caporalisme sur une gigantesque échelle.

Son règne fut un règne militaire. Tout fut soldat en Russie ; ce qui ne portait pas l'épaulette, méprisé par l'empereur, était méprisé par tout le monde.

Un des deux Pouschkine exilés — celui qui panse encore aujourd'hui les blessures que lui firent ses fers de 1825 — était entré dans les emplois civils. Il fut un de ceux que l'empereur interrogea pendant l'enquête.

— Au reste, dit-il au prévenu, qu'attendre d'un homme qui, étant noble, a embrassé une carrière vile ?

— Je ne croyais point, lui répondit Pouschkine, qu'il y eût une carrière vile quand on avait l'honneur de servir Votre Majesté.

Ce règne qui, pendant sa durée d'un tiers de siècle, n'eut que deux guerres sérieuses, l'une à son commencement, l'autre à sa fin, s'écoula tout entier en revues et en parades, que l'empereur commandait lui-même. Souvent il donnait la petite guerre, faisait choix d'un de ses généraux pour le combattre, et, vainqueur, était aussi fier de sa victoire factice que d'une victoire réelle.

Un jour, comme Commode, luttant dans le Cirque avec ce Gaulois qui, moins esclave que les autres, le renversa, le tint sous son genou et lui mit la pointe de l'épée à la gorge, un jour, l'empereur Nicolas eut affaire à un général qui prit la chose au sérieux. Il s'arrangea de telle sorte qu'il battit l'empereur, l'enveloppa et le fit prisonnier.

C'était le général Nicolas Mouravief.

L'empereur lui fit toute sorte de compliments ; mais, deux jours après, Mouravief donna sa démission.

Plus tard, l'empereur revint à lui, le nomma commandant du corps séparé des grenadiers, puis vice-roi du Caucase ;

Lermontof était dans les gardes lorsqu'il fit ses premiers vers ; l'empereur le manda près de lui.

— Qu'est-ce qu'on me rapporte, monsieur, lui dit-il, que vous faites des vers ?

— En effet, sire, cela m'arrive quelquefois.

— Il y a des gens pour cela, monsieur ; mes officiers n'ont donc pas besoin de s'en occuper. Vous irez faire la guerre du Caucase ; cela vous occupera au moins d'une façon digne de vous.

C'était tout ce que demandait Lermontof. Il s'inclina, partit pour le Caucase, et puis, en face de cette splendide chaîne de montagnes où fut enchaîné Prométhée, il fit ses plus beaux vers.

Un autre poète, qui peut-être eût été plus loin que Lermontof, plus loin que Pouschkine lui-même, Poléjaïef avait fait une pièce de vers intitulée *Machka*, c'est-à-dire *Marie*.

Mais Marie se dit de quatre façons en russe, et prend quatre significations différentes.

Tant que Marie se traduit par Macha ou Machinka, cela se prend en bonne part.

Mais, lorsque Marie devient Machka, le nom change complètement de signification, et, pris en mauvaise part, au lieu de dire vierge, veut dire fille de joie.

Poléjaïef avait donc commis ce crime de faire une pièce de vers intitulée *Machka*.

L'empereur le sut, le fit venir, et lui ordonna de lui dire sa pièce de vers.

Poléjaïef obéit.

L'empereur l'écouta sombre et le sourcil froncé ; puis, lorsque le poète eut fini, il appela la garde, et ordonna de faire Poléjaïef soldat.

C'est bien vite fait en Russie.

On emmena Poléjaïef à la salle de police, on le fit asseoir sur un bambou, on lui rasa la tête, on lui donna un coup du plat de la main au front en prononçant le mot *lobe*, on le revêtit d'une capote grise, et tout fut dit.

Seulement, avant de quitter le corps-de-garde où s'était faite l'exécution, il trouva moyen d'écrire sur la muraille des vers dont voici la traduction.

> Je sais qu'il est facile, au moderne Tibère,
> D'écrire : « Ainsi soit-il[1] ! » de signer : « Nicolas ».
> Mais ce que nul tyran, nul arrêt ne peut faire,
> C'est de dire au génie, enfant de la lumière :
> « Ton cachot est obscur ; donc le jour ne luit pas. »

1. *Bite pa samou :* formule sacramentelle écrite de la main des empereurs de Russie au bas des oukases et au-dessus de leur nom.

Poléjaïef partit pour le Caucase et y fut tué.

Nicolas avait cette immense confiance dans sa mission qui fait les grands courages : sous ce rapport, l'empereur était plus que courageux, il était téméraire. Doué d'une figure admirable, d'une taille imposante, d'un regard qui lançait des flammes, d'un geste souverain, jamais il ne se heurta à un obstacle ; sa seule présence le renversait.

On l'a vu, le 14 décembre, se poster à trente pas du régiment révolté et défier les balles.

Lors de l'émeute de 1831, causée par le choléra, on lui dit que le peuple, dans sa croyance que c'étaient les Allemands et les Polonais qui empoisonnaient l'eau, massacrait place au Foin. Il saute dans sa calèche avec le seul comte Orlof, arrive au milieu de la tuerie, saute à bas de sa voiture, monte sur les marches de l'église, et crie, de là, avec une voix de tonnerre :

— A genoux, misérables ! à genoux, et priez Dieu !

Pas un ne resta debout, tous les fronts s'inclinèrent, et ceux des assassins furent ceux qui se courbèrent plus bas que les autres.

L'émeute était calmée ; peut-être ses fauteurs n'étaient-ils pas repentants, mais ils étaient domptés.

Nicolas poussait jusqu'à la folie l'exagération de la simplicité militaire : c'était une tradition ou plutôt une manie de famille ; Paul l'avait, Alexandre l'avait. Le manteau tout rapiécé de l'empereur Nicolas était proverbial. Un jour, l'impératrice en eut honte et lui donna un magnifique manteau de fourrures ; il le porta une fois pour faire plaisir à l'impératrice, puis le donna à son valet de chambre. Du temps qu'il n'était encore que grand-duc, l'impératrice, lors grande-duchesse elle-même, lui avait brodé des pantoufles ; il les porta jusqu'à sa mort, trente-trois ans.

Quand il voulait récompenser un de ses fils, il le faisait

coucher avec son chien Gouzard, sur ce vieux manteau, à terre, près de son lit.

Gouzard — lisez Houzard — était le favori de l'empereur Nicolas. C'était un vieux et sale barbet, à poil gris ; il ne quittait jamais l'empereur et avait tous les privilèges d'un chien gâté.

L'empereur déjeunait toujours de trois biscuits et d'une tasse de thé. Un jour, en jouant avec Gouzard, il lui donne successivement ses trois biscuits et sonne pour en avoir d'autres. On savait si bien que l'empereur ne mangeait jamais que ses trois biscuits, que — quoique les biscuits figurassent dans le budget de la maison impériale pour deux mille roubles par an — il n'y avait au palais que les trois biscuits que Gouzard avait mangés, et il fallut qu'un homme montât à cheval et allât, chez le pâtissier où l'on avait habitude de les prendre, chercher trois biscuits au bout de la perspective Nevsky.

Du moment qu'il ne rencontrait pas de résistance, l'empereur Nicolas avait une patience admirable ; mais toute résistance, même d'une chose inanimée ou d'un être inintelligent, le rendait fou.

Il avait un cheval qu'il aimait beaucoup, mais qui était très-rétif. Un jour que l'empereur le voulait monter pour une parade, l'animal refusa absolument de se laisser seller. L'empereur, furieux, cria : « De la paille ! de la paille !... » Il fit encombrer l'écurie de paille et ordonna d'y mettre le feu.

Le rebelle fut brûlé vif.

L'empereur Nicolas avait l'horreur du mensonge. Il pardonnait quelquefois une faute avouée, jamais une faute niée.

Son respect pour la loi était suprême.

Une des plus grandes dames de son royaume, la princesse T..., proche parente des Panine, était jugée par le conseil d'État pour meurtre : dans un moment de colère, elle avait tué deux de ses esclaves.

Le conseil d'État, prenant en considération le grand âge

et le nom historique de l'accusée, décida qu'elle serait envoyée dans un couvent pour faire pénitence.

Nicolas écrivit au bas du rapport du conseil :

« Il n'y a, devant la loi ni grand âge, ni nom historique. Je porte un nom historique et suis esclave de la loi. La loi ordonne que tout meurtrier sera envoyé aux mines ; la T... doit être envoyée aux mines.

» Ainsi soit-il.

« *Nicolas.* »

Le capitaine Violet — son nom indique que c'était un Français au service de la Russie — remplissait une mission que lui avait donnée directement l'empereur Nicolas.

Il avait, comme tous les courriers extraordinaires, un *padarojné* de la couronne, c'est-à dire un ordre de prendre les chevaux, s'il en trouvait, dans les stations de poste, et de s'en faire chercher, s'il n'en trouvait pas.

Comme il voyageait nuit et jour, il avait ses pistolets tout chargés à la ceinture.

Arrivé à une station où la poste, sans chevaux, était obligée d'en prendre chez les voisins, il profita de ce retard involontaire pour se faire servir une tasse de thé.

Pendant qu'il prenait son thé et comme on attelait les chevaux à la kibitka, arrive un général qui demande des chevaux. On lui répond qu'il n'y en a pas.

— Et ceux qu'on attelle à cette kibitka, pour qui sont-ils ?

— Pour un officier envoyé en courrier, Excellence.

— Quel est son tchine ?

— Capitaine.

— Dételle les chevaux, et attelle-les à ma voiture ; je suis général.

Le capitaine avait tout entendu. Il sort au moment même où le maître de poste obéissait, et, dételant les chevaux de la kibitka, il allait les atteler à la calèche.

— Pardon, mon général, dit Violet ; mais je ferai observer à Votre Excellence que, si inférieur que soit mon grade, voyageant pour le service direct de Sa Majesté, je dois primer tout le monde, même un général, même un maréchal, même un grand-duc. Ayez donc la bonté de me rendre les chevaux.

— Ah ! c'est ainsi ! Et, si je ne les rends pas, que feras-tu ?

— J'userai de ma position, et, en vertu des ordres dont je suis porteur, je les prendrai de force.

— De force ?

— Oui, Excellence, si vous me poussez à cette extrémité.

— Insolent ! fit le général.

Et il donna un soufflet au capitaine français.

Celui-ci tira un des pistolets qu'il avait à sa ceinture, et, à bout portant, fit feu.

Le général tomba raide mort.

Le capitaine Violet prit les chevaux, accomplit sa mission, et revint se mettre entre les mains de la justice.

La cause fut déférée à l'empereur.

— Les pistolets étaient-ils chargés ? demanda-t-il.

— Oui.

— Étaient-ils à sa ceinture ?

— Oui.

— Il n'est donc pas rentré dans la chambre, avant de faire feu, pour les prendre ?

— Non.

— Eh bien il n'y avait pas préméditation. Je fais grâce.

Et non-seulement il fit grâce, mais, à la première occasion, il nomma Violet lieutenant-colonel.

Dans les détails de toilette militaire, l'exigence de l'empereur allait jusqu'à la minutie.

Après une belle affaire, le général... avait été appelé du Caucase. Pendant qu'il venait du Caucase à Saint-Péterbourg, — il y a près de mille lieues, par le Volga, — l'empereur avait ordonné que toute l'armée portât le casque prussien.

Le général..., que l'on avait oublié de prévenir de l'ordonnance et qui l'ignorait, se présente devant l'empereur avec un chapeau à trois cornes.

L'empereur, en l'apercevant dans la salle d'audience, va à lui comme pour l'embrasser ; mais, tout à coup, il s'aperçoit que le général tient à la main un chapeau à trois cornes ; il passe à un autre comme s'il ne l'avait pas vu.

Le général se représente le lendemain. — Même jeu de la part de l'empereur ; le surlendemain — *idem*.

Il sortait désespéré, se croyant en disgrâce, lorsqu'il rencontre un de ses amis, auquel il raconte sa mésaventure.

— Et tu n'as rien fait qui puisse blesser l'empereur ?

— Non.

— Rien dit contre lui ?

— Je le porte dans mon coeur.

— Il faut qu'il manque quelque chose à ta toilette militaire.

L'ami le regarda de la tête aux pieds et leva les mains au ciel.

— Je le crois pardieu bien !

— Quoi ?

— Tu vas chez l'empereur avec ton chapeau à trois cornes quand toute l'armée porte depuis huit jours le casque prussien. Jette... ton tricorne à la Néva, mon ami, et achète un casque.

Le géneral suit le conseil de son ami, et se présente, le lendemain, à l'audience avec un casque. L'empereur le complimente, l'embrasse et lui donne la plaque d'Alexandre Nevsky.

Une seule personne dans tout l'empire était plus exigeante sur ce point que l'empereur : c'était le grand-duc Michel.

Kauffmann, fils du général qui commandait la forteresse de Kief, élève de l'École du génie, officier suivant les cours de l'École supérieure, traverse la rue avec son collet non agrafé pour aller travailler en face, chez un ami. — Il a le malheur d'être rencontré par le grand-duc Michel, qui le fait soldat pour cinq ans aux sapeurs du génie.

Deux jeunes officiers allaient au bain avec le manteau sur la chemise au lieu d'être en uniforme. Ils rencontrent l'empereur Nicolas et se croient perdus. Mais l'empereur était dans un bon jour.

— Passez vite, leur crie-t-il au moment où ils s'arrêtent pour le saluer, Michel me suit !

L'empereur avait en toute chose cette volonté absolue qu'il avait en politique. Il avait adopté pour les églises une architecture officielle qui lui plaisait, à lui ; il la croyait byzantine, elle n'était que baroque. C'était un architecte nommé Tonn qui lui en avait présenté le premier spécimen. L'empereur avait trouvé le plan superbe et déclaré que toutes les églises seraient à l'avenir bâties sur ce plan-là.

Pendant trente ans, le même plan fut en effet suivi.

Les artistes espèrent que cette architecture est morte avec lui.

Nul, au reste, n'avait plus le droit de se croire infaillible, car nul n'eut plus de vils flatteurs. Un jour de verglas, où il allait à pied, il se laissa tomber à l'entrée de la petite Morskoï.

L'aide de camp qui le suivait se laissa tomber au même endroit que lui.

Nul ne devait être plus adroit que l'empereur.

Un matin qu'il avait dit d'introduire près de lui le prince G..., chef des postes et grand chambellan, aussitôt qu'il arriverait, l'huissier, esclave de sa consigne, fait entrer le prince dans la chambre de l'empereur au moment où celui-ci changeait de chemise.

L'empereur, en manière de plaisanterie, lui jette sa chemise sale.

Le prince G... tombe à genoux.

— Sire, dit-il, je demande à Votre Majesté la faveur insigne d'être enterré dans cette chemise.

La faveur lui est accordée.

Mais l'empereur est mort et le prince G... vit.

On offre de parier qu'il ne sait plus même où il a mis la chemise qui devait lui servir de linceul.

L'empereur Nicolas plaisantait rarement ; on cite cependant deux ou trois plaisanteries de lui.

Quand il fit exécuter les quatre chevaux en bronze du pont d'Anischkof, on trouva sur la croupe de l'un d'eux cette inscription (il y a une faute de versification, mais il faut la pardonner à un étranger) :

Rassemblez donc l'Europe entière,
Pour lui montrer quatre derrières !

Le maître de police fit son rapport à l'empereur, qui écrivit au-dessous :

« Chercher le cinquième derrière ;
Y dessiner l'Europe entière.

» Ainsi soit-il.

» Nicolas. »

Un soir, l'empereur, étant au théâtre de Moscou, vit, aux premiers rangs du parterre, le comte Samoïlof, célèbre par son esprit, sa richesse, son courage, sa nonchalance et sa force.

L'empereur n'aimait pas Samoïlof, qui trouvait moyen d'occuper, comme Alcibiade, la cour et la ville de ses excentricités. Il avait tant de charmes et de grâces, qu'on disait que son sourire était un cadeau.

Aide de camp d'Yermolof, il avait fait avec grand éclat la guerre du Caucase. L'empereur alors l'avait attaché à sa personne ; mais, allant lui-même au Caucase, il ne le prit pas avec lui.

Samoïlof demanda et obtint son congé. Il passait l'été à Moscou, l'hiver à Saint-Pétersbourg.

Ce soir-là, Samoïlof était plus excentrique, plus nonchalant, plus débraillé encore que d'habitude. Il s'était levé comme tout le monde quand l'empereur était entré ; mais, l'empereur une fois assis, il s'était recouché, jouant avec sa lorgnette et faisant le beau à tout rompre.

Ce soir-là, Lansky jouait.

Lansky était un acteur qui avait un admirable talent d'imitation..

L'empereur fit venir l'impresario, et lui ordonna pour le lendemain de jouer une pièce où Lansky remplirait un personnage comique avec le costume, les manières, le parler et le visage de Samoïlof.

L'impresario transmit à Lansky l'ordre de l'empereur, et choisit son spectacle en conséquence.

A l'heure indiquée par l'affiche pour le lever de la toile, l'empereur était à son poste, et Samoïlof au sien.

Lorsque Lansky entra, ce ne fut qu'un cri, tant il était la copie exacte de Samoïlof ; mais, quand il parla, quand il gesticula, ce fut bien autre chose encore : c'était Samoïlof qui parlait, qui gesticulait.

L'empereur donna le signal d'applaudir, et toute la salle éclata en applaudissements. Samoïlof mêla ses bravos à ceux de la foule, et parut s'amuser énormément pendant toute la soirée.

Après le spectacle, il monta au théâtre, et entra dans la loge de Lansky au moment où l'on remettait à celui-ci mille roubles de la part de l'empereur.

Samoïlof regarda de côté le cadeau impérial, et haussa les épaules, malgré la présence du chambellan.

— Vous êtes charmant, mon cher Lansky, dit-il à l'artiste ; c'était moi de la tête aux pieds, geste, intonation, tournure ; pourtant il manquait quelque chose à votre costume : c'étaient ces trois boutons de diamant. Je les voudrais plus beaux, mais, tels qu'ils sont, je vous les offre.

Il détacha les boutons de sa chemise, et les donna à Lansky. Ils valaient vingt mille roubles.

Tous les matins, en été, l'empereur Nicolas se levait de

quatre à cinq heures ; en hiver, de cinq à six. Une heure après, invariablement, il faisait, jusqu'à huit heures, sa promenade sur le boulevard de l'Amirauté. Nul n'avait le droit de l'aborder, sous peine d'arrestation immédiate.

Un jour, l'empereur rencontre notre compatriote Vernet, acteur au Théâtre-Français de Saint-Pétersbourg ; il l'arrête, et cause avec lui de la pièce nouvelle qu'il jouera le soir, lui demande de qui elle est, s'il a un beau rôle, etc.

En quittant l'empereur, Vernet est immédiatement arrêté par les agents de police qui ne perdaient jamais de vue l'empereur.

Le soir, l'empereur va au théâtre ; contre l'habitude, il s'assied, et attend cinq minutes sans que la toile se lève. Il envoie un aide de camp pour savoir d'où vient ce retard. Le régisseur monte, et, tout tremblant, annonce qu'il faut qu'il soit arrivé quelque accident grave à M. Vernet ; qu'il n'est point venu au théâtre, qu'on a envoyé chez lui, et que, de chez lui, on a fait dire qu'il était sorti à huit heures du matin et n'était pas rentré.

— Comment ! dit l'empereur, mais je l'ai rencontré, moi, ce matin ; je lui ai parlé, même.

— Vous lui avez parlé ? demande le comte Orlof.

— Oui ; je lui ai demandé des détails sur ce que l'on joue ce soir.

— Alors, je sais où il est.

— Où est-il ?

— Il est arrêté, pardieu !

Le comte Orlof donne un ordre à son aide de camp : dix minutes après, on frappe les trois coups, la toile se lève, et Vernet paraît.

Après le premier acte, l'empereur descend, arrête Vernet dans la coulisse, lui exprime le regret qu'il éprouve de ce qui lui est arrivé, et lui demande ce qu'il peut faire pour lui être agréable.

— Sire, lui répond Vernet, soyez assez bon pour ne plus me faire l'honneur de me parler quand vous me rencontrerez.

Nous avons dit que l'empereur était toujours escorté d'agents de police. Une matinée d'hiver, il aperçoit un de ces agents qui, à sa vue, descend d'un drojky élégant, et le suit enveloppé d'un bonne pelisse, tandis que lui se drapait dans son vieux manteau.

Il lui fait signe de venir à lui ; l'agent obéit.

— Voilà plusieurs fois que je remarque votre visage, monsieur, lui dit l'empereur.

L'agent s'inclina.

— Qui êtes-vous ?

— Je suis *quartalnoy natziratel* du quartier du palais d'Hiver.

Le titre de *quartalnoy natziratel* correspond à notre titre de commissaire de police.

— Combien avez-vous d'appointements ?

— Deux cents roubles, sire.

— Par mois ?

— Par an, sire.

— Pourquoi êtes-vous si bien mis ?

— Mais parce que je crois, sire, qu'un homme attaché à Votre Majesté doit lui faire honneur.

— Alors, vous volez, comme les autres ?

— Votre Majesté m'excusera, je laisse cela à mes supérieurs.

— Comment faites-vous, alors ?

— On me donne, sire.

— On vous donne ?

— Oui ; je suis commissaire de police du plus beau quartier de Saint-Pétersbourg, et, par conséquent, du plus riche. Je veille activement, la nuit et le jour, à la tranquillité, au bien-être, au confortable de mes administrés. Je frappe aux carreaux des *botchnicki* qui veillent dans leur baraque au lieu de veiller dehors, je réveille les *karaoulni* qui s'endorment. Bref, depuis six ans que je suis commissaire du quartier, pas un vol n'y a été commis, pas un accident n'y est arrivé. Il en résulte que mes administrés, reconnaissants, ont pris l'habitude, deux fois par an, chacun selon ses moyens, de me faire de petits cadeaux.

— De sorte que, grâce aux petits cadeaux, votre place de deux cents roubles vous en vaut trois ou quatre mille?

— Davantage, sire.

— Ah ! ah !

— Le double, à peu près.

— C'est bien, allez.

Le *quartalnoy natziratel* salue et se retire.

Rentré au palais, l'empereur fait prendre dans tout le quartier du palais d'Hiver des informations sur son commissaire de police. Partout, on lui fait l'éloge de son intelligence et de sa probité ; quant à la rémunération que reçoit l'homme de police, l'empereur acquiert la certitude qu'elle est réellement volontaire, et que, comme il le lui a dit, il accepte mais n'impose pas.

Le lendemain, au moment où il prend son thé, le commissaire de police voit entrer un *feldjeger*. La vue d'un *feldjeger* fait toujours, en Russie, une certaine impression sur celui auquel s'adresse l'honneur de sa visite : ce sont les *feldjeger* qui conduisent les condamnés en Sibérie.

Le commissaire de police se lève et attend.

— De la part de l'empereur, lui dit le *feldjeger* en lui remettant un paquet.

Et il sort.

Le commissaire de police ouvre le paquet, y trouve deux mille roubles et ce mot, de la main de l'empereur :

« Le propriétaire du palais d'Hiver, en reconnaissance des bons soins de son commissaire de police. »

Et tous les ans, tant qu'il vécut, le commissaire de police du quartier du palais d'Hiver reçut la même rétribution impériale.

Un autre jour, l'empereur voit venir à lui un bonhomme d'une soixantaine d'années, portant la boucle du service irréprochable[1] avec le chiffre 25. Il lui semble que l'employé ne suit pas précisément la ligne droite, et qu'il n'est point parfaitement maître de son centre de gravité.

Il l'appelle ; l'homme à la boucle vient à lui.

— Vous êtes ivre, monsieur, lui dit l'empereur.

— Hélas ! sire, lui répond l'employé, j'en ai bien peur.

— Comment, étant dans cet état-là, sortez-vous ?

— Je dois être à mon bureau à neuf heures, sire.

— A votre bureau ? Apprenez une chose, monsieur, c'est que, quand on a l'honneur de porter la boucle que vous portez, on ne se soûle pas.

— Sire, j'ai du malheur, c'est la première fois de ma vie que cela m'arrive, je ne bois jamais que de l'eau.

— Vous ne buvez jamais que de l'eau ?

— Et voilà justement pourquoi je suis gris pour deux ou trois verres de vin que j'ai bus. Malheureuse noce, va !

— Vous êtes de noce ?

— Sire, j'étais père assis[2], je ne pouvais pas refuser, on me faisait boire malgré moi.

— Est-ce vrai, ce que vous dites là, monsieur ?

— Sire, sur l'honneur.

— Eh bien, que ceci reste entre nous deux[3] ; rentrez chez vous, mettez-vous au lit, et cuvez votre vin.

— Mais mon bureau, Sire ?

---

1. Les employés dont le service est irréprochable portent à un ruban noir et jaune une boucle en cuivre doré, qui indique le nombre d'années de service.

2. Le père assis est le meilleur ami du père du promis et de la promise ; il rebénit les époux après le père : étant bénis deux fois, ils sont plus sûrs d'être bien bénis.

3. Formule de langage dont se servait l'empereur Nicolas pour dire : « C'est bien, tout est fini. »

— Dites-moi votre nom et le bureau auquel vous appartenez, et ne vous inquiétez de rien.

Le bonhomme, heureux d'en être quitte à si bon marché, tourne sur ses talons, et, déjà à moitié dégrisé, reprend le chemin de sa maison.

Le lendemain, le grand maître de police vient au rapport.

— Qu'y a-t-il de nouveau ? demande l'empereur.

— Rien d'important, sire. Un petit mystère que Votre Majesté seule peut éclaircir.

— Lequel.

— Hier, un homme à moitié ivre a accosté Votre Majesté sur le boulevard de l'Amirauté.

— C'est-à-dire qu'hier, sur le boulevard de l'Amirauté, j'ai accosté un homme à moitié ivre.

— Cet homme a été arrêté au coin de la rue par mes agents, qui ont voulu le conduire au corps de garde comme ayant violé la consigne qui défend d'accoster Votre Majesté. Mais lui s'est défendu comme un diable, disant que l'empereur lui avait donné un ordre positif et que, si on l'empêchait de remplir cet ordre, on serait responsable des conséquences ; enfin, il a parlé si haut et fait tant de tapage, que l'on a jugé à propos de le conduire chez moi. Là, j'ai voulu savoir quel était l'ordre que Votre Majesté lui avait donné ; mais il m'a constamment répondu : « L'empereur m'a dit : « Que ceci reste entre nous deux ! » Comme il y avait un grand accent de vérité dans les paroles de cet homme, j'ai ordonné à un de mes agents de le suivre et de savoir ce qu'il ferait.

— Eh bien, qu'a-t-il fait ? demanda l'empereur.

— Il est rentré chez lui, s'est dépouillé de ses habits comme si le feu y était, s'est couché avec une espèce de rage d'être au lit. Dix minutes après, il ronflait. Je doute que ce soit l'ordre que Votre Majesté lui a donné.

— Vous vous trompez. Je lui ai dit : « Rentre et cuve ton vin. »

— Mais il pouvait bien me faire connaître l'ordre de Votre Majesté, ce me semble ?

— Non pas. En lui pardonnant son état d'ivresse, je lui avais dit : « Que ceci reste entre nous. »

— Alors, c'est autre chose, répondit en riant le grand maître de police.

— Et comme, de mon côté, dit l'empereur, j'ai fait prendre des renseignements sur lui à son bureau, et que ces renseignements sont parfaits, veillez, *afin que ceci reste entre nous*, à ce qu'on lui donne de l'avancement et une petite croix.

Et l'homme à la boucle fut avancé et décoré.

Un matin, l'empereur voit passer un corbillard de la plus pauvre classe : un seul homme le suivait la tête nue.

L'empereur se découvre et suit le mort.

Tout en suivant, il interroge celui qui rendait au défunt ces honneurs solitaires.

— Qu'était celui dont tu suis le corps ? demande l'empereur.

— Un caissier dans telle administration, sire.

— Et, étant caissier, il est mort pauvre ?

— Si pauvre, que c'est moi, son frère, qui le fais enterrer de mes propres deniers ; et, comme je suis pauvre moi-même, je n'ai pu faire mieux que ce que voit Votre Majesté.

— Ton frère était donc honnête homme ?

— Le plus honnête homme que je connaisse.

— Il laisse une famille ?

— Une femme et quatre enfants.

— Ton nom et ton adresse ?

— L'employé donne à l'empereur son nom et son adresse. L'empereur les inscrit sur son calepin, et continue de suivre le convoi tête nue.

En arrivant au pont, comme on avait reconnu l'empereur, deux mille personnes suivaient le convoi.

Là, l'empereur s'arrête, et, se retournant vers ceux qui suivent :

— Frères, dit-il, remplacez-moi.

Et il rentra au palais d'Hiver.

Le lendemain, le frère du mort avait de l'avancement, et sa famille une pension.

La mort de l'empereur Nicolas fut le couronnement de sa vie.

Comment est-il mort? de quoi est-il mort? Voilà les questions que l'on se fait en voyant cette fin prématurée et que rien n'annonçait.

On y répond de deux façons différentes.

Voici ce que l'on dit tout haut :

Après l'anéantissement de la Pologne, après l'écrasement de la Hongrie, l'empereur Nicolas était convaincu que rien en Europe ne pouvait lui résister. Il attendait avec impatience des nouvelles de la Crimée, convaincu que ces nouvelles lui apprendraient l'anéantissement des armées anglaise et française. On lui annonce un courrier ; il le fait entrer, le sourire de la confiance sur les lèvres. Le courrier, brisé par une route de trois mille verstes en *penkladnoy*, tend à l'empereur sa dépêche.

— Eh bien, dit l'empereur, nous les avons battus?

— Que Votre Majesté veuille bien lire, dit le courrier.

— La journée a été douteuse?

— Lisez, sire.

— Répondez-moi, monsieur ; je lirai après.

— Sire, nous avons été battus.

— Où?

— A l'Alma.

L'empereur pâlit jusqu'à la lividité, et se leva comme par un ressort.

— Tu mens ! dit-il.

Le courrier s'inclina.

— Lisez, sire.

Nicolas ouvrit la dépêche et lut.

C'était le bulletin de la bataille ; Menchikof disait tout. Les Français et les Anglais avaient été vainqueurs.

L'empereur retomba sur son fauteuil : on eut dit qu'il venait d'avoir les deux jambes brisées.

Un mois après, arrive la nouvelle de la bataille d'Inkermann.

L'homme à qui rien n'avait jamais résisté venait d'éprouver non seulement une double résistance, mais encore une double défaite.

Il n'aurait pu supporter ce double revers. A partir de ce moment, sa santé se serait dérangée, et il aurait succombé sous le poids de cet éboulement de sa grandeur, le 18 février 1855.

Maintenant, voici ce que l'on dit tout bas :

L'effet des deux nouvelles aurait été non moins terrible ; mais la constitution athlétique de l'empereur y aurait résisté.

Alors, il aurait pris un parti suprême, héroïque, terrible : le parti de mourir.

S'il revenait sur ses pas, il donnait un démenti à trente ans de règne ; s'il s'avançait davantage dans cette guerre, il ruinait la Russie.

Mais la paix, qu'il ne pouvait pas faire, lui, son successeur pouvait la faire.

Il aurait alors, à force d'instances, obtenu de son médecin, qui, depuis deux mois déjà, résistait, une dose de poison assez forte pour le tuer, assez faible pour lui laisser, après l'avoir prise, quelques heures de vie.

Le médecin aurait quitté Saint-Pétersbourg le 17 février, avec une déclaration de l'empereur qui le sauvegardait en tout point.

Le 18 au matin l'empereur aurait pris le poison.

Le poison pris, il aurait appelé le grand-duc Alexandre, aujourd'hui régnant ; il lui aurait tout dit. Celui-ci se serait écrié, se serait levé, aurait voulu appeler du secours ; mais l'empereur l'aurait retenu par un ordre si positif, que, fils et sujet, le grand-duc n'aurait point osé désobéir à son père et à son maître. Alors, l'empereur Nicolas lui aurait tout dit, lui aurait expliqué la cause, les raisons, les motifs de sa mort.

Le jeune homme, le coeur brisé, les yeux ruisselants de larmes, la gorge pleine de sanglots, eût écouté tout cela à genoux, les mains jointes, en criant :

— Mon père ! mon père !

Puis, alors seulement, quand il aurait obtenu de ce fils éploré de laisser la mort suivre sa marche sans l'arrêter, il lui aurait rendu la liberté.

Le jeune grand-duc aurait alors appelé toute la famille, et, en même temps, trois médecins. Fils pieux, il devenait, par amour filial, parjure à la promesse faite à son père.

Les médecins arrivèrent trop tard.

L'empereur après une agonie assez douce, expira le 18 février 1855, à midi vingt minutes.

La Russie avait non-seulement changé de maître, mais encore elle avait changé de politique.

Si cette dernière version est vraie, pourquoi ne le dirait-on pas tout haut ? Elle serait moins chrétienne, mais plus grande que toute sa vie.

Maintenant, c'est à ceux qui ont lu ce que je viens d'écrire de porter un jugement sur l'empereur Nicolas.

J'ai entendu des mères et des fils le maudire ; j'ai vu des hommes et des femmes le pleurer.

XIV

VOLEURS ET VOLÉS

Comme le dîner que j'allais faire place Michel, et qui avait un grand intérêt pour moi, parce que les conviés se composaient d'amis et de compatriotes, n'aurait aucun intérêt pour vous, chers lecteurs ; comme la carte, à part un sterlet du Volga, qui coûtait quinze roubles, et un plat de fraises qui en coûtait vingt, était à peu près la carte qu'un gourmand eût rédigée chez Philippe ou chez Vuillemot, — vous permettrez qu'au lieu de vous parler de mon dîner, je vous parle d'une chose bien autrement curieuse ; — vous permettrez que je vous parle du *vol*.

Non pas du vol qui consiste à vous tirer votre montre de votre gilet ou votre bourse de votre poche : sous ce rapport, les voleurs russes ne sont pas plus forts que les nôtres ; — non pas davantage du vol à la hausse et à la baisse, du vol chemin de fer : rien de tout cela n'existe encore en Russie, et sur ce point, je crois qu'à part les Américains, personne ne peut nous en remontrer ; — mais du vol à la manière des Spartiates, — du vol en plein air, du vol honoré, du vol qui s'exerce avec patente, commission du gouvernement, brevet de l'empereur.

Alexandre Ier disait, en parlant de ses sujets :

— Si ces gaillards-là savaient où les mettre, ils me voleraient jusqu'à mes vaisseaux !

La chose arriva à l'empereur Nicolas, non pas en gros, mais en détail.

En avril 1826, six mois environ après son avènement au trône, l'empereur Nicolas, passant une revue à Tsarskoie-Selo, vit tout à coup quatre hommes en cafetan de poil et à longue barbe, qui faisaient des efforts infructueux mais obstinés pour parvenir jusqu'à lui.

Il voulut savoir ce que désiraient ces quatre hommes, que tout le monde semblait se donner le mot pour éloigner de lui ; il envoya un aide de camp avec ordre de leur faire livrer passage.

L'aide de camp s'acquitta de sa mission, et les quatre moujiks arrivèrent et s'approchèrent enfin de l'empereur.

— Parlez, mes enfants, leur dit Nicolas.

— Nous ne demandons pas mieux, père (*batiouch*) ; mais nous voulons parler à toi seul.

L'empereur fit signe à ceux qui l'entouraient de s'éloigner.

— Parlez maintenant, dit-il.

— Père, reprit le moujik qui avait déjà porté la parole, nous venons te dénoncer les vols incroyables qui se font à Cronstadt, sous les yeux du directeur de la marine, frère du chef de l'état-major de la flotte.

— Prenez garde ! dit l'empereur, c'est une accusation que vous portez.

— Nous savons à quoi nous nous exposons ; mais nous sommes, avant tout, tes fidèles sujets, et, à ce titre, notre devoir nous est tracé ; d'ailleurs, si l'accusation est fausse, tu nous puniras comme des calomniateurs.

— J'écoute, dit l'empereur.

— Eh bien, le *gastinoï-dvor* (le bazar) de la ville est encombré d'effets appartenant à la couronne, et dérobés aux chantiers, aux magasins, aux arsenaux de tes navires ; il y a de tout : des cordages, des voiles, des agrès, des garnitures de cuivre, des ferrures, des ancres, des câbles et jusqu'à des canons.

L'empereur se mit à rire ; il se rappelait le mot de son frère.

— Tu doutes, dit le moujik qui portait la parole ; eh bien, si tu veux acheter de tout cela, je t'en fais vendre pour la somme qui te conviendra, depuis un rouble jusqu'à cinq cents, depuis cinq cents jusqu'à dix mille, depuis dix mille jusqu'à cent mille.

— Je ne doute pas, répondit l'empereur ; mais je me demande où les voleurs cachent tout cela.

— Derrière de doubles cloisons, père, répondit le moujik.

— Et pourquoi n'avez-vous pas signalé ces faits à la justice ? demanda l'empereur.

— Parce que, les voleurs étant assez riches pour acheter la justice, tu n'en aurais jamais rien su, et qu'un beau jour, sous un prétexte quelconque, on nous aurait envoyés en Sibérie, nous.

— Prenez garde ! dit l'empereur, je vous rends responsables de l'affaire.

Le moujik s'inclina.

— Nous avons dit la vérité, et notre tête est là pour répondre de ce que nous avons dit, répliqua-t-il.

Alors, l'empereur appela un de ses aides de camp, un homme dont il était sûr, M. Michel Lazaref, lui ordonna de prendre trois cents hommes avec lui, de se rendre immédiatement à Cronstadt, et d'investir inopinément le gastinoï-dvor.

Michel Lazaref obéit, trouva les choses telles que les paysans les avaient dénoncées, fit mettre les scellés sur les boutiques, laissa des factionnaires pour les garder, et revint rendre compte de sa mission à l'empereur.

L'empereur ordonna de poursuivre les coupables avec toute la rigueur des lois.

Mais, dans la nuit du 21 juin suivant, le feu prit par accident au gastinoï-dvor de Cronstadt, et non-seulement le bazar fut brûlé de fond en comble, mais encore, avec lui, les magasins de cordages, de bois de construction, de chanvre et de goudron appartenant au gouvernement.

C'était bien fait : pourquoi l'empereur avait-il eu cette idée de poursuivre les voleurs ?

Sans doute fit-il amende honorable de cette velléité ; car la *Gazette de Saint-Pétersbourg* ne mentionna même pas l'incendie, que l'on voyait de tous les points du golfe.

Voulant avoir quelques détails précis sur les différentes manières de voler en Russie, je m'adressai à un de mes amis, qui se chargea de me faire donner sur les baillis et les intendants les notions les plus précises.

— Par qui me les ferez-vous donner ?

— Par eux-mêmes.

— Eux-mêmes me diront comment ils volent ?

— Mais oui, si vous leur inspirez quelque confiance, et si vous vous engagez sur parole à ne pas les nommer.

— Quand cela ?

— J'attends après-demain le bailli d'un gros village appartenant à la couronne et confinant à mes terres. Nous le ferons boire ; le vin lui déliera la langue, et je vous laisserai ensemble, sous prétexte que j'ai un rendez-vous au club. C'est à vous de le faire parler.

Le surlendemain, je reçus une invitation à dîner de mon ami ; son bailli était arrivé.

J'eus soin de mesurer la dose de Kummel, de Château Iquem et de vin de Champagne à mon homme, de manière à lui délier la langue sans l'embarrasser.

Je m'arrêtai juste à point. Mon ami nous quitta ; j'interrogeai mon homme ; il poussa deux ou trois soupirs, et, d'un ton mélancolique :

— Ah ! mon frère[1], dit-il, les temps sont bien changés,

1. Locution essentiellement russe : *brate*.

et les choses ne se passent plus maintenant avec la même simplicité qu'elles se passaient autrefois. Le paysan devient rusé et donne du fil à retordre à ceux qui ont le malheur d'avoir affaire à lui.

— Contez-moi cela, mon cher pigeon[2], lui dis-je, et vous trouverez en moi un homme disposé à vous plaindre.

— Eh bien, autrefois, mon très-estimable monsieur, je servais dans le chef-lieu d'un district ; j'avais trois cent cinquante roubles assignats (trois cent vingt francs de la monnaie de France); j'avais une famille composée de cinq personnes; eh bien, je vivais aussi bien que qui que ce fût au monde : c'est que, dans ce temps-là, on comprenait à merveille qu'un honnête homme qui sert loyalement son gouvernement doit boire et manger. Il n'en est plus de même aujourd'hui, il faut se serrer le ventre. On appelle cela des améliorations, mon vénérable monsieur ; moi, j'appelle cela l'abomination de la désolation.

— Que voulez-vous ! lui dis-je, ces diables de philosophes ont fait les libéraux, les libéraux ont fait les républicains ; et qui dit républicain dit guerre aux abus, économies, réformes, tous vilains mots mal sonnants, que je méprise autant que vous les méprisez, si je ne les méprise pas davantage.

Nous nous serrâmes tendrement la main, comme font des hommes qui se trouvent être exactement du même avis.

Dès lors, je compris que mon homme n'aurait plus de secret pour moi.

Il continua :

— Je vous disais donc que je servais dans un chef-lieu de district ; notre gouvernement était très-éloigné du centre. J'appelle le centre Moscou, attendu, vous le comprenez bien, que je ne regarderai jamais Saint-Pétersbourg comme la capitale de la Russie. Il fallait seulement aller une fois par an au gouvernement et porter quelques cadeaux à nos

2. *Galoubchik*, mon petit pigeon.

supérieurs, et, alors, nous étions tranquilles pour toute l'année ; nous n'étions ni jugés ni punis ; on ne venait pas mettre le nez dans nos comptes ; on s'en rapportait à nous et tout allait à merveille. Le peuple souffre moins aujourd'hui, nous disent les *progressistes*. Encore un mot nouveau, mon respectable monsieur, qu'il a fallu inventer, attendu qu'il n'existait pas dans la bonne vieille langue russe. Les employés ont plus de conscience, ajoutent-ils ; erreur, ils sont plus rusés, voilà tout ; mais les employés sont et seront toujours les employés. C'est vrai que nous prenions dans la poche du paysan ; mais qui ne pèche pas devant Dieu et qui n'est pas coupable devant le roi ? Je vous le demande à vous-même. Est-il mieux de ne pas voler et de ne rien faire ? Non, l'argent donne du coeur à la besogne. Autrefois, inférieurs et supérieurs, nous vivions comme de véritables frères, et cela nous donnait du courage. Par exemple, s'il arrivait un jour que quelqu'un perdît deux ou trois mille roubles aux cartes... cela peut arriver à tout le monde, hein ?

— Sans doute, excepté à ceux qui ne jouent pas.

— Que voulez-vous faire dans un gouvernement éloigné ? Il faut bien se distraire, s'amuser à quelque chose. Eh bien, s'il arrivait à quelqu'un de nous de perdre deux ou trois mille roubles, vous comprenez bien que ce n'était point avec trois cent cinquante roubles par an qu'on pouvait les payer, n'est-ce pas ?

— C'est évident.

— Eh bien, nous allions chez le bailli, — je n'étais point bailli alors, mais simple stavanoï, — et nous lui disions :

» — Voilà ce qui nous est arrivé, monsieur le bailli ; aidez-nous, je vous prie.

» Le bailli se fâchait, ou faisait semblant de se fâcher ; nous lui disions alors :

» — Vous comprenez bien, monsieur le bailli, que ce n'est point gratis que nous vous prions de nous aider ; toute peine mérite salaire : vous aurez cinq cents roubles pour vous.

» — Vous êtes de la canaille ! répondait-il ; vous ne savez à quoi perdre votre argent ; vous passez votre vie dans les cabarets à boire et à jouer aux cartes, comme des fainéants que vous êtes.

» — Nous ne sommes pas des fainéants, répondions-nous, et la preuve, c'est que, si vous voulez bien nous donner un ordre pour lever immédiatement l'impôt, nous trouverons moyen, sur l'impôt, de vous donner mille roubles.

» — Et vous croyez, répondait le bailli, que, pour mille roubles, je vais vous autoriser à vexer de pauvres paysans, des malheureux qui n'ont pas le sou.

» — Voyons, monsieur le bailli, répondions-nous, mettons quinze cents roubles et n'en parlons plus.

» Il y en avait de durs, qui exigeaient jusqu'à deux mille roubles. Mais, enfin, on cédait ; à deux mille roubles, il y avait moyen de faire ses affaires. Il donnait ordre de lever *immédiatement l'impôt* ; — *immédiatement*, — ce mot-là, à lui seul, valait quatre mille roubles.

— Comment cela ?

— Vous allez voir. Nous arrivions au village, nous rassemblions les paysans, et nous leur disions :

» — Mes frères, comprenez-vous cela ? voilà que notre père l'empereur a besoin d'argent, et demande, non-seulement l'impôt arriéré, mais encore l'impôt présent ; il dit qu'il a fait assez longtemps crédit à ses chers petits pigeons et qu'il est temps qu'ils s'exécutent.

» C'étaient alors des plaintes et des lamentations à fendre des pierres ; mais, Dieu merci, nous n'en étions pas dupes. Nous entrions dans les isbas ; nous estimions le peu qu'il y avait, comme pour faire vendre ; puis nous nous retirions dans un kabak, en disant :

» — Dépêchez-vous, mes frères, l'empereur s'impatiente !

» Alors, les paysans venaient à nous ; ils nous priaient de

leur donner, l'un quinze jours, l'autre trois semaines, l'autre un mois, pour réunir la somme.

» — Mes bons concitoyens, leur disions-nous, croyez-vous donc que ce soit pour notre compte que nous levons l'impôt ? L'empereur a besoin d'argent ; nous sommes responsables vis-à-vis de lui, et vous ne voudriez pas qu'il nous arrivât malheur pour vous avoir rendu service.

» — Les paysans nous saluaient jusqu'à terre, puis se retiraient pour parler entre eux. Ils délibéraient une heure, quelquefois deux, et, le soir, nous voyions arriver le maire. Il nous apportait dix, quinze, vingt, vingt-cinq kopeks de la part de chacun de ses paysans. Un village de cinq cents tiéglos rapportait, en moyenne, cent roubles, cent vingt-cinq roubles argent. Dix villages en rapportaient quinze cents, deux mille, trois mille. On donnait au bailli ses deux mille roubles assignats, et l'on avait encore pour soi deux mille, deux mille cinq cents roubles argent[1]. On payait sa dette, et, au bout d'un mois, l'empereur, qui, sans cela, eût attendu un ou deux ans peut-être, était payé à son tour. Tout le monde y gagnait, l'État et nous. Et qu'est ce que c'était, pour les paysans que quinze ou vingt kopeks de plus ? Une misère !

— Mais enfin, demandai-je, s'il y avait de ces paysans-là qui ne pussent pas réellement payer l'impôt ?

— Si le maître est bon, le maître paye.

— Mais si le maître n'est pas bon ?

Alors, comme j'habitais le gouvernement de Sarato, je faisais vendre l'homme comme *bourlak*[2].

— Mais, insistai-je, cette exaction... pardon, cette industrie est-elle tout à fait sans danger ?

— De quel danger parlez-vous, mon respectable monsieur ?

1. 10,000 francs de notre monnaie.
2. Les *bourlaks* forment une corporation de gens qui halent les bateaux sur le Volga.

— Mais, ceux que vous rançonnez ainsi ne peuvent-ils pas se plaindre ?

— Sans doute, ils peuvent se plaindre.

— Eh bien, s'ils se plaignent ?

— Comme c'est à nous qu'ils sont obligés de se plaindre, nous ne sommes pas assez ennemis de nous-mêmes, vous comprenez bien, pour donner suite à l'affaire.

— Oui, en effet, je comprends. Et vous dites que maintenant, le métier devint plus difficile ?

— Oui, mon respectable monsieur ; si stupide qu'il soit, le paysan apprend. L'une de ces brutes-là me racontait hier que les oiseaux s'habituaient à la vue de mannequins qu'il mettait dans son champ pour les empêcher de manger son grain, et finissaient par comprendre que ce n'était pas un homme. Eh bien, le paysan finit par faire comme l'oiseau : il s'entend avec ses camarades ; la moitié d'un village, tout un village déclare qu'il n'est pas en mesure de payer, et s'adresse à son propriétaire ; le propriétaire est quelquefois bien en cour ; il passe par-dessus le bailli, et va droit au ministre, et, par le ministre, il obtient le temps que nous ne voulions pas accorder ; de sorte que, comme je vous le disais, nous sommes obligés de mettre notre esprit à la torture pour faire face à nos pauvres besoins.

— Et pouvez-vous, mon cher camarade, me dire quelques-uns des moyens que votre esprit vous suggère ? Vous m'avez l'air d'un gaillard qui, sous ce rapport-là, ne manque pas d'imagination.

— Pour mon compte, c'est vrai, je n'ai pas trop à me plaindre, et puis, quelquefois, le hasard me sert.

— Voyons un peu ce que fait pour vous ce bon hasard.

— Eh bien, par exemple, un jour, je trouvai, dans la rivière qui passait devant le village où je faisais ma résidence, un enfant nouveau-né. Accident ou infanticide, il y avait cadavre. Un autre, moins avisé que moi, eût cherché la coupable et l'eût mise à contribution en la menaçant de la livrer à la justice ; mais, outre que la mère qui jette son enfant à l'eau l'y jette souvent parce qu'elle n'a pas de pain à lui donner, fût-elle riche, la rançon serait toujours médiocre.

— Comment fîtes-vous ?

— C'est bien simple. Je portai l'enfant au haut du village, en remontant la rivière, ce qui me donnait le droit de fouiller toutes les maisons. Je constatai bien l'endroit où il avait été trouvé, et j'annonçai que, pour trouver la coupable, j'allais, depuis la première jusqu'à la dernière, entrer dans toutes les isbas et visiter les mamelles de toutes les femmes. Celle qui aurait du lait et qui ne pourrait pas me présenter son enfant vivant ou constater sa mort naturelle, serait la coupable. Vous savez ou vous ne savez pas la répugnance de nos femmes pour une pareille visite : chacune paya pour ne pas être visitée, et je tirai mille roubles argent de l'affaire[1]. Puis je fis enterrer l'enfant, et il n'en fut plus question... Voyons, cela ne vaut-il pas mieux que de livrer une pauvre femme à la justice et de la faire mourir sous le fouet ou envoyer aux mines ? La punition de la mère n'aurait pas rendu la vie à l'enfant, n'est-ce pas ?

— Non.

— Eh bien, j'ai donc agi selon le coeur de Dieu.

— Et je ne doute pas, lui dis-je, que Dieu ne vous en ait su gré ; mais, avec une imagination comme la vôtre, vous avez bien encore inventé autre chose ?

— Oui, l'hiver dernier, par exemple, j'ai eu une idée.

— Voyons l'idée.

— Par un froid de trente-deux degrés, j'ai rassemblé les paysans et je leur ai dit :

» — Mes petits frères, l'empereur, vous le savez, ne boit que du vin de Champagne, qu'il fait venir de France. Il paraît que le vin de Champagne n'est bon que glacé ; donc,

1. 4,000 francs.

de tous les points de son empire, il demande de la glace. Nous allons casser la glace sur le Volga ; puis tous ceux qui ont des télègues et des chevaux conduiront cette glace à Saint-Pétersbourg. Mais, comme il faut être juste, les uns casseront la glace et les autres la conduiront. Seulement, mes petits frères, il faut nous dépêcher, de peur du dégel.

» — Vous comprenez bien, ce fut à qui ne casserait pas la glace et à qui ne la conduirait pas. Cependant, je pressais, j'insistais, je menaçais. Un jour, je rassemblai les paysans et leur dis :

» — Mes bons amis, il me vient une idée à laquelle vous allez tous applaudir.

» Il se fit un silence qui prouvait l'attention que chacun mettait à m'écouter.

» — L'empereur demande de la glace, continuai-je ; mais la glace n'est pas comme le vin, — qui est bon dans une province et mauvais dans une autre. — La glace, c'est de la glace, et, qu'elle vienne du Volga ou d'ailleurs, cela ne change rien à sa qualité.

» Une adhésion unanime accueillit mes paroles.

» Je repris :

» — Eh bien, la glace, au lieu de la faire casser sur notre fleuve, je la fais casser sur le lac Ladoga ; ce sera plus près de Saint-Pétersbourg, elle arrivera plus tôt, et, par conséquent, le transport sera moins cher.

» — Bravo ! crièrent en choeur mes paysans : vive notre stavanoï !

» — Vive notre stavanoï ! c'est bientôt dit, mes enfants ; mais, pour casser la glace, il faut que je prenne des *rabotschniks* (travailleurs) ; pour la faire porter à Saint-Pétersbourg, il faut que je loue des télègues et des *somovoï iôvoschiks* (voituriers) ; tout cela me coûtera au moins deux mille roubles.

» Les paysans, qui commençaient à comprendre, poussèrent un cri de terreur.

— Quinze cents au plus bas, en marchandant bien. Je vous donne trois jours pour vous décider. Songez au dégel !

» — Au bout de trois jours, le maire m'apporta mes quinze cents roubles.

— C'était fort ingénieux, lui dis-je.

— De temps en temps, aussi, continua le stavanoï, je leur rends des services. Un jour, un paysan de Savkina mit le feu au village. Vous savez, mon respectable monsieur, qu'ici, quand une maison brûle, tout brûle.

— Et pourquoi le paysan avait-il mis le feu à son village?

— Oh ! qui sait?... Parfois, un paysan se *figure* qu'il a à se plaindre de son propriétaire, parce que le propriétaire a eu envie de sa soeur, ou fait fouetter sa femme, ou désigné son fils comme recrue ; alors, pour se venger, il met le feu au village et se fait vagabond. Un paysan avait donc mis le feu au village de Savkina ; tout avait brûlé, — c'est bien. Le maire écrit au *pomeschik* (propriétaire), lui demandant la permission, pour les paysans, de couper du bois dans ses forêts. Le pomeschik accorde la permission, mais il désigne une forêt éloignée de huit verstes, tandis qu'il y en avait une à la porte du village. Que font mes drôles? Au lieu d'aller couper leur sapin dans la forêt désignée, ils le coupent dans celle qui était la plus proche... Un beau jour, les maisons rebâties, — il y en avait deux cents à peu près — on entend dire que le propriétaire a eu vent de la chose et qu'il envoie son intendant pour vérifier. Vous comprenez, ça fait un trou dans une forêt, deux cents maisons à soixante ou soixante et dix sapins par maison, l'une dans l'autre. Il s'agissait de deux cents coups de verges au moins pour chacun et, pour quelques-uns peut-être, de la Sibérie? — A qui s'adressent-ils? A moi, sachant que j'étais un homme de ressource.

» — Combien avez-vous de temps devant vous, mes petits pigeons ? leur demandai-je.

» — Un mois, me répondent-ils.

» — Un mois ? En ce cas, vous êtes sauvés.

» Voilà mes coquins qui sautent de joie.

» — Oui, ajoutai-je ; mais, vous le savez, il y a un proverbe russe qui dit qu'un bon conseil ne saurait trop se payer.

» Mes gaillards écoutaient encore ; mais ils ne sautaient plus.

» — Il vous en coûtera à chacun dix roubles argent ; c'est pour rien.

Ils poussent les hauts cris.

» — Dame, leur dis-je, c'est à prendre ou à laisser. Seulement, songez que vous n'avez qu'un mois devant vous.

» Le lendemain, ils reviennent en offrant cinq roubles.

» — Dix roubles ; pas un kopek de moins.

» Le surlendemain, ils reviennent en offrant huit roubles.

» — Dix roubles, mes petits pigeons ! dix roubles !

» Le troisième jour, ils reviennent avec les dix roubles.

» — Mais, disent-ils, répondez-vous qu'il ne nous arrivera rien ?

» — Je vous réponds que l'on ne s'apercevra pas qu'il manque un seul arbre.

» — Vous est-il égal de nous dire la chose avant de toucher l'argent ?

» Il faut vous dire que les paysans russes sont défiants en diable. Ce n'est pas étonnant : ils ont été si souvent volés.

» — Volontiers, leur répondis-je. C'est bien convenu pour dix roubles par cabane, si je vous tire d'affaire ?

» — C'est convenu.

» — Eh bien, nous sommes au mois de novembre. Il y a quatre pieds de neige. Le traînage est établi. Que chaque famille aille couper dans l'autre forêt autant de sapins qu'elle en a employé à la construction ; qu'elle les amène à cette forêt-ci, et qu'elle les plante dans la neige. Ils tomberont au dégel, c'est vrai ; mais le dégel c'est au mois de mai ; l'intendant sera venu, et il n'y aura vu que du feu.

» Le moyen est bon, dit le plus vieux paysan ; par ma foi, oui, il est bon.

» — Alors, donnez-moi mes dix roubles par isba.

» Personne ne se pressait.

» — Dites donc, reprit le même paysan, est-ce que ce ne serait pas assez de cinq roubles ?

» — C'est convenu à dix roubles, dix roubles ou rien.

» — Et maintenant que nous avons le conseil, si nous ne vous donnions rien ?... C'est une façon de dire, vous comprenez.

» — Si vous ne me donniez rien, mes drôles, voici ce que je ferais : quand l'intendant viendrait, j'irais avec lui au premier sapin venu, et je lui dirais...

» — C'était pour plaisanter, fit le paysan ; voilà vos dix roubles, monsieur le stavanoï, et des merci avec.

» Et chacun me donna ses dix roubles. Au bout de trois semaines, les sapins étaient aussi drus dans la forêt du village qu'ils l'avaient jamais été. L'intendant vint, on lui montra les sapins à leur place, et, dans l'autre forêt, la place où ils manquaient. Il partit convaincu qu'on avait fait un faux rapport au pomeschik, et il ne fut jamais plus question de rien. Il est vrai qu'un an après, je fus nommé bailli, et quittai le gouvernement de Saratof pour celui de Tver, où je suis maintenant.

— Et, comme bailli, avez-vous autant d'imagination que vous en aviez comme stavanoï ?

— Oh ! vous en voulez trop savoir en un jour ! me dit mon homme avec ce fin sourire particulier à l'employé russe.

Bailli, je vous ai dit ce que faisaient les *stavanovniés*[1] ; adressez-vous à un stavanoï pour savoir ce que font les baillis. — Mais c'est égal, ajouta-t-il, avouez que tous ces paysans sont de fiers bandits ; si je ne leur avais pas prouvé que j'étais plus malin qu'eux, ils me volaient mes deux mille roubles !

1. *Stavanovniès*, pluriel de *stavanci.*

XV

CONDAMNÉS AUX MINES

Après le stavanoï, je vous avais promis l'intendant ; mais permettez-moi de réserver l'intendant pour plus tard ; nous aurons l'occasion de revenir à lui. N'ayez pas peur, vous ne perdrez rien pour attendre.

Aujourd'hui, je vais vous conduire dans une des prisons de Saint-Pétersbourg ; la chaîne part demain pour la Sibérie, dépêchons-nous.

De même que le stavanoï nous a raconté ses prouesses, je laisserai les condamnés parler à leur tour et me raconter leurs crimes. Peut-être trouverez-vous un rapprochement à faire entre les roueries de l'un et les crimes des autres.

J'avais fait demander au grand maître de police la permission de visiter une prison et de causer avec quelques-uns des condamnés aux mines. Non seulement il m'y avait autorisé, mais encore il m'avait donné un homme pour m'accompagner.

Cet homme était porteur d'un ordre pour le directeur de la prison.

J'avais rendez-vous avec lui à dix heures du matin, au café du passage qui donne sur la perspective Nevsky.

Je le trouvai m'attendant. J'avais mon drojky.

Il monta près de moi, nous partîmes.

La prison est située entre la rue des Pois et la rue de l'Assomption : nous y fûmes donc en un instant.

Mon conducteur se fit reconnaître, exhiba son ordre. On nous donna un geôlier, chargé d'un trousseau de clefs, qui nous précéda dans un corridor, ouvrit la porte d'un escalier tournant, descendit une vingtaine de marches, ouvrit une seconde porte, donnant sur un second corridor, qu'à ses murs ruisselants d'humidité, on pouvait juger être au niveau du sol.

Arrivé là, le geôlier demanda à mon conducteur si j'avais une préférence.

Mon conducteur, qui, parlant parfaitement le français, était en même temps mon interprète, me transmit sa question.

Je répondis que, ne connaissant aucun des condamnés, je désirais entrer au hasard, pourvu que l'homme fût condamné aux mines.

Le geôlier ouvrit la première porte venue.

Il tenait une lanterne, et nous avions, mon conducteur et moi, chacun une bougie à la main.

De sorte que le cachot, qui n'était pas grand, se trouvait parfaitement éclairé.

Je vis alors, sur un banc de bois assez large pour servir de lit la nuit et de siége le jour, un petit homme sec, à l'oeil brillant, à la barbe longue, aux cheveux rasés par derrière et coupés courts sur les tempes.

Une chaîne scellée au mur aboutissait à un anneau dans lequel sa jambe était prise au-dessus de la cheville.

Il leva la tête à notre approche, et, s'adressant à mon conducteur :

— Est-ce que c'est pour aujourd'hui ? demanda-t-il. Je croyais que ce n'était que pour demain.

— Ce n'est que pour demain, en effet, répondit mon conducteur ; mais voilà monsieur qui visite la prison ; il te donnera deux kopeks pour boire un verre de vodka, si tu veux lui dire pourquoi tu es condamné aux mines.

— Il ne faut rien pour cela. J'ai avoué ; je dirai à monsieur comme j'ai dit au juge.

— Eh bien, raconte.

— C'est bien facile et ce ne sera pas long. — J'ai une femme et quatre enfants ; je venais justement de leur donner mon dernier morceau de pain, lorsque le stavanoï est venu me dire que, notre père l'empereur ayant grande guerre, il fallait payer l'impôt pour la première partie de l'année. Ma contribution montait à un rouble soixante-quinze kopeks[1]. Je dis au stavanoï l'état dans lequel je me trouvais ; je lui montrai l'isba sans meubles, ma femme et mes enfants à moitié nus, et je lui demandai du temps.

» — L'empereur ne peut pas attendre, me dit-il.

» — Mais que faire, mon Dieu ? demandai-je en joignant les mains.

» — Que faire ? répéta-t-il. Je le sais bien. Je vais ordonner qu'on te verse de l'eau glacée sur la tête, goutte à goutte, jusqu'à ce que tu payes.

» — Vous pouvez me faire mourir, sans doute ; mais à quoi cela vous avancera-t-il ? Vous ne serez pas payé, et ma femme et mes enfants mourront.

» — Mettez-vous à genoux, enfants ! dit ma femme, et priez M. le stavanoï de nous accorder un peu de temps ; peut-être votre père trouvera-t-il de l'ouvrage et pourra-t-il payer l'impôt à l'empereur.

» Et mes enfants se mirent à genoux avec ma femme...

— Je croyais, dis-je à mon conducteur, interrompant le récit du prisonnier, afin de ne conserver aucun doute sur sa véracité ; je croyais que tout propriétaire était obligé de

1. Sept francs à peu près de notre monnaie.

donner à chaque chef de famille six arpents de terre labourable et un ou deux arpents de prairie en métayage, comme on dit chez nous, c'est-à-dire en partageant le produit ?

— Oui, pour ceux qui ont des terres ; mais il y a de pauvres propriétaires qui, n'ayant pas de terres pour eux-mêmes, n'en peuvent pas donner aux autres ; ils louent alors leurs paysans comme *rabotchniks*, c'est-à-dire comme travailleurs ; c'était le cas de celui-ci.

Puis, s'adressant au prisonnier :

— Continue, lui dit-il.

— Le stavanoï, reprit le condamné, ne voulut entendre à rien, et me prit au collet pour me conduire en prison.

» — Eh bien, non, dis-je, j'aime encore mieux me vendre aux *bourlaks* ; je vous payerai ma contribution, et le reste sera à partager entre mon maître et ma femme et mes enfants.

» — Je te donne huit jours pour payer ton rouble et tes soixante-quinze kopeks, et, si, dans huit jours, je n'ai pas l'argent de l'empereur, ce n'est pas toi que je mets en prison, c'est ta femme et tes enfants.

» Ma hache était près du poêle ; je la regardais du coin de l'oeil ; il me prenait des tentations terribles de sauter dessus et de lui fendre la tête. J'aurais aussi bien fait... Par bonheur pour lui, il s'en alla. — J'embrassai ma femme et mes enfants, et, en traversant le village, je les recommandai à la charité des autres paysans ; car il me fallait deux jours pour aller au gouvernement du district, et deux jours pour revenir, et, en quatre jours, ils pouvaient mourir de faim. Quant à moi, j'annonçai que j'allais me vendre aux bourlaks, et, comme il était possible qu'on ne me laissât point revenir, je pris congé de tous mes amis. Tout le monde s'apitoya sur mon sort ; chacun maudit avec moi le stavanoï ; mais personne ne m'offrit le rouble et les soixante-quinze kopeks pour le payement desquels j'allais me vendre. — Je partis en pleurant amèrement. Pendant deux ou trois heures à peu près, je marchai à pied ; alors, je rencontrai un homme du village, nommé Onésime. Il était monté dans sa charrette. Nous n'étions pas grands amis, de sorte que je passais près de lui sans rien dire, lorsqu'il m'adressa la parole.

» — Où vas-tu ? me demanda-t-il.

» — Au gouvernement du district, lui réponds-je.

» — Et que vas-tu faire là ?

» — Je vais me vendre aux bourlaks.

» — Pourquoi vas-tu te vendre aux bourlaks ?

» — Parce que je dois à l'empereur un rouble soixante-quinze kopeks argent, que je ne puis lui payer.

» Il me sembla que je voyais un mauvais sourire de haine passer sur ses lèvres ; peut-être me trompais-je.

» — Et moi, dit-il, je vais aussi au gouvernement du district.

» — Qu'y vas-tu faire ? lui demandai-je.

» — J'y vais justement acheter pour un rouble soixante-quinze kopeks de vodka, c'est la mesure de ce baril.

» Et il me montra un petit baril au fond de sa charrette. Je poussai un soupir.

» — A quoi penses-tu ? me demanda-t-il.

» — Je pense que, si tu voulais te priver de boire du vodka pendant quatre dimanches, et me prêter le rouble et les soixante-quinze kopeks que tu destines à ton achat, je payerais le stavanoï et que je ne serais pas obligé de me vendre, et que ma femme et mes enfants seraient sauvés.

» — Bon ! et qui me dit que tu me les rendrais ? Tu es pauvre comme Job.

» — Je te promets que je ne boirai que de l'eau et que je ne mangerai que du pain jusqu'au moment où je t'aurai remboursé.

» — J'aime mieux boire mon vodka, c'est plus sûr.

» Il faut vous dire, monsieur, que, chez nous, il n'y a aucune charité ; chacun pour soi, c'est la devise ; dame, cela se comprend, on est esclave.

» — Tout ce que je peux faire, ajouta Onésime, c'est de t'offrir une place dans ma charrette, afin que tu arrives plus frais et te vendes plus cher.

» — Merci.

» — Allons, monte donc, imbécile !

» — Non.

» — Monte !

» Le diable me tenta, monsieur ; il me passa comme un éclair dans la tête. Je vis tout rouge pendant cinq minutes, de sorte que je fus obligé de m'asseoir pour ne pas tomber.

» — Tu vois bien, me dit-il, que tu ne peux pas aller plus loin ; monte ! et, quand j'aurai acheté mon vodka, je t'en ferai boire un coup, cela te donnera du coeur ; monte donc !

» Je montai. Seulement, lorsque je m'étais assis, ma main s'était appuyée sur une pierre et je gardai la pierre dans ma main... Nous arrivâmes à une forêt ; il commençait à faire nuit. Je regardai sur la route au loin, devant, derrière, il n'y avait personne... Je fus bien coupable, je le sais ; mais, que voulez-vous, monsieur ! je me voyais attaché à une corde et tirant un bateau, j'entendais mes enfants et ma femme qui criaient : « Du pain ! du pain ! » Lui, comme pour me narguer, chantait une petite chanson dans laquelle il disait : « Sois tranquille, ma promise, je vais à la ville et je te rapporterai une belle robe et un beau collier... » Je tenais ma pierre si serrée, que je suis sûr que mes doigts y étaient marqués. Je lui en donnai de toute ma force un coup derrière la tête. Le coup était si violent, qu'il tomba entre les jambes de ses chevaux.

» Je sautai à terre et je le tirai dans la forêt. Il avait une bourse où il y avait au moins vingt-cinq roubles. J'y pris seulement un rouble soixante-quinze kopeks, et, sans regarder derrière moi, je revins en courant au village. J'y arrivai au point du jour. Je réveillai le stavanoï pour lui payer le rouble et les soixante-quinze kopeks ; je pris sa quittance ; de ce côté-là au moins, j'étais tranquille pour six mois. Puis je revins à la maison.

» — C'est toi, Gavrila ? me dit ma femme.

» — C'est toi, *batiouchka* ? me dirent les enfants.

» — Oui, c'est moi, répondis-je. J'ai trouvé un ami qui m'a prêté le rouble et les soixante-quinze kopeks pour lesquels j'étais poursuivi. Je n'ai plus besoin de me vendre. Il ne s'agit plus maintenant que de bien travailler pour rembourser ce brave ami. Allons, allons.

» Je faisais semblant d'être gai ; mais j'avais la mort dans le coeur. Au reste, ce ne fut pas long : le même jour, on m'arrêta. Onésime, que j'avais cru tué, n'était qu'étourdi ; il était revenu au village et avait tout raconté.

» On me mit en prison ; j'y restai cinq ans sans être jugé ; puis je parus devant les *soudiés*[1], et je racontai tout. On eut égard à mes aveux, et, au lieu de me condamner à dix mille coups de baguette, comme je m'y attendais, on me fit grâce de la vie, et l'on m'envoya aux mines. — Nous partons demain, n'est-ce pas, monsieur ? demanda le prisonnier à mon conducteur.

— Oui, répondit celui-ci.

— Tant mieux. Je suis condamné aux mines de cuivre , et on dit que, dans celles-là, on ne vit pas longtemps.

Je lui offris deux roubles.

Oh ! me dit-il, ce n'est pas maintenant qu'il fallait me donner cela, c'est quand le stavanoï me poursuivait ; c'est avant que j'aie voulu tuer Onésime !

Et il se recoucha sur son banc.

Je déposai les deux roubles près de lui, et nous sortîmes.

Le geôlier nous ouvrit un autre cachot. Il était juste dans les mêmes conditions que le précédent. L'homme y était assis

1. Juges.

sur un banc pareil, enchaîné de la même manière ; seulement, c'était un jeune et beau garçon de vingt-deux à vingt-trois ans.

Nous l'interrogeâmes comme le précédent ; comme le précédent, il ne fit aucune difficulté de répondre.

Je me nomme Grégoire, nous dit-il. Je suis le fils d'un riche paysan du district de Toula. Je ne suis ni ivrogne, ni paresseux,ni joueur ; mon père et ma mère sont esclaves ; mais, comme c'étaient les meilleurs laboureurs du comte G..., non-seulement ils prirent trois déciatines de terre, comme les autres, mais dix, mais vingt, mais trente, et jusqu'à cent. Ils louèrent des rabotchniks à un petit pomeschik voisin qui n'avait pas de quoi utiliser les bras de ses paysans, et firent une petite fortune. Je devins amoureux de la fille d'un de nos voisins : c'était la plus jolie fille du village.

» Quand je dis que j'en devins amoureux, j'ai tort ; il me semble que je l'ai toujours aimée. Nous avions passé notre enfance ensemble, et, quand nous prîmes, elle dix-neuf ans, et moi vingt, il fut décidé entre nos parents que nous nous marierions ensemble.

» Tous les ans, on disait que le comte G... devait venir à son bien, et nous l'attendions toujours pour qu'il nous donnât notre certificat de mariage, sans lequel le pope ne voulait pas nous marier.

» Mais, au lieu de lui, ce fut son intendant qui vint.

» Mon père et moi allâmes lui faire une visite aussitôt son arrivée. Il avait tous les pouvoirs du comte, de sorte que sa permission suffisait pour notre mariage.

» Il nous reçut bien, et nous promit tout ce que nous lui demandions.

» Huit jours après, comme il venait chez nous à son tour, nous lui rappelâmes sa promesse. Cette fois, il se contenta de répondre :

» — Il faudra voir.

» Nous ne nous inquiétâmes pas beaucoup, Varvara[1] et moi ; nous pensions que c'était une façon de nous faire payer la permission, et nous nous disions qu'avec une centaine de roubles, nous en serions quittes.

» Une troisième fois, nous lui en parlâmes ; mais il me dit brutalement :

» — Et la recrue ! vous n'y pensez donc pas ?

» — Mais, lui répondis-je, j'ai tantôt vingt-deux ans ; jamais le *mir*[2] n'a eu l'idée, depuis deux ans que j'ai l'âge, de me désigner pour partir. Il y a assez de paresseux et de vagabonds dans le village, pour qu'on ne soit pas obligé de désigner les bons sujets.

» — Le mir fait ce qu'il veut quand je n'y suis pas ; mais, quand j'y suis, c'est moi le maître, et je puis désigner pour la recrue qui bon me semble.

» Je cherchai Varvara pour lui faire part de mes craintes, et je la trouvai plus triste et plus inquiète que moi. Je l'interrogeai, mais elle ne voulut rien me dire ; seulement, elle pleura beaucoup.

» J'étais au désespoir, je sentais qu'un grand malheur pesait sur nous.

» Le dimanche suivant, l'intendant convoqua tout le village. Il nous dit que, outre la recrue ordinaire, il fallait, à cause de la guerre, un supplément ; qu'en conséquence, au lieu de huit hommes par mille, l'empereur en demandait vingt-trois ; seulement, les quinze qui devaient partir en plus seraient renvoyés immédiatement après la guerre. En conséquence, il ordonna au maire de le venir trouver pour faire avec lui la liste des recrues et des miliciens.

» Je courus chez Varvara et la trouvai tout en larmes.

» — Oh ! me dit-elle, je suis sûre que ce maudit intendant te désignera.

1. Barbe. — Un des noms de femme les plus répandus en Russie.
2. Conseil de la commune.

» — Qui peut te faire croire cela? lui demandai-je

» — Rien, me dit-elle. Un lièvre a traversé mon chemin.

» Je ne pus lui en faire dire davantage.

» Le même jour, le maire fit connaître la liste des partants. Varvara ne s'était point trompée. Je n'étais pas dans les recrues, mais j'étais le cinquième sur la liste des miliciens.

» Je rentrai à la maison désespéré. Mon père avait été chez l'intendant, et lui avait offert jusqu'à cinq cents roubles pour me racheter. Il avait refusé.

» Le départ était fixé au surlendemain au point du jour.

» Le veille du départ, nous allâmes nous promener avec Varvara dans une petite prairie où, enfants, nous avions bien souvent joué et cueilli des fleurs. Pour arriver à cette prairie, il fallait traverser un petit pont de bois jeté sur une rivière étroite mais profonde. Varvara s'arrêta au milieu du pont et regarda tristement couler ou plutôt bouillonner l'eau. Il y avait là, disait-on, un abîme. Je voyais ses larmes rouler sur ses joues et tomber une à une dans le gouffre.

» — Tiens, lui dis-je, Varvara, il y a quelque chose là-dessous, un secret que tu me caches.

» Elle ne répondit rien.

» — Avoue-le, répétai-je.

» — Le secret est que nous ne nous verrons plus, Grégoire.

» — Et pourquoi cela? Je ne suis pas recrue, je suis milicien. La guerre finie, les miliciens rentrent dans leurs foyers. Tout le monde n'est pas tué à la guerre, on en revient. Eh bien, je reviendrai, Varvara, dans un an, dans deux ans. Je t'aime, tu m'aimes: aies le courage de m'attendre, et nous pouvons encore être heureux.

» — Nous ne nous verrons plus, Grégoire! répéta-t-elle une seconde fois.

» — Mais, enfin, pourquoi ce terrible pressentiment?

» — Si tu m'aimes, sais-tu ce que tu devrais faire, Grégoire ? me dit-elle en se jetant dans mes bras.

» — Si je t'aime ! Tu le demandes !

» Et je la pressai contre ma poitrine.

» Elle regarda le gouffre, tout appuyée contre moi qu'elle était.

» — Tu devrais me jeter là-dedans, dit-elle.

» Je pousai un cri.

» — Oui, me jeter là-dedans, répéta Varvara. Cela fait que je ne serais pas à un autre.

» — A un autre ! Je ne te comprends pas. Pourquoi, n'étant pas à moi, serais-tu à un autre ?

» Elle resta muette.

» — Mais parle donc ! lui dis-je ; tu vois bien que je deviens fou.

» — Alors, tu ne te doutes de rien ?

» — De quoi veux-tu que je me doute ?

» — Tu ne te doutes donc pas... ? Non, mieux vaut que je me taise ; il arrivera ce qu'il pourra.

» — Mieux vaux que tu parles, puisque tu as commencé à parler.

» — Oh ! mon Dieu, mon Dieu !

» Et elle éclata en sanglots.

» — Varvara, lui dis-je, je te jure une chose, c'est que, si tu ne me dis pas tout, à l'instant même, je te jure que, là, à tes yeux, je me jette dans le tourbillon. Te perdre pour te perdre, autant vaut en finir tout de suite.

» — Mais ta mort ne préviendra ni ne vengera ma honte !

» Je jetai un cri de rage.

» — Ah ! tu commences à comprendre, dit-elle ; il m'aime, il veut que je sois sa maîtresse. C'est parce qu'il m'aime que tu pars : j'ai refusé. Si j'avais accepté, tu ne partais pas.

» — Oh ! le misérable !

» Je cherchai autour de moi.

» — Quoi ! que cherches-tu ?

» — Ah !...

» J'avais trouvé ce que je cherchais : un paysan, qui raccommodait le pont, avait laissé sa hache dans une poutre qu'il était en train d'équarrir.

» — Que vas-tu faire, Grégoire ?

» — Sur la bienheureuse Vierge, je te le jure, Varvara, il ne mourra que de ma main.

» — Mais ils te tueront, si tu le tues !

» — Que m'importe ?

» — Grégoire !

» — J'ai juré, m'écriai-je en levant ma hache au ciel, je tiendrai mon serment, et, s'ils me tuent, eh bien, j'irai t'attendre là où l'on se rejoint, sans faute, un jour ou l'autre.

» Je m'élançai vers le village, la hache à la main.

» — Grégoire ! dit Varvara, tu es bien décidé ?

» — Oh ! oui !

» Et je continuai ma course.

» — Alors, cria-t-elle, c'est moi qui t'attendrai. Adieu, Grégoire !

» Je me retournai, les cheveux hérissés sur la tête. Je vis dans le crépuscule un objet qui rayait l'obscurité ; j'entendis le bruit d'un corps qui tombe dans l'eau, puis quelque chose encore comme un adieu. Mes yeux se reportèrent sur le pont. Il était vide... A partir de ce moment, je ne sais plus ce qui se passa ; je me retrouvai dans un cachot. J'étais plein de sang... Je crois bien que je l'ai tué... O Varvara ! Varvara ! tu ne m'attendras pas longtemps, va !

Et le jeune homme, éclatant en sanglots, se jeta la face contre son banc en poussant des cris de désespoir.

Le geôlier nous ouvrit une troisième porte, et nous entrâmes dans un troisième cachot.

Celui-là était occupé par un homme d'une quarantaine d'années, taillé comme un hercule. Il avait les yeux et la barbe noirs ; mais ce que l'on voyait de ses cheveux avait blanchi avant l'âge, sous l'impression de quelque grande douleur.

Il ne voulait pas répondre d'abord, disant qu'il n'était plus devant ses juges, et que, Dieu merci, il en avait fini avec eux ; mais on lui dit que j'étais étranger, que j'étais Français, et aussitôt, à mon grand étonnement, il me dit en excellent français :

— Alors, c'est autre chose, monsieur, d'autant plus que ce ne sera pas long.

— Mais, lui demandai-je en l'interrompant, comment se fait-il que vous parliez le français, et même si purement ?

— C'est bien simple, me dit-il ; j'appartiens au propriétaire d'une usine ; il nous a envoyés à trois en France, et nous a fait étudier à l'École des arts et métiers de Paris. Quand nous sommes partis, nous avions dix ans. L'un de nous est mort là-bas ; nous sommes revenus deux, après huit ans d'études. Mon compagnon était chimiste ; moi, j'étais mécanicien. Pendant les huit ans que nous étions restés à Paris, vivant comme les autres jeunes gens, égaux de nos camarades, nous oubliions que nous étions de pauvres esclaves. On ne fut pas longtemps à nous en faire souvenir.

» Mon compagnon fut insulté par l'intendant de notre maître. Il lui donna un soufflet. Il reçut cent coups de verges. — Une heures après, il passa sa tête sous un marteau de l'usine qui frappait mille à chaque coup ; il eut la tête écrasée.

» J'étais d'un caractère plus doux, de sorte que j'en fus toujours quitte pour des réprimandes. Puis j'avais ma pauvre mère que j'aimais beaucoup, et je souffrais pour l'amour d'elle ce que je n'eusse pas souffert si j'eusse été seul. Tant qu'elle vécut, je ne me mariai point ; mais voilà cinq ans qu'elle mourut. J'épousai une jeune fille avec laquelle j'étais depuis longtemps en amitié.

» Dix mois après notre mariage, ma femme accoucha d'une petite fille. — J'adorais mon enfant !

» Notre maître avait aussi une chose qu'il aimait: c'était sa chienne. Il l'avait fait venir d'Angleterre, et elle lui avait coûté fort cher, à ce qu'il paraît. Elle mit bas deux petits chiens, mâle et femelle ; notre maître les garda tous deux afin de naturaliser cette race précieuse. Mais il lui arriva un grand malheur : en rentrant chez lui en drojky, il vit trop tard sa chienne, qui sautait à lui pour lui souhaiter la bienvenue, et il fit passer une roue de son drojky sur le corps ; la chienne fut écrasée sur le coup.

» Par bonheur, il lui restait deux petits chiens, comme je vous ai dit, le mâle et la femelle. Seulement, c'était un grand embarras, vous comprenez bien, de nourrir ces chers petits animaux qui n'avaient que quatre jours.

» Alors, mon maître eut une idée, sachant que ma femme nourrissait sa fille, ce fut de lui prendre l'enfant, de l'envoyer à la *messakina*[1], et de lui faire nourrir ses chiens...

» Ma pauvre femme lui dit qu'elle nourrirait les chiens et l'enfant : mais il répondit que les chiens souffriraient.

» Je rentrai de la fabrique, comme d'habitude ; j'allai droit au berceau de ma petite Caterina. Il était vide !

» Où est l'enfant ? demandai-je.

» Ma femme me raconta tout et me montra les deux chiens qui dormaient bien repus.

» J'allai chercher l'enfant à la cuisine, je le rendis à sa mère, et, prenant un chien de chaque main, je les écrasai tous les deux contre la muraille.

« Le surlendemain, je mis le feu au château; par malheur, le feu gagna le village et il y eut deux cents maisons brûlées. Je fus arrêté, mis en prison et condamné aux mines à perpétuité comme incendiaire. — Voilà mon histoire: je vous l'avais dit, elle n'est pas longue... Maintenant, si cela ne vous répugne pas de toucher un forçat, donnez-moi la main pour la peine. Cela me fera plaisir ; j'ai été si heureux en France !

1. Cuisine commune.

Je lui donnai la main et la serrai de grand coeur, tout incendiaire qu'il était ; je ne l'eusse pas donnée à son maître, tout prince qu'il est.

Maintenant, vous avez lu, chers lecteurs. Quels sont les véritables coupables, des propriétaires, des intendants, des *stavanovniés*, ou de ceux qu'ils envoient aux mines ?

XVI

PROMENADE A PÉTERHOF

Après ma visite à la prison, et en rentrant chez le comte Kouchelef, je trouvai un littérateur russe, qui partage avec Tourguenief et Tolstoï la faveur de la jeune génération russe.

C'était Grégorovitch, l'auteur des *Ribolobi*, c'est-à-dire des *Pêcheurs*. — Nous citons ce roman, comme, en parlant de Balzac, on dit l'auteur du *Cousin Pons* ; comme, en parlant de madame Sand, on dit l'auteur de *Valentine* ; comme, en parlant de Soulié, on dit l'auteur des *Mémoires du Diable*.

Outre *les Pêcheurs*, Grégorovitch a fait cinq ou six autres romans qui tous ont réussi.

Grégorovitch parle français comme un Parisien.

Il venait me faire une visite de confraternité et se mettre à ma disposition pour tout le temps que je serais à Saint-Pétersbourg.

Il va sans dire que j'acceptai avec reconnaissance. Il fut convenu avec le comte que, toutes les fois que Grégorovitch s'attarderait à Bezborodko, il coucherait dans une de mes chambres, attendu que Bezborodko, je l'ai déjà dit, est à huit verstes de Saint-Pétersbourg.

Au reste, remarquez bien qu'un ami qui, en Russie, reste dans une maison, ne cause pas le même dérangement qu'en France, où l'on se croit obligé de lui dresser un lit avec couchette, sommier, matelas, draps, traversin, oreiller, couverture. Non. En Russie, le maître de la maison, eût-il quatre-vingts domestiques, comme le comte Kouchelef, dit à son convive : « Il est tard, restez ici. » Le convive s'incline, répond : « C'est bien, » et tout est dit.

Le maître ne s'occupe plus en rien de son hôte. Il lui a donné un dîner, le meilleur qu'il a pu ; il l'a abreuvé de Château Yquem, de bordeaux-Laffitte et de champagne à dîner ; il l'a noyé, le soir, dans des flots de thé de caravane. Il lui a fait entendre, jusqu'à une heure ou deux du matin, de la musique souvent excellente. Il ne pousse pas plus loin la préoccupation. C'est au convive à trouver la manière dont il passera la nuit.

Il faut dire que, sur ce point, le convive n'est pas plus préoccupé que l'hôte.

Au moment de se coucher, il entre dans la chambre qui lui est destinée, jette un coup d'oeil autour de lui, cherchant, non pas un lit, — mais un sofa, un canapé, un banc : que le meuble soit rembourré ou non, peu lui importe. S'il n'y a ni sofa, ni canapé, ni banc, il avise un coin quelconque de la chambre, demande au domestique un manteau, une pelisse, un paletot, la première chose venue; renverse une chaise, du dossier de laquelle il se fait un oreiller, se couche sur le parquet, tire à lui la couverture improvisée, et en voilà jusqu'au lendemain matin, où il se lève aussi frais et aussi reposé que s'il avait couché sur le meilleur sommier élastique.

La propreté du matin et du soir a bien un peu à souffrir de cette rudesse toute lacédémonienne ; mais le bain de vapeur est là, qui vous met, deux fois la semaine, le derme à nu.

Dès ce même soir, Grégorovitch resta donc, chercha un canapé, trouva ce qu'il cherchait, et planta là les piquets de sa tente.

Il fut convenu, pendant la causerie qui précéda le sommeil et qui s'opérait à travers les portes ouvertes, que, le lendemain, nous ferions notre première excursion hors de Saint-Pétersbourg.

Tout fut tracé, itinéraire, aller et retour.

Nous prendrions, à huit heures du matin, le petit bateau qui fait le service de la Néva ; à neuf heures, le grand bateau à aubes qui conduit à Péterhof. Nous déjeunerions à *Samson*, la *Tête-Noire* de la localité ; nous visiterions Péterhof et ses environs ; nous irions dîner et coucher chez Panaef, ami de Grégorovitch et rédacteur du *Contemporain*, nous y ferions la connaissance de Nikrassof, un des poètes les plus populaires de la jeune Russie ; enfin, le lendemain, nous irions visiter le château historique d'Oranienbaum, célèbre par l'arrestation de Pierre III, au mois de juillet 1762. — Après quoi, nous reviendrions à Saint-Pétersbourg par le railway, afin de faire connaissance à la fois avec le chemin de terre et la route de mer.

Le programme fut suivi de point en point. A onze heures, nous étions au débarcadère de Péterhof.

Là, stationnent des drojkys. Les voyageurs qui sont de ma taille en prennent habituellement un pour eux tout seuls ; ceux qui ont l'avantage d'une taille svelte et élancée peuvent tenir à deux dans un drojky.

Toute femme portant crinoline doit renoncer à y entrer.

Nos drojkys nous conduisirent au restaurant en réputation à Péterhof ; j'ai déjà dit qu'il se nommait *Samson*.

Ce nom lui vient de son enseigne.

Cette enseigne offre une réduction de la fameuse statue de Samson qui s'élève dans la grande pièce d'eau du Parc. L'Hercule hébreu est représenté au moment où il désarticule la mâchoire du lion philistin.

On n'a pas idée, à moins de l'avoir vu, de ce qu'est un restaurant en réputation aux environs de Saint-Pétersbourg.

La Russie se vante d'avoir une cuisine nationale et des plats que ne lui emprunteront jamais les autres peuples, attendu qu'ils appartiennent aux productions de certaines localités de son vaste empire et ne se retrouvent nulle part ailleurs.

De ce nombre, par exemple, est la soupe au sterlet.

Le sterlet ne vit que dans les eaux de l'Oka et du Volga.

Les Russes raffolent de la soupe au sterlet.

Abordons franchement cette grave question, qui va nous faire pas mal d'ennemis parmi les sujets de Sa Majesté Alexandre II, et émettons franchement notre opinion culinaire sur la soupe au sterlet.

Je sais bien que je vais toucher à l'arche sainte ; mais, tant pis ! la vérité avant tout.

Dût l'empereur ne pas me laisser rentrer à Saint-Pétersbourg, je dirai que le grand mérite, lisez le seul mérite, à mes yeux ou, plutôt, à ma bouche, de la soupe au sterlet est qu'elle coûte, à Saint-Pétersbourg bien entendu, cinquante ou soixante francs l'été, et trois ou quatre cents francs l'hiver. — Nous compterons désormais par roubles. Qu'il soit établi une fois pour toutes qu'un rouble fait quatre francs de notre monnaie. Ces quatre francs, ou, plutôt, ce rouble, se divise en pièces de cinquante, de vingt-cinq, de dix et de cinq kopeks. Cent kopeks font un rouble.

Revenons à la soupe au sterlet, et disons comment cette soupe, à laquelle nous préférons de beaucoup la simple bouillabaisse marseillaise, peut monter à un pareil prix.

C'est que le sterlet, produit de certaines rivières, nous l'avons dit, de l'Oka et du Volga, ne peut vivre que dans les eaux où il est né. Il en résulte qu'il doit venir, à Saint-Pétersbourg, dans les eaux de l'Oka et du Volga, et y venir vivant; s'il arrive mort, le sterlet, comme la jument de Roland, — qui n'avait qu'un défaut, celui d'être morte, — le sterlet n'a plus aucune valeur.

Ce n'est rien l'été, où l'eau, pourvu qu'on ne l'expose pas au soleil, conserve une température convenable, et, d'ailleurs, peut être rafraîchie par de l'eau des mêmes rivières, conservée dans des vases réfrigérants.

Mais l'hiver !

L'hiver, quand il gèle à trente degrés, et que le poisson doit faire sept à huit cents verstes, — nous compterons désormais la distance par verstes, comme nous compterons la monnaie par roubles ; la chose sera facile pour nos lecteurs : la verste, à deux mètres près, équivalant à notre kilomètre ; — mais l'hiver, disions-nous, quand le thermomètre marque trente degrés au-dessous de zéro, et que le poisson doit faire sept à huit cents verstes pour passer du fleuve natal dans la marmite, et y passer vivant, on comprend que c'est plus grave.

Il faut, à l'aide d'un fourneau habilement ménagé, non-seulement empêcher l'eau de se glacer, mais la maintenir à sa température ordinaire, température moyenne entre l'hiver et l'été, c'est-à-dire à huit ou dix degrés au-dessus de zéro.

Autrefois, avant la création des chemins de fer, les grands seigneurs russes, amateurs de la soupe au sterlet, avaient des fourgons spéciaux, avec four et vivier, pour transporter les sterlets du Volga et de l'Oka à Saint-Pétersbourg ; car il est d'habitude, pour ne pas voler ses convives, que l'hôte leur montre vivant et nageant, le poisson qu'un quart d'heure après ils mangeront en potage.

Il en était ainsi chez les Romains. On se le rappelle : les poissons étaient transportés d'Ostie à Rome par une poste d'esclaves, ayant ses relais de trois milles en trois milles ; et la première jouissance des véritables gourmands était de voir, à mesure qu'agonisaient la dorade ou le surmulet, s'effacer peu à peu les nuances irisées de ses écailles.

Le sterlet n'a point l'écaille brillante de la dorade et du surmulet. Il est couvert de la peau rugueuse des squales. J'ai soutenu aux Russes, et suis prêt à le soutenir aux Français, que le sterlet n'est autre chose que l'esturgeon en bas âge : *accipenser ruthenus.*

Nous avons déjà dit que nous ne partagions pas le fanatisme des Russes à l'endroit du sterlet, qu'ils prétendent être le poisson désigné par M. Scribe, dans la *Muette de Portici*, sous la simple dénomination de « roi des mers. » Le sterlet est une chair fade et grasse, dont on ne s'occupe pas de relever la molle saveur. La sauce du sterlet est encore à trouver, et, nous osons le prédire, ne sera trouvée que par un cuisinier français.

Qu'on n'aille pas se figurer, en lisant cette discussion culinaire, qui n'est, au reste, que le prélude de celles auxquelles nous comptons nous livrer, que nous nous permîmes de demander au propriétaire du restaurant de *Samson* une soupe au sterlet. Nous nous en gardâmes comme de la peste, et nous nous contentâmes d'un simple *tchi*.

Le *tchi*, nom dont l'étymologie me paraît chinoise, est une soupe aux choux, infiniment moins bonne que celle que notre plus pauvre fermier envoie à ses ouvriers des champs, quand sonne midi. On la sert avec les morceaux de viande, boeuf ou mouton, qui ont servi à la confectionner. Il va sans dire que ce boeuf ou ce mouton a perdu toute saveur. En outre, comme on ne se doute pas de ce que c'est qu'un pot-au-feu en Russie, la viande, mal cuite, ou cuite à grand bouillon, reste coriace, filandreuse, immangeable, enfin.

J'ai au reste, fait sur le *tchi*, qui est le potage national russe, et la principale, je dirai presque la seule nourriture du paysan et du soldat, des études à l'aide desquelles je crois l'avoir conduit à tous les perfectionnements dont il est susceptible.

Nous demandâmes donc du *tchi*, des bifteks, une gelinotte rôtie et une salade.

Il n'y a pas à s'en prendre au bon Dieu ; il avait fait tout cela excellent. C'est l'homme qui est venu et qui a gâté son oeuvre.

Tout rôti, en Russie, se fait au four ; de sorte qu'il n'y a pas de rôti en Russie.

Brillat-Savarin, qui connaissait la matière, et qui a laissé, en gastronomie, des maximes qui valent bien celles de la Rochefoucauld en morale, a dit : « On devient cuisinier, mais on naît rôtisseur. » C'est mettre le rôtisseur au rang du poète, ce qui est assez humiliant pour le rôtisseur.

En Russie, où personne, à ce qu'il paraît, ne naît rôtisseur, on a supprimé le rôtisseur, et l'on a forcé les fours à faire des rôtis, comme on a forcé la nature à faire des portraits. Il va sans dire que le four et la nature se vengent : les portraits faits au daguerréotype sont laids, les rôtis faits au four sont exécrables.

Nous nous plaignions, à chaque plat qui arrivait, et, tout en ne comprenant pas nos plaintes, Grégorovitch — Grégorovitch n'a encore mangé que de la cuisine russe — Grégorovitch les transmettait au garçon qui nous servait.

Ce fut pendant cette série de récriminations, qui commença au potage et finit au dessert, que nous pûmes étudier la douceur amicale du dialogue russe.

La langue russe n'a pas de gamme ascendante ni descendante. Quand on n'est pas *brate*, c'est-à-dire frère, on est *dourak* ; quand on n'est pas (*galoubchik*), mon petit pigeon, on est *soukinsine*. Je laisse la traduction de ce dernier mot à faire à un autre.

Grégorovitch était miraculeux sous le rapport des tendresses qu'il adressait au garçon qui nous servait. Ces tendresses, mêlées aux reproches qu'il lui faisait sur la médiocrité du dîner, présentaient un contraste des plus amusants. Non seulement il l'appelait son *galoubchik* et son *brate*, c'est-à-dire son petit pigeon et son frère, mais encore, à chaque phrase, il variait : le garçon devenait son *lubeneichy*, c'est-à-dire son très-agréable ; son *mizeichy*, son très-cher ; son *dobreichy*, son très-bon. Une maritorne passa : il l'appella *douchinka* (petite âme). Un vieux pauvre s'approchait de la fenêtre, il lui donna deux kopeks, en l'appelant *diadouska* (mon oncle).

Au reste, le caractère doux et timide des inférieurs se traduit admirablement par la phraséologie slave. Le peuple appelle l'empereur *batiouchka* (père) ; l'impératrice, *matouchka* (mère). Sur la route, Grégorovitch demanda son chemin à une vieille femme: il l'appela ma tante.

Quand le supérieur a besoin de l'inférieur, il le caresse en paroles, quitte plus tard à le rosser en action.

Le général Kroulef, en marchant au feu, appelait ses soldats *blagodeteli* (mes bienfaiteurs).

Il y avait dans le même hôpital, à Simféropôl, un Russe et un Français blessés, l'un au bras, l'autre à la jambe. Leurs lits se touchaient et ils s'étaient pris de la plus tendre amitié l'un pour l'autre. Le Russe apprenait la langue russe au Français, le Français apprenait la langue française au Russe. Tous les jours, le Russe, en s'éveillant, disait au Français :

— Bonjour, mon ami Michel !

Et le Français lui répondait avec la même douceur et la même fraternité :

— *Sdrasti, moï drong Ivan !* (Bonjour, mon cher Ivan !)

Lorsqu'ils furent guéris et qu'il fallut se quitter, chacun versa toutes les larmes de ses yeux. Si on ne les eût séparés de force, ils seraient encore dans les bras l'un de l'autre.

Il est vrai que le répertoire des injures est non moins varié que celui des tendresses, et aucune langue ne se prête aussi complaisamment que la langue russe à mettre l'homme à cinquante degrés au-dessous du chien.

Et remarquez que, sous ce rapport, l'éducation n'y fait absolument rien. L'homme le mieux élevé, le gentilhomme le plus poli, lâche le *soukinsine* et le *yob-vachoumatt* comme on dit chez nous *votre très-humble serviteur*.

J'avoue que j'étais fort disposé à gratifier le chef de l'établissement du restaurant de *Samson* de toutes les apostrophes du répertoire russe et même français, lorsque nous nous levâmes, ayant, par la carte, la preuve que nous avions dîné, et, par notre estomac, celle que nous étions à jeun ; aussi ce fût par curiosité, et non par hygiène, que nous gagnâmes à pied le parc de Péterhof.

Péterhof est moitié jardin anglais, moitié jardin français ; moitié Windsor, moitié Versailles. Il a les beaux ombrages touffus de Windsor, les pièces d'eau carrées, les statues, et même les carpes de Versailles.

Ces carpes, dont quelques-unes, nous assure-t-on, remontent au temps de l'impératrice Catherine, viennent montrer leur museau au bruit d'une cloche que sonne un invalide. Vous comprenez bien que ce n'est point gratis qu'elles se livrent à cet exercice : une marchande de gâteaux, qui est là en permanence, vous explique dans quel but les carpes vous font cette ovation.

Cela n'avait rien de nouveau pour nous. Fontainebleau, sous ce rapport, dame le pion à Péterhof. Si Péterhof a les carpes de Catherine, Fontainebleau a celles de François Ier.

Péterhof a même son Marly.

Voilà le grand malheur de Saint-Péterbourg, c'est l'imitation. Ses maisons sont l'imitation de Berlin ; ses parcs sont l'imitation de Versailles, de Fontainebleau et de Rambouillet ; sa Néva est l'imitation de la Tamise, plus la débâcle.

Aussi Saint-Pétersbourg n'est-il pas la Russie ; c'est, comme l'a dit Pouschkine, ou peut-être même Pierre Ier, une fenêtre ouverte sur l'Europe.

Quant aux statues, nous nous contenterons d'en signaler une, à cause, non pas de sa valeur, mais de son originalité. C'est une naïade accroupie, qui verse l'eau d'une urne qu'elle porte sur son épaule. Vue de face, cela va bien, on voit d'où sort l'eau ; vue de dos, c'est autre chose : on se livre alors à des conjectures qui ne font pas honneur à la pudeur de la nymphe. Aussi, par ordre supérieur, a-t-elle été mise à sec.

Péterhof a ses eaux, qui jouent, comme celles de Versailles, les jours de grande fête, sa pièce d'eau de Samson qui rivalise avec celle de Neptune, et ses cascades des Gladiateurs qui copient celles de Saint-Cloud.

Nous nous plaignîmes de notre peu de chance d'être venus un jour ordinaire, et nous exprimâmes notre regret de ne pas voir jouer ces eaux si vantées. Grégorovitch s'approcha alors du gardien des eaux, et, moyennant une pièce de cinquante kopeks, — quarante sous de notre monnaie, — nous jouîmes, pendant dix minutes d'un spectacle qui coûte à Versailles, s'il faut en croire la tradition, vingt-cinq ou trente mille francs chaque fois qu'on le donne.

Un des grands plaisirs de l'empereur Nicolas était de faire escalader, au bruit du tambour battant la charge, ces cascades en pleine éjaculation, par ses pages et par ses cadets.

Nous honorâmes d'une visite particulière un arbre dont chaque feuille est un jet d'eau. Moyennant dix kopeks, l'arbre nous donna le spectacle que nous avait refusé la naïade.

Nous escaladâmes alors une rampe assez rapide, et nous nous trouvâmes à la hauteur du château.

C'est une immense bâtisse badigeonnée de jaune et de blanc, et surmontée de ces toits verts qui font le désespoir de Moynet.

Nous passâmes sous une des voûtes du palais, et nous nous trouvâmes dans le jardin supérieur. Son principal ornement est une immense pièce d'eau, sa principale curiosité un Neptune en tambour-major ; le trident du dieu remplace ingénieusement la canne du grand galonné.

Nous avions vu Péterhof ; il nous restait à voir ce que l'on appelle les îles.

Nous prîmes des drojkys, et, à travers un chemin charmant, tout rafraîchi par des cours d'eau, tout ombragé par des massifs de verdure, nous arrivâmes à la première et à la principale des îles, à Tzaritzine.

C'est l'île de l'impératrice mère.

Elle y a fait bâtir une villa sicilienne, sur le modèle de celle de la princesse de Butera, qu'elle a habitée en Sicile ;

elle est copiée exactement, et tout s'y retrouve, jusqu'à un lierre gigantesque, qu'on est obligé de chauffer l'hiver, comme les sterlets, afin qu'il ne gèle pas.

La cour d'entrée est charmante ; on croirait mettre le pied dans l'atrium de la maison du poête, à Pompéi.

L'intérieur est ornementé à la grecque, et avec un goût charmant.

De l'île de la Tzaritzine, nous passâmes à celle de la princesse Marie.

Son chef-d'oeuvre, au dire du gardien, est une Vénus couchée et endormie, que l'on garde sous une espèce de cloche qui a la forme d'un catafalque ; on lève la cloche, on voit Vénus.

Comme toutes les merveilles cachées, promises et attendues, celle de Banezzy, quoique remarquable, devient une désillusion.

Non ; s'il y a chef-d'oeuvre de statuaire, ce chef-d'oeuvre est le *Pêcheur de Stavaser*.

Un enfant de bronze, de quinze à seize ans, dans l'eau jusqu'aux genoux, tient sa ligne, à l'hameçon de laquelle mord un poisson. Inutile de dire qu'on ne voit ni le poisson, ni l'hameçon ni la ligne ; mais, à la lèvre frémissante d'attente, à l'oeil fixe, à la poitrine immobile, au bras roidi du pêcheur, on devine tout cela.

Nous remontâmes en drojky, nous achevâmes notre tour des îles, et nous donnâmes l'ordre de nous conduire au Belvédère.

Le Belvédère est la dernière création de l'empereur Nicolas ; de sa main toute-puissante, il pétrissait le bronze et le granit, comme un autre fait du plâtre et de la brique. Par malheur, tout cela est dans un style qui donne une plus grande idée de la puissance que du goût.

Placé sur un monticule, près du village de Baby-Gony (la chasse des femmes), — explique l'étymologie qui pourra,

—le Belvédère a devant lui une immensité presque égale à celle de l'Océan.

C'était là que l'empereur Nicolas, en simple soldat, l'impératrice et les grandes-duchesses, en simples paysannes, venaient prendre le thé et admirer le panorama qui s'étend jusqu'à la mer.

Autre imitation du Petit-Trianon.

De là, la famille impériale voyait, à son extrême gauche, le vieux Péterhof, village de pêcheurs hollandais ; en ramenant ses regards du vieux Péterhof, au Belvédère, le camp des Sapeurs ; puis, en les portant brusquement à l'extrême droite, Poulkovo, observatoire élevé par Brulof, le frère du peintre. De l'observatoire au Belvédère s'étendent dix lieues de plaine.

Entre le vieux Péterhof et Poulkovo, on découvre à l'horizon, au delà du golfe, qui a dix lieues de large, la silhouette bleuâtre de la Finlande, terminant l'horizon comme une ligne tracée à la règle. Puis, en reportant les regards du golfe au Belvédère, à droite, les dômes de Saint-Pétersbourg, au milieu desquels brillent les dômes d'or d'Isaac ; à gauche, le grand parc anglais ; en face, le nouveau Péterhof, et, enfin, un champ semé de ruines envoyées de la Grèce par le roi Othon. — Pauvres ruines exilées de l'Attique, et qui semblent aussi tristes qu'Ovide relégué chez les Thraces !

Nous remontâmes en drojky sans rien regretter de ce que nous quittions, et nous nous fîmes conduire droit à la terrasse de Montplaisir.

Vous le voyez, encore un nom français !

Cette terrasse donne sur le golfe : elle est toute pavée de marbre ; ombragée par des arbres magnifiques, elle permet d'apercevoir, entre les eaux qui baignent sa base et les branches qui lui servent de dôme, Cronstadt, fermant l'horizon avec ses forteresses hérissées de canons et sa forêt de mâts. C'est là que, dans les chaudes soirées d'été, dans les transparentes nuits de juin, les élégantes de Péterhof viennent respirer le frais.

C'est là aussi la terrasse favorite des jeunes grands-ducs. Des amas de cailloux *ont l'honneur* — comme eût dit l'illustre chimiste Thénard, plus grand courtisan encore qu'il n'était grand chimiste — ont l'honneur d'être préparés pour les amusements des jeunes grands-ducs, qui, comme Scipion en exil, occupent leurs loisirs à faire des ricochets sur la mer.

L'endroit était si ravissant, que Moynet signifia à la société que, dût cette fantaisie retarder d'une demi-heure notre arrivée chez Panaef, il voulait en faire un dessin.

Ce désir était trop légitime et rentrait trop dans mes vues pour que j'y misse la moindre opposition.

D'ailleurs, après le déjeuner que nous avions fait, nous n'étions pas pressés de dîner.

XVII

MENCHIKOF

Nous couchâmes chez Panaëf, et, le lendemain, dès le matin, nous partîmes pour Oranienbaum.

La première chose qui me frappa en entrant dans la cour du château d'Oranienbaum, ce fut le couronnement du pavillon central : il portait une couronne princière fermée, cependant il était facile de voir que ce n'était point une couronne royale.

J'interrogeai mon compagnon ; mais, peu versé dans la science héraldique, il me soutint que c'était la vieille couronne des tzars.

L'intendant, qui intervint, nous mit d'accord en nous disant que c'était la couronne du prince Alexandre Menchikof, à qui ce château avait appartenu.

Lors de la disgrâce du puissant favori, ses biens furent confisqués et passèrent à la tzarine, qui les légua à ses descendants comme des biens patrimoniaux. Cette couronne, c'était celle du duché de Kosel, en Silésie, que lui avait donné l'empereur Charles VI en le faisant prince de l'empire romain.

Nous avons vu naître et grandir Menchikof. Il avait profité de sa faveur pour acheter des biens immenses, tant en Russie, où il était *kness*, sénateur, feld-maréchal et chevalier de Saint-André, qu'au dehors ; il possédait une si prodigieuse quantité de terres et de seigneuries dans l'empire,que l'on disait populairement qu'il pouvait aller de Riga, en Livonie, jusqu'à

Derbend, en Perse, en couchant chaque nuit dans une de ses terres. Ces vastes domaines étaient habités par plus de cent cinquante mille familles de paysans, ce qui suppose plus de cinq cent mille âmes.

Ajoutez à toutes ces richesses pour plus de trois millions de roubles, tant en vaisselle d'or et d'argent qu'en bijoux et pierreries, cadeaux de ceux qui, ayant eu besoin de son intermédiaire près du tzar, avaient payé les services que le favori leur avait rendus.

Peut-être Pierre, qui avait vu clair dans toutes ses exactions, allait-il l'exiler ; peut-être, même, allait-il faire pis, lorsque lui-même mourut de cette mort prompte, inattendue presque mystérieuse, que nous avons racontée.

Menchikof resta donc debout avec tous ses honneurs et toute sa fortune, sinon toute sa puissance. Néanmoins, en sa qualité de feld-maréchal, il tenait les troupes dans sa main. Avec cinq cents hommes, il cerna le palais du Sénat ; puis, entrant dans la salle des délibérations, et allant s'asseoir là où son rang lui donnait droit de siéger, il força la succession en faveur de Catherine, son ancienne maîtresse, espérant régner sous son nom et gouverner à sa place.

Cependant, il y eut opposition.

Le grand chancelier et les autres sénateurs n'étaient point de l'avis de Menchikof, et maintenaient l'ordre de succession en faveur de Pierre II, petit-fils du tzar. Se voyant opprimés par la présence de Menchikof et des soldats, les sénateurs proposèrent de consulter le peuple, et d'ouvrir une des fenêtres de la salle où se tenait l'assemblée, afin que l'assemblée communiquât avec lui. Mais Menchikof répondit qu'il ne faisait pas assez chaud pour ouvrir les fenêtres. Sur quoi, il fit un signe, et un officier entra, suivi d'une vingtaine de soldats seulement, mais laissant voir, dans les profondeurs des corridors, toute une troupe armée et menaçante.

L'impératrice Catherine fut proclamée.

Mais bientôt cette tutelle de Menchikof lui pesa, et elle laissa sentir son impatience à cet endroit. Dès lors, Menchikof *prévit* la mort prochaine de l'impératrice Catherine, et s'occupa de lui choisir un successeur.

Il promit le trône au grand-duc de Moscovie, à condition que celui-ci épouserait sa fille.

Le grand-duc s'engagea, quitte à ne pas tenir sa promesse.

Or, voici ce que l'on raconte, ou plutôt ce que l'on raconta :

Catherine, en effet, comme avait prévu Menchikof, tomba malade ; Menchikof voulut la soigner, et l'illustre malade prit tout de sa main.

Un jour, le médecin ayant ordonné une potion, Menchikof prit la tasse des mains de la dame d'honneur, qui était une Italienne nommée madame Ganna. Catherine trouva la potion si mauvaise, qu'elle ne vida la tasse qu'aux trois quarts, et la remit à sa dame d'honneur. Celle-ci, qui ne pouvait deviner d'où venait ce mauvais goût à une boisson qu'elle avait préparée elle-même, et dans laquelle il n'entrait que de bonnes choses, acheva de vider la tasse, et lui trouva, en effet, le goût dont s'était plainte l'impératrice.

L'impératrice mourut ; la dame d'honneur fut très-malade, et ne fut sauvée que par son mari, qui, Italien et chimiste, lui donna du contre-poison.

Menchikof devint maître et seigneur de toutes choses. Il fiança sa fille au jeune tzar, et prit sa garde, comme on prend non pas celle d'un empereur qu'on respecte ou d'un gendre qu'on aime, mais d'un prisonnier dont on craint la fuite.

Pierre II s'enfuit néanmoins.

Il avait pour compagnons de jeux sa tante Élisabeth (qui régna depuis, qui, tout en laissant huit enfants naturels, ne laissa point d'héritiers légitimes, et qu'on nomma la Clémente, parce que personne ne mourut de mort violente sous son règne) et les deux jeunes princes Dolgorouky.

Mais, pendant un voyage que faisait, accompagné de son

inséparable tuteur, Pierre II à Peterhof, poussé par le ministre Ostermann, Ivan Dolgorouky, l'un des deux frères, proposa au jeune prince de s'enfuir par la fenêtre, lorsque la nuit serait venue. La chose était d'autant plus facile, qu'il avait remarqué qu'on ne plaçait de sentinelle qu'à la porte. Le jeune tzar, plus las que personne de l'esclavage auquel il était soumis, n'aimant pas la fille de Menchikof, accepta la proposition, et, la nuit venue, s'enfuit avec son aventureux compagnon, atteignit un endroit du chemin où il était attendu par un énorme groupe de seigneurs et d'officiers, tous ennemis de Menchikof. On gagna la maison du chancelier Golovine, où était réuni le Sénat, et, de là, en triomphe, on revint à Saint-Pétersbourg.

Menchikof, en apprenant la fuite du prince, se sentit perdu. Néanmoins, il ne voulut rien avoir à se reprocher, et résolut de tenter la fortune jusqu'au bout.

Il suivit le jeune tzar ; mais, en arrivant au palais, il trouva toutes les gardes changées et la garnison sous les armes.

Il se retira alors dans son palais, afin d'y prendre un parti.

Un détachement de grenadiers, qui entourait la maison, l'arrêta au moment où il rentrait.

Il demanda la faveur de parler au tzar, mais obtint pour toute réponse la signification d'un arrêt qui lui ordonnait de partir pour Rennebourg avec toute sa famille.

Rennebourg était une terre que possédait Menchikof, entre le royaume de Kasan et la province de Viatka.

Menchikof pouvait s'attendre à pis que cela.

Il y avait à Rennebourg un splendide château que Menchikof avait fait fortifier, et dans lequel il allait vivre de la vie des vieux kness, auxquels les faveurs impériales l'avaient assimilé, lui fils d'un simple paysan. Il lui était permis d'emmener le nombre de domestiques qui lui était agréable et d'emporter l'argent qui lui conviendrait et ses effets les plus précieux. En outre, chose qui arrive rarement à l'endroit des disgraciés, on lui avait parlé avec une grande politesse ; ce n'était donc pas un homme tellement au fond de l'eau, qu'il ne pût revenir à la surface.

Il avait jusqu'au lendemain pour quitter Saint-Pétersbourg.

Il sortit vers dix heures du matin dans ses carrosses les plus magnifiques, avec un bagage et une suite si considérables, que son départ ressemblait, non pas à l'humble retraite d'un prisonnier, mais au fastueux cortège d'un ambassadeur.

En traversant les rues de Saint-Pétersbourg, il saluait tout le monde, à droite et à gauche, comme un empereur qui reçoit hommage de son peuple, parlant à ceux qu'il connaissait, d'un esprit calme et d'une voix affectueuse. Beaucoup s'éloignaient sans lui répondre, comme ils eussent fait devant un pestiféré ; mais d'autres, un peu plus hardis échangèrent quelques paroles avec lui pour le plaindre ou l'encourager : il n'était point assez bas encore pour qu'on osât l'insulter.

L'insulte viendrait à son tour, elle n'était pas loin.

A deux heures de Saint-Pétersbourg, et comme il suivait cette route de Sibérie que tant de malheureux suivirent après lui, il trouva le chemin barré par un détachement de soldats ; un officier les commandait.

Cet officier lui demanda, de la part du tzar, les cordons des ordres de Saint-André, d'Alexandre Nevsky, de l'Éléphant, de l'Aigle blanc et de l'Aigle noir.

Menchikof les lui donna ; il les avait disposés dans un petit coffre pour les remettre à première sommation.

Alors, on le fit descendre de sa voiture avec sa femme et ses enfants et monter dans les télègues que l'on avait préparées pour les conduire à Rennebourg.

Il obéit en disant :

— Faites votre devoir, je suis préparé à tous les événements. Plus vous m'ôterez de richesses, moins vous me laisserez d'embarras.

Il descendit donc de son carrosse, alla s'asseoir dans sa

télègue, croyant que sa femme et ses enfants y prendraient place près de lui.

Mais on les fit monter dans des chariots à part. Cependant la consolation lui était restée de s'entretenir avec eux : il remercia Dieu de ce bienfait.

Ce fut ainsi qu'on le consuisit jusqu'à Rennebourg.

Là ne devaient pas s'arrêter les épreuves qui l'attendaient.

Il n'y avait que cent cinquante lieues entre Moscou et Rennebourg. Menchikof était trop près du tzar. Un ordre lui arriva de se rendre à Iakoutsk, en Sibérie.

Il se retourna vers ses enfants et sa femme, les vit tristes, mais le sourire sur les lèvres.

— Quand on voudra, dit-il à l'envoyé du tzar.

— Tout de suite, répondit celui-ci.

On partit le jour même. Menchikof pouvait prendre avec lui huit domestiques à son choix.

Mais le coup était profond, les fatigues étaient suprêmes. La princesse Menchikof y succonba la première ; elle mourut sur le chemin qui s'étend de Rennebourg à Kasan,

On transporta le cadavre à Kasan. Les gardes qui n'avaient point permis à Menchikof de faire dans la même voiture le voyage avec sa femme vivante, lui permirent de le faire avec son cadavre.

Pendant toute son agonie, son mari lui avait tenu lieu de prêtre, l'exhortant et la consolant comme eût fait un ministre du Seigneur, mieux même et avec plus de conviction et de profondeur, sans doute ; car les malheurs dont il essayait de la consoler au moment de mourir, il les éprouvait, les partageait, jusqu'au moment de sa mort ; tandis qu'elle morte, tout le poids en allait retomber sur lui.

Il continua sa route jusqu'à Tobolsk.

Là, tout le peuple, prévenu de son arrivée, l'attendait.

A peine eut-il mis le pied sur le rivage, que deux seigneurs, qu'il avait lui-même exilés au jour de sa puissance, s'avancèrent, l'un à sa droite, l'autre à sa gauche, et l'accablèrent d'injures.

Mais lui, secouant mélancoliquement la tête, dit à l'un d'eux:

— Puisque tu n'as pas d'autre vengeance à tirer d'un ennemi que de le charger de paroles outrageantes, donne-toi ce plaisir, pauvre malheureux ! Pour moi, je t'écouterai sans haine comme sans ressentiment. Si je t'ai sacrifié à ma politique, c'est que je te savais beaucoup de mérite et de fierté : tu étais un obstacle à mes desseins ; je t'ai brisé. Tu en eusses fait autant à ma place, selon les nécessités de la politique.

Puis, à l'autre :

— Toi, dit-il, je ne te connais même pas ; j'ignorais que tu fusses proscrit. Si tu as été exilé, toi que je ne pouvais ni craindre ni haïr, c'est par suite de quelque machination secrète où l'on a abusé de mon nom. Voilà la vérité. Mais, si des outrages peuvent être un adoucissement à tes maux, continue ; je n'ai ni la puissance ni la volonté de m'y opposer.

Il achevait à peine, que, tout haletant, accourut un troisième exilé : son front ruisselait de sueur ; ses yeux lançaient des éclairs, sa bouche se crispait en lançant l'injure; il ramassa de la boue des deux mains, et jeta cette boue au visage du jeune prince Menchikof et de ses soeurs.

Le jeune prince regardait son père, comme pour lui demander la permission de rendre à cet homme l'injure qu'il en avait reçue.

Mais le vieillard, arrêtant son fils et s'adressant à l'insulteur :

— Ton action est à la fois stupide et infâme, lui dit-il ; si tu as quelque vengeance à exercer, exerce-la contre moi, et non contre ces malheureux enfants : je suis peut-être coupable, moi ; mais eux, à coup sûr, sont innocents.

Il lui était permis de rester huit jours à Tobolsk.

On lui remit, en outre, une somme de cinq cents roubles, dont il pouvait disposer à son gré.

Menchikof, avec ces cinq cents roubles, acheta une hache et des instruments à abattre le bois et à travailler la terre ; puis il fit provision de filets pour pêcher, de graines pour semer, et enfin d'une grande quantité de viande et de poisson salé pour lui et pour sa famille.

Ce qui lui resta de ces cinq cents roubles, il le distribua aux pauvres.

Puis, le jour venu de quitter Tobolsk, on le fit monter, lui et ses trois enfants, dans un chariot découvert, traîné tantôt par un cheval, tantôt par des chiens. A la place de ses habits ordinaires, qu'on lui avait ôtés à Rennebourg, il portait, ainsi que ses enfants, des vêtements de paysan. Ces vêtements consistaient en des touloupes et en des bonnets de peau de mouton, et, sous ces touloupes, ils avaient des habits et des robes de nuit.

Le voyage dura cinq mois en plein hiver, par un froid de trente à trente-cinq degrés.

Un jour, pendant une des trois haltes que les exilés faisaient chaque jour, un officier, qui revenait du Kamtschatka, entra par hasard dans la même cabane où se reposait Menchikof ; cet officier avait été envoyé il y avait trois ans, c'est-à-dire sous le règne de Pierre Ier, pour porter au capitaine danois Behring des dépêches concernant les découvertes qu'il était chargé de faire au pôle nord et dans la mer d'Amur.

Cet officier avait été aide de camp du prince Menchikof, mais il ignorait complètement la disgrâce de son ancien général.

Menchikof le reconnut et l'appela par son nom.

Étonné, l'aide de camp se retourna.

— D'où vient que tu sais mon nom, brave homme ? demanda l'officier.

— Allons ! tu ne me reconnais pas ? demanda l'exilé.

— Non, qui es-tu ?

— Tu ne reconnais pas Alexandre ?

— Quel Alexandre ?

— Alexandre Menchikof.

— Où est-il donc ?

— Devant tes yeux.

L'officier éclata de rire.

— Bonhomme, tu es fou, lui dit-il.

Menchikof le prit par la main, le conduisit jusqu'à la lucarne qui donnait du jour à la chambre, et, se plaçant dans la lumière :

— Regarde-moi, lui dit-il, et rappelle-toi les traits de ton ancien général.

— Oh ! mon prince ! s'écria le jeune homme, par quelle catastrophe Votre Altesse est-elle dans l'état déplorable où je la vois ?

Menchikof sourit tristement.

— Supprime les titres de prince et d'altesse, dit-il. Né paysan, je suis redevenu un paysan ; Dieu m'avait élevé, Dieu m'a précipité : sa volonté soit faite.

L'officier ne pouvait croire ce qu'il voyait et ce qu'il entendait ; il tournait les yeux dans toutes les directions. Il aperçut alors un jeune paysan, occupé dans un coin à raccommoder, avec des ficelles et du linge, de vieilles bottes déchirées.

Il alla à lui, et, à voix basse en montrant du doigt Menchikof :

— Connaissez-vous cet homme ? lui demanda-t-il.

— Oui, répondit celui auquel il s'adressait : c'est Alexandre Menchikof, mon père. Toi aussi, tu veux nous méconnaître dans notre disgrâce, à ce qu'il me paraît. Il me semble cependant, ajouta-t-il avec amertume, que tu as assez longtemps mangé notre pain pour ne pas nous oublier.

— Silence, jeune homme ! dit gravement le père à son fils.

Puis, se tournant de nouveau vers l'officier:

— Frère, lui dit-il, pardonne à un enfant malheureux son humeur chagrine. Ce jeune homme est effectivement mon fils ; lorsqu'il était tout enfant, tu l'as bien souvent fait sauter sur tes genoux. Et maintenant, voilà mes filles, ajouta-t-il en montrant deux jeunes paysannes couchées à terre et trempant du pain dans une écuelle de bois pleine de lait.

Puis il ajouta avec un triste sourire :

— L'aînée a eu l'honneur d'être fiancée au tzar Pierre II.

Et il raconta à l'officier tout ce qui s'était passé en Russie depuis que celui-ci avait quitté Pétersbourg, c'est-à-dire depuis trois ans.

Puis, lui montrant ses enfants, qui, pendant son récit, s'étaient endormis sur le plancher :

— Voici, lui dit-il avec tristesse, l'unique cause de mon tourment, la seule source de mes douleurs. J'ai été riche, je suis redevenu pauvre et ne regrette pas ma fortune perdue ; rien, pas même ma liberté. Ma misère présente, bien plus, est une expiation de mes fautes passées. Mais mes enfants, que j'ai entraînés avec moi ; mais ces innocentes créatures qui dorment là, quel crime ont-elles commis ? Pourquoi, mon Dieu, les avez-vous enveloppées dans ma disgrâce ? Aussi, du fond de mon âme, j'espère que Dieu, toujours équitable, permettra que mes enfants revoient leur patrie, et qu'ils y rentrent éclairés par l'expérience et sachant se contenter de leur position, si humble que le ciel la leur fasse. Et maintenant, continua-t-il, nous allons nous quitter pour ne plus nous revoir sans doute ; tu retournes près de l'empereur, tu seras reçu par lui ; raconte-lui comment tu m'as trouvé, assure-lui que je ne maudis pas sa justice si sévère qu'elle soit, et ajoute que je jouis aujourd'hui d'une liberté d'esprit et d'une tranquillité de conscience que je ne soupçonnais pas au temps de mes prospérités.

L'officier doutait encore ; mais les soldats de l'escorte lui confirmèrent tous les faits racontés par Menchikof, et il fallut bien alors qu'il se décidât à croire.

Menchikof arriva enfin au lieu désigné pour sa résidence.

Aussitôt arrivé, il se mit à l'oeuvre, bâtit, aidé de ses huit domestiques, une isba plus commode que ne le sont d'ordinaire celles des paysans russes.

Elle se composait de l'appartement du bon Dieu d'abord, c'est-à-dire d'une chapelle, puis de quatre chambres.

Il logeait dans la première avec son fils. Il mit ses filles dans la seconde, les paysans dans la troisième ; enfin, de la quatrième, il fit le magasin des provisions.

Sa fille aînée, celle qui avait été fiancée à Pierre II, était chargée de préparer la nourriture de toute la colonie.

La seconde, qui épousa depuis le fils du duc de Biren, raccommodait les habits, lavait et blanchissait le linge. Le jeune homme chassait et pêchait.

Un ami, dont jamais Menchikof ni ses enfants ne surent le nom, leur envoya, de Tobolsk, un taureau, quatre vaches pleines et des volailles de toute espèce, avec lesquels les proscrits se formèrent une bonne basse-cour.

En outre, Menchikof créa un jardin suffisant à entretenir toute l'année la famille, de légumes.

Chaque jour, en présence de ses enfants et des domestiques, il disait la prière commune dans la chapelle.

Six mois se passèrent, les exilés étant aussi heureux qu'ils pouvaient l'être dans leur malheureuse position.

Mais, tout à coup, la petite vérole fit invasion dans leur famille.

La fille aînée fut la première atteinte. A partir de ce moment, ni jour ni nuit, son père ne la quitta ; mais veilles, soins, attentions, tout fut inutile, et l'on put voir bientôt que la pauvre enfant était mortellement atteinte.

Comme il lui avait tenu lieu de médecin, le pauvre père lui tint lieu de prêtre. Avec le même dévouement qu'il avait mis à essayer de lui conserver la vie, il l'exhorta à la mort. Calme et résignée, elle expira dans les bras de son père.

Menchikof tint pendant quelques minutes son visage

collé à celui de sa fille ; puis, se relevant et se tournant vers ses autres enfants, il leur dit :

— Apprenez, par l'exemple de cette martyre, à mourir sans regretter les choses de ce monde.

Puis, sur le rite grec, il entonna les prières des morts, et, quand vingt-quatre heures furent écoulées, il emporta le corps du lit où l'enfant était morte, et le déposa dans la tombe qu'il avait lui-même creusée dans la chapelle.

Mais, à peine rentrés dans leurs pauvres chambres, le jeune homme et la fille cadette de Menchikof furent attaqués à leur tour de la terrible maladie. Menchikof les soigna avec autant de dévouement, mais avec plus de succès qu'il n'avait fait pour la malheureuse enfant qu'il venait de coucher au tombeau. A peine furent-ils tous deux hors de danger, que ce fut le père qui se coucha à son tour sur le lit de douleur, pour ne plus se relever.

Épuisé de fatigue, miné par la fièvre, sentant qu'il venait d'entrer dans son dernier jour, il appela ses deux enfants près de son lit, et, avec cette sérénité qui ne l'avait pas abandonné depuis le jour de son exil :

— Mes enfants, leur dit-il, je touche à ma dernière heure ; la mort n'aurait rien que de consolant pour moi, si, en paraissant devant Dieu, je n'avais qu'à lui rendre compte des jours passés dans mon exil ; je me séparerais du monde et de vous bien plus tranquille, si je n'avais donné, comme je l'ai fait ici, que des exemples de vertu. Si vous retournez jamais à la cour, ne vous souvenez que des exemples et des préceptes que vous avez reçus de moi dans l'exil. Adieu ! les forces me quittent ; approchez-vous pour recevoir ma bénédiction.

Il voulut étendre les mains en voyant ses enfants s'agenouiller près de son lit; mais, sans qu'il eût le temps de prononcer une seule parole, sa voix s'éteignit, sa tête s'inclina sur son épaule, son corps frémit, agité d'une légère convulsion.

Il était mort.

Menchikof mort, l'officier chargé de la garde de la famille commença d'avoir pour les survivants un peu plus d'égards qu'on n'en avait eu jusque-là. Il les dirigea dans la manière de faire valoir l'établissement fondé par leur père, leur accorda plus de liberté qu'auparavant, et leur permit d'aller de temps en temps entendre l'office divin à Iakoutsk.

Dans une de ces courses, la princesse Menchikof passa devant une pauvre cabane sibérienne, près de laquelle celle qu'avait bâtie son père était un palais. A la lucarne de cette hutte, une tête de vieillard passait avec sa barbe hérissée et ses cheveux incultes.

La jeune fille eut peur et fit un détour pour ne point passer trop près de l'homme effrayant.

Mais sa terreur fut grande quand elle s'entendit appeler par lui, de son double nom de baptême et de famille.

Comme l'appel n'avait rien que de bienveillant, elle s'approcha, regarda plus attentivement cet homme ; mais, ne le reconnaissant point, elle voulut continuer son chemin.

Le vieillard l'arrêta une seconde fois.

— Princesse, dit-il, pourquoi me fuyez-vous ? Doit-on conserver de l'inimitié l'un pour l'autre dans les lieux et dans l'état où nous sommes ?

— Qui es-tu ? lui demanda la jeune fille, et quelle raison aurais-je de te haïr ?

— Est-ce que tu ne me reconnais pas ? demanda le paysan.

— Non, répliqua-t-elle.

— Je suis le prince Dolgorouky, l'ennemi acharné de ton père.

La jeune fille fit un pas vers le vieillard, et, le regardant avec étonnement :

— Effectivement, dit-elle, c'est bien toi ! Et depuis quand, et pour quelle offense envers Dieu et le tzar es-tu ici ?

— Le tzar est mort, répondit Dolgorouky; mort huit jours

après avoir été fiancé à ma fille, que tu vois couchée sur ce banc, comme il avait été fiancé à ta soeur, qui est couchée dans le tombeau. Son trône est occupé aujourd'hui par une femme que nous avons fait venir de Courlande, parce que nous pensions vivre plus heureux sous son règne que sous celui de ses prédécesseurs. Nous nous sommes trompés. Au caprice de son favori, le duc de Biren, elle nous a exilés pour des crimes imaginaires. Pendant tout notre voyage, on nous a traités comme les plus vils criminels ; on nous a laissés manquer du nécessaire, presque mourir de faim. Ma femme est morte en chemin et ma fille se meurt ; mais, malgré la misère où je suis, j'espère vivre assez de temps pour voir à son tour en ce lieu, à cette place, cette femme qui livre la Russie à la rapacité de ses amants.

Cette femme était Anne-Ivanovna, fille de cet imbécile Ivan, qui avait régné quelque temps avec Pierre Ier.

En voyant cette haine de Dolgorouky, en entendant la manière dont elle se manifestait, la jeune princesse eut peur et se retira.

Puis, arrivée à la maison, en présence de l'officier, elle raconta tout à son frère.

Rien ne pouvait être plus agréable au jeune homme qu'un pareil récit : il n'avait point oublié que c'était avec un des fils de Dolgorouky et par le conseil du vieux prince que Pierre II avait fui de Peterhof. Il s'emporta donc à son tour, menaçant le vieillard, et se promettant de le traiter, à la première rencontre, comme, à son avis, il méritait d'être traité.

Mais alors l'officier intervint.

— Souvenez-vous, lui dit-il, des sentiments de miséricorde qui remplissaient le coeur de votre père mourant. Il n'a cessé, jusqu'au moment où sa voix s'est éteinte, de vous recommander l'oubli des injures. Vous lui avez juré, à son lit de mort, de pardonner à vos ennemis ; ne manquez pas à votre serment, d'autant plus, ajouta l'officier, que, si vous persévériez dans votre dessein, je me verrais forcé de vous reprendre le peu de liberté que je vous ai donné.

Le jeune homme écouta ce bon conseil et ne fit rien de ce qu'il avait dit.

Il sembla que Dieu voulût le récompenser.

Huit jours après la rencontre que sa soeur avait faite du vieux Dolgorouky, un ordre de l'impératrice arriva, qui rappelait à la cour les deux seuls survivants de cette malheureuse famille Menchikof.

Le premier soin des deux jeunes gens fut d'aller à l'église d'Iakoutsk pour remercier Dieu.

Ils devaient nécessairement passer devant la cabane de Dolgorouky ; mais ils s'écartèrent le plus qu'il leur fut possible, afin d'éviter la rencontre du vieillard.

Mais celui-ci était à sa fenêtre.

Il les appela.

Les jeunes gens s'approchèrent.

— Puisqu'on vous laisse une lîberté qui m'est refusée, venez à moi, jeunes gens, dit-il, et consolons-nous les uns les autres, par la conformité de notre sort et par le récit de nos malheurs.

Menchikof hésita un instant à se rendre à cette invitation de son ennemi ; mais, le voyant si malheureux :

— J'avoue, lui dit-il, que je conservais de la haine contre toi ; mais, en te retrouvant si misérable, je n'éprouve plus que de la pitié. Je te pardonne donc, comme mon père t'a pardonné ; car c'est peut-être à ce sacrifice qu'il a fait à Dieu de ses mauvais sentiments, que nous devons la grâce que nous fait aujourd'hui l'impératrice.

— Et quelle grâce vous fait-elle ? demanda curieusement Dolgorouky.

— Elle nous rappelle à la cour.

— Ainsi, vous retournez là-bas ? dit Dolgorouky avec un soupir.

— Oui ; et, pour qu'on ne nous fasse pas un crime de l'entretien que nous venons d'avoir avec toi, tu ne trouveras point mauvais que nous nous retirions.

— Quand partez-vous ? demanda Dolgorouky.

— Demain.

— Adieu donc ! dit le vieillard en poussant un soupir. Partez ; mais, en partant, oubliez, je vous en supplie, tous les sujets d'inimitié que vous pouvez avoir contre moi. Songez aux malheureux que vous laissez ici, privés des premières nécessités de la vie, et que vous ne verrez plus. Oh ! je ne dis rien, en parlant de notre misère, qui soit au-dessus de la vérité, et, si vous doutez de mes paroles, regardez mon fils, ma fille et ma bru étendus sur des planches et accablés de maladies qui leur laissent à peine la force de se lever. Allons, un dernier effort de piété ; ne leur refusez pas la consolation de recevoir vos adieux.

Les deux jeunes gens entrèrent dans la hutte, et virent effectivement un spectacle à briser le coeur.

Deux jeunes femmes et un jeune homme, non pas parvenus comme eux, mais de vieille race princière, descendant des anciens souverains de la Russie, étaient couchés, mourants, les unes sur des bancs de bois, l'autre par terre, sur un peu de paille.

Menchikof et sa soeur se regardèrent. Ils sourirent.

Leurs deux coeurs s'étaient compris.

— Écoutez, leur dit le jeune homme, je ne puis rien vous promettre comme influence à la cour, car nous ignorons encore, ma soeur et moi, sur quel pied nous y rentrons. Mais, en attendant, voici ce que nous pouvons faire pour adoucir votre position : nous avons une maison commode, bien pourvue d'approvisionnements, de bestiaux et de volailles ; tout cela nous a été envoyé par des amis inconnus. Eh bien, recevez-le comme nous l'avons reçu, c'est-à-dire de la Providence ; recevez-le avec la même joie que nous vous le donnons, et nous serons fiers, en quittant la Sibérie, de nous dire, ma soeur et moi, que nous avons pu faire quelque chose pour de plus malheureux que nous.

Dolgorouky, les larmes aux yeux, prit les mains de la jeune fille et les baisa.

Les malades se soulevèrent sur leur couche et bénirent les deux jeunes gens.

— Nous partons demain, ajouta le jeune Menchikof ; ainsi, nous ne vous ferons pas attendre longtemps : demain, dès le matin, vous pourrez prendre possession de la maison.

Et tout fut fait comme il avait été dit.

Le lendemain, au point du jour, Menchikof et sa soeur, abandonnant leur maison à Dolgorouky, à son fils, à sa fille et à sa bru, partirent pour Tobolsk, et de Tobolsk gagnèrent Saint-Pétersbourg.

La tzarine, Anne-Ivanovna, les reçut à merveille, s'attacha la princesse Menchikof en qualité de dame d'honneur, et la maria avec le fils du duc de Biren.

Quant à Alexandre, on lui rendit la cinquantième partie des biens de son père et tout l'argent qu'il pouvait avoir placé sur les banques étrangères.

Mais on ne lui rendit pas le château d'Oranienbaum, qui resta attaché au domaine de la couronne, et ne conserva, comme cachet de ses anciens maîtres, que cette gigantesque couronne princière qui surmonte le pavillon principal.

J'oubliais de dire que la jeune princesse Menchikof, devenue duchesse de Biren, conserva précieusement dans un coffre les habits de paysanne sibérienne avec lesquels elle était rentrée à Saint-Pétersbourg, et que, toutes les semaines, le jour où avait eu lieu cette rentrée, elle allait leur faire visite, pour que son coeur restât humble dans cette prospérité, si passagère à toutes les cours, et particulièrement à celle des empereurs de Russie.

XVIII

CHOSES DIFFICILES À DIRE

Ainsi, le château d'Oranienbaum, où je n'avais cru retrouver qu'un souvenir historique, l'arrestation de Pierre III, venait de m'en offrir un second : la chute de Menchikof.

Je ne saurais expliquer l'immense intérêt qu'ont pour moi les choses qui ont vu, ces choses fussent-elles inanimées et insensibles.

C'est que, en effet, pour l'historien poète, rien n'est insensible, rien n'est inanimé. Ce que son imagination voit, se reflète sur les objets qui ont vu, et donne à ces objets des aspects particuliers. Il cherche et trouve sur eux des traces des évènements, qui n'existent probablement pas, mais qui lui apparaissent visibles et parlantes. Un tableau de ces événements, tracé par la main d'un peintre, si habile que soit cette main, lui dirait moins de choses que ces ombres insaisissables qu'il voit flotter au moment où la nuit vient, où le crépuscule s'épaissit, et qui, fantômes de son imagination, deviennent à ses yeux des spectres historiques, accomplissant de nouveau chaque jour, à l'heure où elle s'est accomplie, la catastrophe dont vous venez chercher des vestiges.

Oranienbaum avait été témoin encore, nous l'avons dit, d'une chute plus terrible et plus profonde que celle de Menchikof : c'était celle de Pierre III.

C'est à Oranienbaum que Pierre III fut arrêté, par l'ordre de sa femme Catherine.

Nous sommes sur les lieux où se passa ce drame, assez inconnu, même à la Russie. Racontons comment il s'accomplit.

Élisabeth, la seconde fille de Pierre Ier, était montée sur le trône à l'âge de trente-trois ans, en repoussant du pied le berceau du petit Ivan-Antonovitch, nommé tzar à l'âge de quatre ou cinq mois, sous la régence de sa mère.

C'était, nous l'avons dit, un grand philosophe épicurien que l'impératrice Élisabeth, aimant fort le plaisir ; aussi, de peur qu'un mari ne la gênât, avait-elle résolu de ne pas se marier.

Mais, comme aucun gouvernement n'est stable qu'alors que, sur les marches du trône, on voit non-seulement le souverain régnant, mais encore l'héritier présomptif, Élisabeth fit venir près d'elle son neveu, le duc de Holstein-Gottorp, qu'elle reconnut pour son successeur.

Le jeune duc arriva à Saint-Pétersbourg le 5 février 1742. Il était né le 21 février 1728.

Quoiqu'il n'eût encore que quatorze ans, sa tante Élisabeth s'empressa de lui chercher une femme.

Son choix tomba sur la princesse Sophie d'Anhalt-Zerbst, dont le père, gouverneur de Stettin, eut grand'peine à donner sa fille à l'héritier d'un trône dont on était si peu sûr d'hériter.

Nous disons *Sophie* d'Anhalt-Zerbst, parce que celle qui fut depuis la Sémiramis du Nord, comme l'appelait Voltaire, ne prit ce nom de Catherine, sous lequel elle devint si célèbre, qu'en embrassant la religion grecque.

Elle était née à Stettin le 2 mai 1729 ; elle avait, en conséquence, huit ou neuf mois de moins que son futur mari.

Le mariage fut célébré le 1er septembre 1745.

L'épouse avait seize ans ; l'époux, dix-sept.

L'époux était faible de corps, faible d'esprit ; livrée à des mercenaires, son éducation avait été négligée : il avait le front déprimé, l'oeil atone, la lèvre inférieure un peu pendante.

Il avait encore une autre infirmité sur laquelle nous serons bien obligé de revenir, si difficile qu'il soit d'aborder un pareil sujet.

Catherine, au contraire, avait un charmant esprit, des manières royales, une beauté plantureuse, une fraîcheur de rose ou de pêche ; avec cela un caractère ferme, audacieux, résolu, aventureux, persévérant, tempéré par une grâce parfaite, de l'insinuation, de la complaisance, tout ce qu'il faut, non seulement pour prendre de l'ascendant sur les hommes, mais encore pour le conserver.

Le mariage se fit ; seulement, il ne s'accomplit pas.

Qui s'y opposa ?

Cette infirmité dont nous avons parlé tout à l'heure et qui empêcha, pendant sept ans, Louis XVI d'accomplir son mariage avec Marie-Antoinette.

Le jeune grand-duc avait ce que l'on appelle, en langue médicale, *le frein*.

Les efforts conjugaux du jeune prince furent donc inutiles et n'eurent aucun résultat.

A l'aide d'une très rapide et très légère opération, on pouvait tout amener à bien. Mais le grand duc, qui devait mourir si douloureusement, craignait la douleur et ne voulait pas s'y prêter.

Seulement, ici se présentait un grave embarras.

Au nombre des vieilles coutumes russes, conservées dans la Russie moderne, était celle d'envoyer, dans une cassette aux grands parents, la preuve de la virginité de la jeune épousée.

Cette preuve, Pierre, ou plutôt Catherine, ne pouvait pas la donner, puisqu'elle n'avait pas été le moins du monde épousée.

La jeune femme déclara que, ne voulant pas être soupçonnée, elle déclarerait hautement l'impuissance de son époux.

Pierre eut honte de cette impuissance ; il demanda s'il n'y avait pas quelque moyen de tout concilier.

Une matrone en proposa un bien simple : c'était de sacrifier comme autrefois, un coq à Esculape et de faire, du sang de l'animal, la preuve que ne pouvait fournir l'homme.

Pierre y consentit ; la ruse eut un plein succès près d'Élisabeth ; mais, du premier coup, le grand-duc se trouva sous la dépendance de sa femme.

Elle savait son secret.

Seulement, le but que s'était proposé l'impératrice régnante de créer une dynastie était loin d'être atteint ; au bout de neuf ans de mariage, l'héritier était encore sans héritier.

Cette absence de progéniture tourmentait fort la bonne impératrice Élisabeth, qui ne manquait pas d'enfants, elle, mais qui, décemment, ne pouvait pas les proclamer les successeurs de Pierre III.

Elle s'en plaignit à Catherine, laquelle lui répondit qu'elle ne croyait pas qu'il y eût de sa faute.

L'impératrice se fit donner des explications, et, comme c'était une personne d'un grand entendement, Catherine n'eut point de peine à se disculper devant elle.

Elle fit venir le médecin du jeune grand-duc, et l'invita à faire une démarche près de son illustre client.

La démarche fut inutile. Pierre III, ou plutôt le jeune grand-duc, se trouvait fort bien tel qu'il était et n'éprouvait aucunement le besoin de faire à sa personne un changement, si minime qu'il fût.

Il fallait cependant une postérité au grand-duc, de quelque part qu'elle vînt.

Or, voici comment on raconte que s'y prit la bonne impératrice pour en venir à ses fins.

Le grand-duc avait un favori nommé Soltikof. Ce favori était jeune, bien fait, hardi, entreprenant, homme à bonnes fortunes enfin.

Il paraissait fort épris de la grande-duchesse.

C'était déjà une portion de la besogne faite.

On lui fit comprendre en haut lieu qu'il pouvait présenter ses hommages et qu'on ne le trouverait pas mauvais.

En même temps qu'il recevait cet encouragement de la bouche même de l'impératrice, à ce que l'on assure, le grand chancelier Bestuchef était chargé d'édifier la grande-duchesse sur la nécessité d'avoir un enfant.

Le grand chancelier lui demanda, on ne sait à quel propos, ce qu'elle pensait du comte Soltikof.

Catherine avait l'esprit vif : elle comprit facilement.

— Je n'ai point encore d'opinion bien formée sur lui, dit-elle ; mais amenez-le-moi ce soir.

Neuf mois après, le charme était rompu, et, le 1er octobre 1755, la grande-duchesse accouchait d'un fils qui recevait au baptême le nom de Paul-Petrovitch, c'est-à-dire de Paul, fils de Pierre.

Et, à la rigueur, Pierre pouvait croire que Paul était son fils.

Comment cela ?

C'est ce que nous allons essayer de vous raconter.

Nous disons *essayer*, attendu qu'un pareil récit, vous le comprenez bien, chers lecteurs, ne va pas comme sur des roulettes.

La grande-duchesse enceinte, il fallait sous peine de querelle conjugale, coiffer le jeune grand-duc de cette paternité.

Ce fut encore Soltikof qui se chargea de la commission.

Pierre, à part les plaisirs amoureux, faisait joyeuse vie. Il donnait à souper deux ou trois fois par semaine, et presque toujours le souper dégénérait en orgie.

A l'un de ces soupers, on fit assister plusieurs femmes, de mœurs assez légères pour qu'elles ne s'effarouchassent point de ce qu'on pouvait leur dire et même leur faire.

Seulement, selon son habitude, le grand-duc devait rester spectateur.

Ses jeunes compagnons, et particulièrement Soltikof, lui firent si bien honte de son inaction, que, pressé par eux, il consentit à avoir une nouvelle entrevue avec son chirurgien. Ce consentement donné, on porta au courage du prince de si nombreux toasts, que, ses forces n'égalant pas son courage, il tomba ivre-mort.

Soltikof, qui avait conservé, sinon sa sobriété, du moins sa raison, courut à la porte, introduisit le chirurgien, et l'opération se fit séance tenante, presque sans que le prince s'en aperçût.

Quelques jours après, il était assez complètement guéri pour faire près de la grande-duchesse une seconde tentative conjugale.

Cette tentative réussit d'autant mieux, qu'il n'y avait plus d'obstacle ni d'un côté ni de l'autre.

Mais voyez l'étrange caractère du grand-duc : au lieu d'être satisfait, il se fâcha et courut se plaindre à l'impératrice.

— Mais qu'est-ce donc, lui demanda celle-ci, qu'une certaine cassette que vous m'avez envoyée il y a neuf ans, contenant, selon notre vieille coutume russe, les preuves de votre triomphe conjugal ?

Pierre se tut ; il était pris dans son propre filet. Il s'éloigna complètement de la grande-duchesse et prit pour maîtresse mademoiselle Voronzof, nièce du grand chancelier.

La grossesse de la grande-duchesse suivit son cours malgré la bouderie du grand-duc, et, comme nous l'avons dit, la grande-duchesse, le 1er octobre 1755, accoucha d'un prince, qui fut plus tard cet empereur Paul dont nous vous avons raconté la mort avant de vous raconter sa naissance.

Selon la coutume, la nouvelle et l'heureuse délivrance de la grande-duchesse fut notifiée aux autres puissances.

Le comte Soltikof, qui, en qualité de favori du jeune grand-duc, paraissait prendre la part la plus vive à cette nouvelle. fut chargé de la porter au roi de Suède.

Soltikof partit, comptant bien ne faire qu'aller et revenir.

Mais, comme il revenait, un courrier l'arrêta court.

Il était nommé ministre résident à Hambourg, avec défense de rentrer dans la capitale de toutes les Russies.

Il fallut obéir ; Soltikof se rendit à sa destination.

La grande-duchesse pria, pleura, implora ; mais on avait obtenu d'elle tout ce qu'on voulait obtenir, c'est-à-dire un héritier.

Quelle raison fit prendre en haine à Catherine son fils Paul ? Fut-ce la laideur de l'enfant, qui était inconcevable, venant, des deux côtés, de si brillante source ? On n'en sait rien ; mais, ce que nul n'ignore, c'est que, dès l'enfance du grand-duc, sa mère commença de le haïr.

Une autre tradition plane encore sur la naissance de Paul : c'est qu'il serait un des huit ou neuf enfants de l'impératrice Élisabeth, dont elle aurait forcé la grande-duchesse Catherine d'adopter la maternité ; mais cette version est à la fois peu probable et peu accréditée.

Revenons donc à l'isolement de la pauvre grande-duchesse, séparée de son bien-aimé Soltikof, et à ce qui s'en suivit.

Comme elle était plongée au plus profond de son ennui, intervint le chevalier William, ambassadeur d'Angleterre, homme d'une imagination hardie et d'une conversation séduisante qui, s'approchant d'elle, lui dit :

— Madame, la douceur est le mérite des victimes : les intrigues sourdes et les ressentiments cachés ne sont dignes ni de votre rang ni de votre génie ; la plupart des hommes étant faibles, les caractères décidés sont toujours imposants. En cessant de vous contraindre, en déclarant hautement ceux que vous honorez de vos bontés, en faisant voir, enfin, que vous vous tiendrez offensée de tout ce que l'on fera contre vous, vous vivrez selon vos volontés.

Et il acheva cette harangue en annonçant à la grande-duchesse qu'il lui présenterait le même soir un jeune Polonais nommé Poniatovsky.

Ce jeune Polonais était l'ami intime de sir William, et, comme il était fort beau et que sir William était fort dépravé, on avait tenu, à l'endroit de leur liaison, des propos qui n'étaient à l'avantage ni de l'un ni de l'autre.

En attendant, Stanislas, — c'était le nom de baptême de l'ami de sir William, — en attendant, Stanislas remplissait les fonctions de secrétaire d'ambassade.

Il fut présenté le soir même. L'ambassadeur usait de ses privilèges politiques : on ne pouvait lui refuser sans insulte la porte de la grande-duchesse.

Dès le lendemain, la grande-duchesse eut, avec le beau secrétaire d'ambassade, chez le consul anglais, M. Wrongton, un rendez-vous, où elle vint déguisée en homme.

Sir William veillait sur les deux amants.

Vous voyez que sir William était un homme qui entendait largement ses fonctions d'ambassadeur, et qui ne négligeait rien pour faire, sinon dans le présent, du moins dans l'avenir, des amis à l'Angleterre.

Le lendemain, Stanislas Poniatovsky partit pour Varsovie ; et, afin de n'être pas, à son retour, traité comme Soltikof, il rentra à Saint-Pétersbourg avec le titre de ministre de Pologne.

A partir de ce moment, il était inviolable.

Revenons au grand-duc Pierre ; l'attention que nous avons donnée à la grande-duchesse nous l'a fait, à part le rapport physique, un peu négliger.

C'est un tort que nous allons réparer, en tâchant de donner une idée de ce qu'il était, d'abord comme position suprême, ensuite comme éducation et comme caractère.

Dès la première jeunesse, il avait été souverain du Holstein ; mais, comme réunissant à la fois le sang de Charles XII et de Pierre Ier, il se vit à la fois élu roi de Suède par les états et appelé, par la tzarine, à l'hérédité du trône de Russie.

En choisissant la Russie, il avait fait tomber la couronne sur la tête de son oncle.

Deux siècles avaient travaillé à porter un homme à ce point d'élévation, et une décision du hasard, ou plutôt un mystère de la Providence, qui préparait pour la Russie le règne de Catherine, l'en avait fait naître indigne.

Quant à son caractère, qui présentait deux faces si opposées, il tenait sans doute à l'éducation qu'il avait reçue. Cette éducation avait été confiée à deux gouverneurs d'un haut mérite, mais qui avaient eu le malheur de pétrir leur élève comme une pâte à grand homme. Aussi, lorsqu'il s'agit de le faire passer en Russie, où l'on considérait que Pierre Ier était assez grand homme pour lui et toute sa race, on tira le jeune grand-duc des mains de ses premiers précepteurs, et on le mit aux mains des plus futiles courtisans d'Élisabeth. De là ces aspirations vers les grandes choses, qui, manquant aussitôt d'haleine, se traduisaient par des actes inférieurs et des actions basses. Désireux d'atteindre aux sphères élevées, sa nature infime ne lui permettait de ressembler aux héros qu'il prenait pour exemple que par leurs petitesses et leurs puérilités. Parce que Pierre Ier avait passé par tous les grades de l'armée, Pierre III voulut faire comme lui ; seulement, au lieu de parvenir, comme son aïeul, au grade de général en chef, il s'arrêta à celui de caporal. Il avait la rage de l'exercice à la prussienne. Nous avons vu qu'il avait occupé à cela ses plus doux tête-à-tête avec la grande-duchesse, et, pour ne pas faire murmurer les vieux régiments russes qui avaient conservé fidèlement les traditions de Pierre Ier, on avait abandonné au grand-duc, outre des soldats de plomb et des canons de bois qu'il faisait manœuvrer le soir, de malheureux soldats holsteinois, dont il était le souverain. Sa figure, naturellement ridicule, devint plus ridicule encore sous le costume de Frédéric II, dont il outrait l'imitation. Ses guêtres, qu'il ne quittait jamais, même la nuit, à ce que prétendait Catherine, lui ôtaient les mouvements si nécessaires des genoux et le forçaient de marcher et de s'asseoir tout d'une pièce, comme ces soldats de plomb qui, après les soldats de chair, étaient son plus grand amusement. Un immense chapeau, bizarrement retroussé, couvrait un petit visage laid, d'une physionomie assez vive, et qui parfois pouvait devenir malin, à la manière de celui des singes, dont il semblait avoir étudié, pour les reproduire, les plus capricieuses grimaces.

Ajoutez à tout cela le bruit qui s'était répandu de l'impuissance du grand-duc, bruit que la naissance du prince Paul et la faveur publique de mademoiselle Voronzof n'avaient pu effacer dans l'esprit du public, qui n'avait pas été initié aux mystères chirurgicaux que j'ai révélés à mes lecteurs.

On eut cru, au premier abord, qu'un pareil homme devait laisser sa femme maîtresse de toutes ses actions ; celle-ci le laissait si bien maître de toutes les siennes !

Point : le grand-duc était jaloux.

Une nuit, Poniatovsky tomba dans un piège que Pierre lui avait tendu avec tout le génie militaire dont il était capable.

Poniatovsky, ministre de Pologne, invoqua le droit des gens.

Pierre, au lieu de le faire assassiner comme eut fait le premier souverain venu, ou de le tuer lui-même comme eut fait le premier mari offensé, le déposa au corps de garde, comme eut fait un caporal conduisant sa ronde de nuit.

Puis il dépêcha un messager à l'amant en titre de l'impératrice Élisabeth, pour prévenir celui qui gouvernait momentanément la Russie de ce qui se passait.

Mais, pendant que le courrier remplissait son message, la grande-duchesse, de son côté, venait trouver son mari, et abordait franchement la question des droits mutuels dans un ménage bien organisé, lui demandait de lui laisser son amant, lui promettant de son côté de ne pas le tracasser à l'endroit de mademoiselle Voronzof ; et, comme la maison militaire du grand-duc absorbait son revenu, elle offrit de faire à mademoiselle Voronzof une pension sur sa cassette particulière.

On ne pouvait pas être plus accommodante ; aussi l'offre toucha-t-elle le grand-duc.

Il donna l'ordre de laisser la porte du corps de garde ouverte. Il n'en fallait pas tant à Poniatovsky, qui avait l'habitude de passer par les portes entre-bâillées.

Il s'éclipsa et, par sa fuite, constata la première victoire de Catherine sur son époux.

En général habile, Catherine profita de son succès.

Elle prépara tout dans sa petite cour, qui commençait déjà à se séparer de celle du grand-duc, pour la déchéance de son mari, la substitution de son fils à l'empire, et sa régence à elle.

Seulement, pour arriver à ce but, il fallait deux choses : ou attendre la mort de l'impératrice, ou la décider à déposséder son neveu.

Attendre la mort d'Élisabeth, ce pouvait être long ; la décider à déposséder son neveu, c'était, à coup sûr, chose difficile.

C'était un caractère fort timide et fort irrésolu, que celui de l'impératrice Élisabeth. Un jour qu'elle avait commencé de signer un traité d'alliance avec une cour étrangère, elle refusa d'écrire les quatre dernières lettres de son nom, parce qu'une guêpe s'était posée sur sa plume, ce qu'elle regardait comme un mauvais présage.

Le petit complot n'en allait pas moins son chemin, grâce au grand chancelier Bestuchef, qui était tout à la grande-duchesse. On se souvient que c'était lui qui le premier lui avait dit à l'oreille deux mots de Soltikof.

Tout en conspirant, le chef de la conspiration accoucha d'une fille qui ne vécut que cinq mois.

Par malheur, une cabale de cour renversa le grand chancelier. L'impératrice prit un nouvel amant favorable au malheureux Ivan-Antonovitch, dont nous vous avons déjà parlé, et, par conséquent, défavorable à la combinaison de Catherine.

L'impératrice écrivit au roi de Pologne pour qu'il rappelât son ministre Poniatovsky. Poniatovsky fut rappelé ; sir William passa à une nouvelle ambassade, et tout l'échafaudage des projets de la grande-duchesse s'écroula.

Pour comble d'infortune, elle était publiquement brouillée avec son mari.

Elle tomba dans le plus profond isolement.

On alla jusqu'à lui enlever sa femme de chambre favorite, et la mettre en prison.

Un instant, elle crut tout perdu, et, doutant de son génie, désespérant de sa destinée, elle courut se jeter aux genoux de l'impératrice, lui demandant la permission de se retirer chez sa mère.

Elle allait plus loin : elle laissait le jeune grand-duc, son mari, libre de prendre une autre femme.

L'impératrice éluda.

Alors, Catherine en prit son parti ; elle s'enferma dans une impénétrable obscurité, et y passa les trois dernières années de la vie de l'impératrice Élisabeth.

Enfin, le 5 janvier 1752, M. Keith, successeur de sir William, écrivait à son gouvernement :

« L'impératrice Élisabeth est morte cette après-midi à deux heures. Elle fut prise, dimanche passé, d'une violente hémorragie ; depuis ce moment, on a désespéré de ses jours. Pourtant, quoique faible, elle avait l'usage de tous ses sens. Hier, sentant qu'elle s'en allait, elle envoya chercher le grand-duc et la grande-duchesse, leur fit ses adieux avec une tendresse profonde, et s'exprima avec beaucoup de présence d'esprit et beaucoup de résignation. »

De son côté, l'ambassadeur de France, M. de Breteuil, écrivait :

« L'impératrice, se sentant mourir, fit appeler le grand-duc et la grande-duchesse. Elle recommanda au premier d'avoir de la bonté pour ses sujets, et de rechercher leur amour ; elle le conjura de vivre en bonne intelligence et en union avec sa femme, et finit par s'étendre beaucoup sur sa tendresse pour le jeune duc Paul, disant au père qu'elle lui demandait, comme la marque la plus sensible et la plus sûre de sa reconnaissance pour elle, de chérir son enfant. »

M. le grand-duc promit tout cela.

Quand il monta sur le trône sous le nom de Pierre III, il venait d'atteindre sa trente-quatrième année.

Longtemps maintenu sous une tutelle sévère, il se donna du plein pouvoir à cœur joie.

Il inaugura son règne par le fameux édit qui accordait et qui accorde encore aujourd'hui à la noblesse russe les droits des peuples libres.

À la promulgation de cet édit, l'enthousiasme fut si grand, que l'aristocratie proposa de lui ériger une statue d'or pur, ce qui n'a été fait encore, autant que je puis me le rappeler, pour aucun souverain.

Il est vrai que la proposition n'eut pas de suite.

XIX

PIERRE III

A peine sur le trône, le nouveau souverain donna ordre de frapper monnaie à son effigie.

De la part de Pierre III, ce n'était point par amour-propre.

L'artiste chargé de ce soin présenta son modèle à l'empereur. C'était un graveur idéaliste ; tout en conservant quelque ressemblance avec les traits du tzar, il avait tenté une chose qui n'était pas facile : c'était de leur donner un peu de noblesse.

Une branche des lauriers que devait cueillir le futur vainqueur, ornait déjà la tête et ceignait la chevelure flottante.

Pierre III était réaliste, il ne voulut pas de ce mensonge.

Il repoussa le modèle en disant :

— Je ressemblerais au roi de France.

Et, pour ne pas ressembler au roi de France, il voulut être représenté coiffé en soldat ; ce qui s'exécuta d'une façon si ridicule, que c'était non seulement avec joie, mais encore avec hilarité que l'on recevait les monnaies nouvelles.

En même temps, — chose qui excitait moins de gaieté quoiqu'elle valût mieux, et peut-être même parce qu'elle valait mieux, — il rappela tous les exilés de Sibérie.

Trois alors reparurent qui avaient joué un grand rôle.

Le premier, c'était Biren ; il avait soixante-quinze ans.

Ses cheveux avaient blanchi ; mais le visage de l'homme

terrible qui, pendant neuf années de puissance, avait fait mourir onze mille créatures humaines de mort violente et dans des supplices dont quelques-uns, comme ceux de Phalaris et de Néron, avaient l'avantage d'être inventés par celui qui les appliquait, son visage, disons-nous, était resté rude et sévère. A la mort de sa royale maîtresse, il avait tenté de lui succéder, et, pour donner une victime en expiation à la haine publique, il avait fait exécuter un de ses principaux agents, un bâillon à la bouche, rejetant sur lui toute l'iniquité de ses neuf ans de tyrannie. Colosse aux pieds d'argile, la première attaque tentée contre lui l'avait renversé. Trois semaines d'autorité souveraine lui avaient coûté vingt ans d'exil, et voilà qu'il rentrait vieillard, près de rendre compte à Dieu du sang versé par lui dans cette ville où il avait régné du haut d'un échafaud, et où tous ceux qu'il rencontrait avaient droit de lui reprocher la mort d'un père, d'un fils, d'un frère ou d'un ami !

Le second, c'était Munich, ce même Munich qui l'avait renversé pour mettre sur le trône ce pauvre petit Ivan, âgé de trois mois, et qui paya, lui, son passage au trône, passage si rapide, qu'il fut à peine vu par ses contemporains, qu'il est à peine constaté dans l'histoire, par vingt-trois ans de captivité, dix ans d'idiotisme et une mort terrible. Renversé à son tour, Munich avait tranquillement, on se le rappelle, monté à l'échafaud, où il devait être écartelé, et où il avait reçu sa grâce du même visage qu'il y attendait la mort. Exilé en Sibérie, emprisonné dans une maison perdue au milieu de marais impraticables et pestilentiels, il avait survécu à l'empoisonnement atmosphérique comme il avait survécu à l'échafaud, faisant trembler, du fond de sa prison, les gouverneurs des contrées voisines.

Il revenait à quatre-vingt-deux ans, splendide vieillard, avec une barbe et des cheveux qui, depuis le jour de son exil, n'avaient point été touchés par le rasoir ou les ciseaux. A la porte de Saint-Pétersbourg, il trouva trente-trois de ses descendants qui s'étaient réunis pour le recevoir et qui l'attendaient, et, à cette vue, cet homme, des yeux duquel les plus terribles catastrophes n'avaient pu tirer une larme, fondit en pleurs.

L'empereur eut l'idée étrange, insensée, de rapprocher l'une de l'autre ces deux montagnes aux sommets couverts de neige, ce Chimboraço et cet Himalaya, séparés par un Atlantique de révolutions et de crimes. Il voulut réconcilier ces deux titans qui avaient lutté corps à corps comme Hercule et Antée. Il les fit venir devant lui, pygmée qui ne leur allait pas à la cheville, fit apporter trois verres, et voulut qu'ils trinquassent non seulement avec lui, mais ensemble. Tout à coup, et comme chacun tenait déjà son verre à la main, on vint parler bas à l'oreille de l'empereur. Il but en écoutant ce qu'on lui disait, et sortit pour y répondre.

Eux, alors, se trouvèrent seuls en face l'un de l'autre, se regardèrent avec haine, se sourirent avec dédain, et, reposant chacun leur verre plein sur la table, sortirent par une porte opposée, se séparant cette fois pour ne plus se rencontrer qu'au pied du trône de Dieu.

Puis, après eux, par ordre de date et surtout de mérite, venait ce Lestocq, ce chirurgien auquel l'impératrice Élisabeth avait dû le trône sur lequel elle s'était assise vingt et un ans.

Nous avons déjà raconté son histoire.

Et tout cela revenait, et, en revenant, tout cela remplissait la cour de Pierre III d'ennemis irréconciliables, de graciés avides de rentrer non seulement dans leur patrie, mais encore dans leurs biens ; qui tous allongeaient la main dans le passé pour repêcher, au milieu de l'immense naufrage, un débris de leur fortune. On les conduisait alors dans les magasins immenses où, selon l'usage du pays, sont conservées toutes les confiscations ; alors, chacun cherchait, dans cette poussière de la grandeur des règnes évanouis, ce qui lui avait appartenu : ordres en diamants, tabatières impériales, portraits de souverains, meubles précieux, présents dont autrefois les rois avaient acheté leur conscience, prix de quelques rares dévouements, mais, à coup sûr, de nombreuses lâchetés.

Et, au milieu de ces épaves vivantes, Pierre III trébuchait de fautes en imprudences. Il envoyait au sénat lois sur lois, toutes modelées sur celles de la Prusse, et que l'on appelle encore aujourd'hui le Code Frédéric. Il blessait chaque jour son peuple par des préférences pour des coutumes étrangères ; il fatiguait chaque jour, par des exercices exagérés, les gardes, ces maîtres du trône, modernes prétoriens, qui avaient succédé aux strélitz, et qui, sous les deux règnes de femmes qui avaient précédé celui de Pierre III, avaient pris l'habitude d'un service régulier et tranquille.

Il y avait plus : l'empereur allait les conduire en Holstein, résolu de les employer à venger les injures que, depuis deux cents ans, ses ancêtres recevaient du Danemark. Mais ce qui flattait le plus cet adepte couronné, c'était d'avoir sur sa route une entrevue avec son idole ; c'était, comme un humble adorateur, de baiser la main du grand Frédéric, c'était de mettre aux ordres de ce savant tacticien une armée de cent mille hommes, avec laquelle le fondateur reformerait sa Prusse, encore aujourd'hui si mal taillée, qu'on ne sait, en jetant les yeux sur la carte, comment, géographiquement parlant, peut vivre ce serpent immense, dont la tête touche à Thionville, la queue à Mémel, et qui a une bosse au ventre pour avoir avalé la Saxe.

Il est vrai que la bosse est moderne et date de 1815.

En attendant, le temps se passait en fêtes et en orgies. Ce roi impuissant, ou à peu près, s'entourait de femmes qu'il enlevait à leurs époux pour les livrer à ses favoris. Il enfermait avec ses plus jolies sujettes l'ambassadeur du roi de Prusse, qui ne partageait point, à l'endroit des femmes, la haine de son maître, et, pour qu'il ne fût point dérangé dans ses plaisirs ; il montait la garde à la porte de sa chambre, une épée nue à la main, en répondant au grand chancelier qui se présentait pour un travail :

— Vous voyez bien que c'est impossible ; je suis de faction !

Cinq mois s'étaient déjà écoulés depuis l'avènement au trône de Pierre III, et ces cinq mois n'avaient été qu'un long festin, dans lequel, hommes et femmes, courtisans et courtisanes — Pierre III prétendait que, parmi les femmes, il n'y avait pas de rang — s'enivraient de bière anglaise et de fumée de tabac, sans que, quelque rang que ces dames occupassent, l'empereur leur permît de rentrer chez elles. Et ces repas duraient jusqu'à ce que, brisées de fatigue, de veilles et de plaisirs, elles s'endormissent sur les sofas, au bruit des verres brisés et des chansons mourantes, comme les lumières qui pâlissaient aux clartés du jour.

Mais ce qu'il y avait de pis dans tout cela, c'est qu'à chaque moment il faisait parade de son mépris pour les Russes. Les soldats en plomb, les canons en bois dont on lui avait permis de s'amuser quand il était grand-duc, ne lui suffisaient plus.

Nous avons dit de quelle façon il tourmentait les soldats de chair et d'os depuis qu'il était empereur. Mais ce n'était pas le tout. Maintenant qu'il avait des canons de cuivre, de vrais canons, il voulait que des salves continuelles lui rappelassent le bruit de la guerre.

Un jour, il donna l'ordre qu'on tirât en même temps cent pièces de grosse artillerie. Il fallut — et ce fut chose difficile — pour lui faire passer cette fantaisie, le convaincre qu'à une pareille détonation, pas une maison de la ville ne resterait debout.

Jouet de ses favoris, qui vendaient leur protection près de lui, il en prit deux sur le fait, se fit rendre l'argent qu'ils avaient empoché, les roua de coups, et, le même jour, dîna avec eux, sans qu'ils eussent paru avoir perdu la moindre parcelle de leur crédit.

— C'est ainsi, disait-il, que faisait mon aïeul Pierre le Grand.

Puis, vraie ou fausse, on racontait chaque matin quelque nouvelle qui faisait bruit, éclat, scandale.

Entre autres choses, on disait que l'empereur avait rappelé de Hambourg le comte Soltikof, premier amant de Catherine et que l'on disait être le père du jeune grand-duc Paul, et qu'il le pressait, tantôt par prières, tantôt par menaces, de déclarer sa paternité. Alors, ajoutait-on, cette déclaration faite, il désavouerait celui que la loi de la succession à la couronne lui donnait pour fils. Sa favorite, qui commençait à montrer une ambition démesurée, serait élevée au rang d'impératrice, et Catherine, répudiée. On démarierait en même temps les jeunes femmes de la cour qui avaient des plaintes à faire contre leurs maris, et déjà douze lits, affirmait-on, étaient commandés pour douze noces prochaines.

De son côté, l'impératrice, depuis trois ans isolée et tranquille, avait fait oublier, dans le silence qui l'entourait, le scandale de ses premières amours. Elle affectait une piété qui touchait profondément le peuple russe, dont la religion est tout extérieure ; elle se faisait aimer des soldats en causant avec les sentinelles, en interrogeant les chefs, en leur donnant sa main à baiser. Un soir, elle traversait une galerie obscure, un factionnaire lui présenta les armes.

— Comment m'as-tu reconnue dans la nuit ? lui demanda-t-elle.

— Mère, lui répondit le soldat dans son style oriental, qui ne te reconnaîtrait ? N'éclaires-tu pas les lieux où tu passes ?

Maltraitée par l'empereur chaque fois qu'elle paraissait devant lui, disgraciée publiquement, répudiée de fait, sinon de droit, elle disait à qui voulait l'entendre qu'elle avait à craindre les dernières violences de la part de son époux. Lorsqu'elle paraissait en public, son sourire était celui d'une tristesse résignée ; comme malgré elle, alors, elle laissait couler ses larmes, et, par la pitié qu'elle tentait d'inspirer, elle se préparait une arme pour la lutte qu'elle s'apprêtait à soutenir. Ses partisans secrets — et elle en avait beaucoup — disaient qu'ils s'étonnaient chaque jour de la retrouver vivante encore ; ils parlaient de tentatives d'empoisonnement qui, ayant échoué jusqu'alors par le zèle des personnes qui ne servaient plus l'impératrice que par dévouement, pouvaient, en se renouvelant tous les jours, réussir enfin.

Ces bruits prirent une nouvelle consistance lorsque l'on vit que l'empereur rapprochait de Saint-Pétersbourg ce malheureux Ivan, captif presque dès sa naissance, et lorsqu'on sut qu'il l'avait été visiter dans sa prison.

La démarche, en effet, était significative ; adopté comme son héritier par l'impératrice Anne, chassé arbitrairement et violemment du trône par Élisabeth, Ivan était l'héritier naturel de Pierre, en supposant, ce qui était probable, que Pierre n'eût pas d'héritier.

Aussi était-il facile — de même que le marin, à certains courants d'air traversant l'espace, à certains nuages s'amassant au ciel, reconnaît l'approche de la tempête — aussi était-il facile de reconnaître, au sol mouvant, pour ainsi dire, sous les pieds, qu'un de ces tremblements de terre où un trône chancelle et où une tête couronnée disparaît était imminent. Les conversations n'étaient que plaintes, que murmures, questions timides, mots entrecoupés ; chacun, sentant qu'un tel état de choses ne pouvait durer, cherchait à sonder son voisin et à savoir ce qu'il pensait, pour lui communiquer sa propre pensée. L'impératrice, de chagrine, devenait sérieuse, et peu à peu sa physionomie reprenait ce calme sous lequel les grands cœurs cachent les vastes desseins. Le peuple tressaillait à des bruits semés avec artifice ; les soldats étaient réveillés en sursaut par des tambours invisibles qui semblaient leur dire de se tenir sur leurs gardes ; les cris : « Aux armes ! » retentissaient dans la nuit, poussés par des voix mystérieuses ; alors, dans les corps de garde, dans les casernes, jusque dans les cours du palais, ils s'assemblaient, se demandant les uns aux autres :

— Qu'est-il arrivé à notre mère ?

Mais tous secouaient la tête et répétaient tristement :

— Pas de chef ! pas de chef !

Tous se trompaient ; il y avait un chef, et même deux chefs.

Dans l'armée se trouvait un gentilhomme parfaitement inconnu, possédant quelques paysans esclaves, ayant ses frères soldats dans le régiment des gardes, aide-de-camp lui-même du grand maître de l'artillerie, avec cela d'une belle figure, d'une taille colossale, d'une force prodigieuse : il roulait une assiette d'argent comme un cornet de papier, brisait un verre en écartant les doigts, et arrêtait, par le ressort de derrière, un drojky lancé au grand galop.

Il se nommait Grégoire Orlof, il était le descendant de ce jeune strélitz auquel nous avons vu Pierre Ier faire grâce pendant cette terrible journée où tombèrent deux mille têtes et où quatre mille cadavres se balancèrent aux cordes des gibets.

Ses quatre frères, qui, ainsi que nous l'avons dit, servaient dans le régiment des gardes, se nommaient Ivan, Alexis, Fédor et Vladimir.

Catherine avait remarqué Grégoire. Dès cette époque, la robuste femelle avait pour les beaux hommes ce coup d'œil connaisseur que les maquignons ont pour les bons chevaux.

Une occasion se présenta pour l'impératrice de donner au bel Orlof une preuve de l'intérêt qu'elle lui portait.

Le général dont Grégoire Orlof était l'aide-de-camp se trouvait l'amant de la princesse Kourakine, l'une des plus charmantes femmes de la cour.

Orlof était son amant secret ; — son amant secret, nous nous trompons, car tout le monde connaissait cette liaison, excepté celui qui avait tout intérêt à la connaître.

Une imprudence des amants lui apprit tout.

Orlof, disgracié, s'attendait à être envoyé en Sibérie, quand une main invisible arrêta la punition suspendue au-dessus de sa tête.

Cette main était celle de la grande-duchesse : — Catherine, alors, n'était pas encore impératrice.

Un bonheur ne vient jamais seul. Un soir, une duègne, comme dans les comédies espagnoles, un doigt sur la bouche, fit signe à Orlof de la suivre.

Cette duègne qui, sous le règne de Catherine, jouit d'une certaine célébrité pour la façon discrète dont elle se faisait suivre, et pour la façon mystérieuse dont elle posait, symbole du silence, le doigt sur sa bouche, se nommait Catherine-Ivanovna.

Quand on raconte de pareils drames, il faut nommer jusqu'aux comparses, pour qu'on n'accuse pas l'historien d'être un romancier.

Orlof la suivit donc et fut heureux ; peut-être le mystère ne double-t-il pas le bonheur, mais, au moins, double-t-il la curiosité. Orlof s'habitua assez à sa belle inconnue pour que la connaissance de son rang ne substituât point le respect à l'amour, quand au milieu d'une cérémonie publique, il la reconnut.

Soit conseil de Catherine, soit calcul d'Orlof, la vie du jeune officier resta la même et le secret fut parfaitement gardé.

A la mort du général qui avait voulu le faire exiler, Orlof fut fait trésorier de l'artillerie, place qui lui donnait rang de capitaine, mais, chose bien autrement précieuse, le moyen de se faire des amis, ou plutôt d'en faire à l'impératrice.

Outre cet ami inconnu, Catherine avait une amie inconnue.

C'était la comtesse Daschkof.

La comtesse Daschkof, célèbre elle-même, était la sœur cadette de deux sœurs célèbres.

L'aînée, la princesse Boutourine, avait parcouru l'Europe, et tant soit peu, dans le voyage, émietté son cœur sur les grands chemins.

La seconde était cette même Élisabeth Voronzof, favorite de l'empereur, dont nous avons déjà parlé.

Toutes trois étaient nièces du grand chancelier.

C'était une singulière femme que cette comtesse Daschkof, et qui s'était fait à la cour une grande réputation d'originalité. Dans un pays et à une époque où le rouge entrait comme premier élément dans la toilette d'une femme élégante, et où il était d'un usage si général, que la femme qui mendiait au coin de la borne mendiait avec du rouge ; où la coutume voulait que, parmi les présents qu'un village devait à sa maîtresse, il y eut un pot de rouge, ou, tout au moins, un pot de blanc, elle déclara, à l'âge de quinze ans, qu'elle ne porterait jamais ni blanc ni rouge.

Ce qu'il y a de curieux, c'est qu'elle tint parole.

Un jour, un des plus beaux et des plus jeunes seigneurs de la cour se hasarda de lui adresser quelques mots galants.

La jeune fille appela aussitôt son oncle, le grand chancelier.

— Mon oncle, lui dit-elle, voici M. le prince Daschkof qui me fait l'honneur de me demander en mariage.

Le prince n'osa point démentir la jeune comtesse, ils furent mariés.

Il est vrai que le mariage tourna mal.

Son mari, au bout d'un mois ou deux de ménage, l'envoya à Moscou.

Mais son esprit était connu. On ne s'amusait pas toujours à la cour de Pierre III ; Élisabeth en parla au grand-duc, qui la fit venir.

Par malheur pour le grand-duc, c'était un esprit fin, délicat et charmant, que celui de la jeune princesse ; la tabagie au milieu de laquelle vivait sa sœur la dégoûta. La figure solitaire, grave et pensive de l'impératrice la séduisit. Ce fut à elle qu'elle fit sa cour, mais cour discrète, invisible, muette, qui finit par porter jusqu'à la passion sa tendresse pour Catherine et lui faire tout sacrifier, même sa famille.

Voilà quels étaient les deux confidents de l'impératrice, quels étaient les deux leviers avec lesquels elle s'apprêtait à soulever tout ce monde mouvant dont nous avons parlé.

Il y avait deux personnages dont il était avant tout nécessaire de s'assurer.

C'était, d'abord, le colonel du régiment Ismaïlof, dont, grâce à la caisse qu'il administrait, Orlof avait déjà gagné deux compagnies.

C'était, ensuite, le gouverneur du jeune grand-duc Paul.

Le colonel était le comte Cyrille Razoumovski, frère de ce Razoumovski qui, de simple chantre, était devenu le favori, puis l'amant de l'impératrice Elisabeth. Orlof alla droit à lui et en obtint la promesse de se mettre aux ordres de l'impératrice dès que l'impératrice le demanderait.

Quant au comte Panine, la négociation fut plus compliquée ; c'était ce comte Panine dont nous avons déjà parlé.

Par bonheur, il était amoureux fou de la comtesse Daschkof.

Mais celle-ci lui avait tenu rigueur, non point par sagesse — lorsqu'une femme se fait conspiratrice, elle ne doit point avoir de préjugés — mais parce que, le comte Panine ayant été l'amant de sa mère à l'époque de sa naissance, elle était persuadée qu'elle était la fille du comte.

Et, cependant, il fallait obtenir de Panine qu'il laissât Catherine se faire, non pas régente, mais impératrice.

La princesse Daschkof se sacrifia, et l'aventure, qui eut pu finir comme la *Myrrha* d'Alfieri, finit comme un vaudeville de Scribe.

Ce fut un Piémontais, grand philosophe, qui opéra ce dénouement peu moral, mais très politique.

On lui avait offert des places et des honneurs ; mais lui, matérialiste au premier chef, avait répondu :

— Je veux de l'argent.

Il avait coutume de dire :

— Je suis né pauvre, j'ai vu qu'il n'y avait au monde que

l'argent de considéré, j'en veux avoir ; pour en avoir, je mettrais le feu aux quatre coins de la ville et même du palais ; quand j'en aurai, je me retirerai dans mon pays et vivrai honnête homme, tout comme un autre.

Et ce grand philosophe, l'événement arrivé, se retira avec son argent dans son pays, et, en effet, y vécut honnête homme.

Arrivés à ce point, les conspirateurs pensèrent qu'il était temps d'agir.

Le moment était bon : l'empereur s'apprêtait au départ ; il allait combattre les Danois. On l'avait vu à genoux devant le portrait du grand Frédéric comme devant une image sacrée, et, en tendant les mains vers ce portrait, s'écrier :

— A nous deux, mon maître, nous conquerrons le monde !

Pour arriver au résultat ambitionné par Catherine, il y avait deux moyens : un assassinat, une déposition.

Un assassinat était sûr et facile ; mais Catherine, nature tout intelligente, tout impressionnable, toute sensuelle, y répugnait. Un capitaine des gardes, nommé Passek, entré jusqu'au cou dans la conspiration, homme d'exécution avant tout, s'était jeté aux genoux de l'impératrice et lui avait demandé son aveu pour poignarder Pierre III ; ce qu'il s'engageait à faire en plein jour, à la tête de ses gardes.

L'impératrice le lui avait formellement défendu ; mais il n'avait tenu compte du refus, et deux fois, accompagné d'un de ses amis nommé Barchekof, il avait failli mettre son projet à exécution, pendant une des promenades que Pierre III avait l'habitude de faire vers ce point isolé et solitaire alors de Saint-Pétersbourg, où s'élève cette petite maison que nous avons visitée, et que le charpentier impérial s'était bâtie de ses propres mains.

D'un autre côté, des ingénieurs d'un nouveau genre, conduits par le comte Panine, avaient été reconnaître l'appartement de l'empereur, sa chambre à coucher, son lit et les dépendances les plus secrètes.

Le premier projet était de pénétrer la nuit chez lui, comme on fit, plus tard, chez Paul Ier, et de le poignarder s'il refusait de signer son abdication ; s'il abdiquait de bonne grâce, il sauvait sa vie, pour un moment du moins.

En attendant, l'empereur était à ce même Peterhof que nous avons essayé de décrire. L'impératrice, qui, en restant à Saint-Pétersbourg, pouvait donner des soupçons, l'avait suivi à la résidence ; seulement, elle habitait un pavillon séparé, correspondant, par un canal, avec le golfe de Finlande, canal par lequel elle pouvait fuir et se retirer en Suède.

A la première fois que Pierre III rentrerait dans son palais de Saint-Pétersbourg, la conspiration devait éclater ; mais Passek, toujours emporté, toujours pressé, toujours impatient, eut l'imprudence de parler du complot devant un soldat : le soldat alla dénoncer son chef, et Passek fut arrêté.

Une précaution du Piémontais Odard sauva tout, au moment où l'on pouvait craindre que tout ne fût perdu.

Chaque conjuré avait à sa suite un espion, placé par cet homme d'une si profonde intelligence.

Il fut prévenu à l'instant même de l'arrestation de Passek.

C'était le 8 juillet 1762, à neuf heures du soir, que Passek avait été arrêté. A neuf heures et demie, Odard savait l'arrestation ; à dix heures moins un quart, la princesse Daschkof en était instruite ; à dix heures, Panine était chez elle.

La princesse, en femme qui ne doute de rien, proposa d'agir à l'instant même. On soulevait la garnison de Saint-Pétersbourg, et l'on marchait sur Peterhof.

Mais Panine, plus craintif, objecta deux choses : la première, qu'un éclat précipité perdrait tout, et que, réussit-on à soulever Saint-Pétersbourg, ce ne serait qu'un commencement de guerre civile, attendu que l'empereur avait près de lui une ville de guerre, Cronstadt, et trois mille hommes de ses troupes particulières du Holstein, sans compter toutes les troupes qui défilaient pour joindre l'armée ; — la seconde, que l'impératrice, absente, enlevait à la conspiration toute sa force, puisque, pour soulever la garnison, il y avait un besoin absolu de sa présence.

Il était donc d'avis d'attendre et de se régler, le lendemain, sur les événements.

Et, ayant dit, il alla se coucher.

Il était minuit.

La princesse Daschkof — elle avait dix-huit ans — s'habille en homme, part seule de sa maison, va sur un point qu'elle savait être le rendez-vous ordinaire des conjurés. Orlof y était avec ses quatre frères. Elle leur annonce l'arrestation de Passek et leur propose d'agir à l'instant. Tous acceptent avec transport. Alexis Orlof, simple soldat, qu'une cicatrice au milieu du visage avait fait appeler le Balafré, homme d'une force, d'une agilité et d'une résolution prodigieuses, est envoyé à l'impératrice avec un billet qu'il doit avaler s'il est surpris, et qui ne contient que ces mots :

« Venez ! le temps presse ! »

Les autres devaient préparer le soulèvement, et ménager, en cas d'insuccès, des moyens de fuite à l'impératrice.

A cinq heures du matin, Orlof et son ami Bibikof chargèrent chacun un pistolet, l'échangèrent mutuellement, se jurant que, même dans le plus extrême péril, ils ne feraient point usage de cette arme, mais la réservaient, si l'entreprise venait à manquer, pour se donner réciproquement la mort.

La comtesse Daschkof ne prépara rien pour elle, et, quand on lui demanda quel genre de mort elle choisirait, elle répondit :

— Je n'ai pas besoin de m'occuper de cela ; ce sera l'affaire du bourreau et non la mienne.

L'impératrice, on le sait, était à Peterhof.

Elle s'était logée dans un pavillon isolé, bâti sur un canal. Ce pavillon, nous l'avons dit, communiquait par ce canal avec la Baltique. Un canot amarré sous les fenêtres n'attendait qu'un signal pour prendre la mer.

Quant à l'empereur, il était à Oranienbaum.

Depuis longtemps, Grégoire Orlof, dans ses visites de nuit à l'impératrice, se faisait accompagner de son frère Alexis. La chose avait un double but : d'abord, Alexis veillait sur la sûreté de son frère ; ensuite, il se familiarisait avec les tours et les détours du parc impérial.

Il arriva donc jusqu'à l'impératrice, employant les mêmes mots d'ordre que son frère employait pour y arriver lui-même, et pénétra jusque dans la chambre à coucher.

Catherine s'éveilla en sursaut et vit Alexis au lieu de Grégoire.

Elle jeta un cri de surprise.

— Qu'y a-t-il ? demanda-t-elle.

Alexis lui tendit le billet qu'il était chargé de lui remettre. Elle le prit, l'ouvrit et y lut ces mots :

« Venez ! le temps presse ! »

Elle leva les yeux pour demander une explication, Alexis avait déjà disparu.

L'impératrice s'habilla, descendit, et se hasarda de faire quelques pas dans le jardin.

Arrivée là, elle attendait tout éperdue, ne sachant où aller, quand un cavalier vint à elle au grand galop.

Ce cavalier, c'était Alexis.

— Voilà votre voiture, lui dit-il en lui montrant une voiture tout attelée qui venait au grand trot.

L'impératrice courut au-devant de la voiture, tenant le bras de sa confidente Catherine-Ivanovna.

Depuis deux jours, sur l'ordre de la princesse Daschkof, cette voiture attendait dans une ferme voisine. Dans le cas où l'impératrice s'en fût servie pour fuir, au lieu de s'en servir pour aller à Saint-Pétersbourg, il y avait des relais prêts et assurés jusqu'à la frontière.

La voiture, attelée de huit chevaux des steppes, était conduite par deux postillons moujiks, ignorant qui ils conduisaient.

— Mais enfin où vais-je ? demanda Catherine en montant dans la voiture.

— A Saint-Pétersbourg, répondit Alexis, où tout est prêt pour vous proclamer.

Au reste, en écrivant ces lignes, nous avons sous les yeux une lettre de Catherine à Poniatovski. Dans cette lettre, elle raconte elle-même sa fuite.

Laissons-la parler. La lettre est curieuse, et fort inconnue. Nous ajouterons au récit ce qu'elle aura jugé à propos d'omettre.

« Je me trouvais presque seule à Peterhof avec les femmes qui me servaient, oubliée de tout le monde en apparence. Mes journées étaient très inquiètes, sachant ce qui se tramait pour et contre moi. Le 28 juin, à six heures du matin, Alexis Orlof entre dans ma chambre, m'éveille, me présente un billet et me dit de me lever, que tout est prêt. Je lui demande des détails. Il disparaît.

» Je n'hésite pas. Je m'habille au plus vite, sans faire de toilette. Je descends, je monte dans un carrosse ; il y monte après moi. Un autre officier était, en guise de valet, à la portière. Un troisième vint au-devant de moi à quelques verstes de Saint-Pétersbourg.

» A cinq verstes de la ville, je rencontrai l'aîné des Orlof avec le prince Bariatinsky, le cadet. Celui-ci me céda sa place dans la chaise, car mes chevaux étaient rendus, et nous allâmes débarquer dans les casernes du régiment Ismaïlovitch. Il n'y avait que douze hommes et un tambour, qui se mit à battre l'alarme. Voilà les soldats qui arrivent et qui me baisent les pieds, m'embrassent les mains et l'habit, me nommant leur sauveur. Deux amènent un prêtre par-dessous les bras, avec la croix, et se mettent à prêter serment. Cela fait, l'on me prie de monter dans un carrosse. Le prêtre, avec la croix, marchait devant. Nous allâmes au régiment de Semeionovsky ; celui-ci vint au-devant de nous en criant : « Vivat !... » Nous allâmes à l'église de Kasan, où je descendis. Le régiment de Préobrajensky arriva en criant, lui aussi : « Vivat ! » et en me disant :

» — Nous vous demandons pardon d'être venus les derniers : nos officiers nous ont retenus ; mais en voilà quatre que nous avons arrêtés pour vous prouver notre zèle, car nous voulons aussi ce que nos frères veulent.

» La garde à cheval arriva après. Celle-ci était dans une fureur de joie que je n'avais jamais vue. Ils criaient à la délivrance de leur patrie. Cette scène se passait entre le jardin de l'Hetman et la Kasausky. La garde à cheval était en corps, les officiers à la tête. Comme je savais que mon oncle, le prince Georges, à qui Pierre III avait donné ce régiment, en était horriblement haï, j'envoyai des gardes à pied chez mon oncle pour le prier de rester dans sa maison, de peur d'accident pour sa personne. Point du tout, son régiment avait déjà détaché quelqu'un pour l'arrêter. On pilla sa maison, on le maltraita. J'allai au nouveau palais d'hiver, où le sénat et le synode étaient assemblés. On dressa à la hâte le manifeste et le serment.

» De là, je descendis et fis à pied le tour des troupes : il y avait plus de quatorze mille hommes, grades et régiments de campagne. Dès qu'on me voyait, c'étaient des cris de joie qu'un peuple innombrable répétait. J'allai au vieux palais d'hiver pour prendre les mesures nécessaires et achever. Là, nous nous consultâmes, et il fut résolu que j'irais, à la tête des troupes, à Peterhof, où Pierre III devait dîner. Il y avait des postes posés sur tous les chemins, et, de moment en moment, on nous amenait des langues. J'envoyai l'amiral Tabésine à Cronstadt. Arrive le chancelier Voronzof, pour me faire des reproches sur mon départ de Peterhof ; on l'amena à l'église pour me prêter serment ; ce fut ma réponse. Ensuite, arrivèrent le prince Troubetzkoï et le comte Alexandre Schouvalof, aussi arrivant de Peterhof, pour s'assurer des régiments et pour me tuer ; on les mena aussi prêter serment et sans aucune violence.

» Après avoir expédié tous nos courriers et pris toutes nos précautions, vers dix heures du soir, je me mis en uniforme des gardes, m'étant fait proclamer colonel avec des acclamations inexprimables ; je montai à cheval, et nous ne laissâmes que peu de monde de chaque régiment, pour la garde de mon fils, qui était resté à la ville.

» Je sortis ainsi à la tête des troupes, et nous marchâmes toute la nuit vers Peterhof. Arrivés au petit monastère, le vice-chancelier Galitzine me vint apporter une lettre très flatteuse de Pierre III ; j'oubliais de dire qu'en sortant de la ville, trois soldats, envoyés de Peterhof pour répandre un manifeste dans le peuple, me le donnèrent en disant :

» — Tiens, voilà ce dont Pierre III nous a chargés ; nous te le donnons à toi, et nous sommes bien aises d'avoir cette occasion de nous joindre à nos frères.

» Après donc cette première lettre de Pierre III, il m'en arriva une seconde, portée par le général Michel-Ismaïlof, qui se jeta à mes pieds et me dit :

» — Me comptez-vous pour un honnête homme ?

» Je lui répondis :

» — Oui.

» — Eh bien, me dit-il, il y a plaisir d'être avec des gens d'esprit. L'empereur s'offre à résigner, je vous l'amènerai après sa résignation très libre : j'épargnerai une guerre civile à ma patrie.

» Je le chargeai sans difficulté de cette commission, et il alla la faire.

» Pierre III renonça à l'empire à *Oranienbaum, en toute liberté, entouré de quinze cents témoins*, et vint à Peterhof, avec Élisabeth Voronsof, Godovielz et Michel-Ismaïlof, où, pour la garde de sa personne, je lui donnai cinq officiers et quelques soldats : c'était le 29 juin, jour de la Saint-Pierre, à midi. Tandis que l'on préparait à manger pour tout le monde, les soldats s'imaginèrent que Pierre III était amené par le feld-maréchal prince Troubetzkoï, et que celui-ci tâchait de faire la paix entre nous deux ; les voilà qui chargent tous les passants, entre autres l'Hetman, les Orlof et plusieurs autres, de dire qu'il y a trois heures qu'ils ne m'ont vue, et qu'ils meurent de peur que ce vieux fripon de Troubetzkoï ne me trompe en faisant une paix simulée entre mon mari et moi, et qu'on ne me perde, moi et les autres.

» — Mais, criaient-ils, nous les mettrons en pièces.

» C'étaient leurs expressions. Je m'en allai parler à Troubetzkoï, et lui dis :

» — Je vous prie, mettez-vous en carrosse, tandis que je ferai à pied le tour de ces troupes.

» Je lui contai tout ce qui se passait ; il s'en alla en ville tout effrayé, et, moi, je fus reçue avec des acclamations inouïes ; après quoi, j'envoyai, sous le commandement d'Alexis Orlof, suivi de *quatre officiers choisis* et d'un détachement *d'hommes doux et raisonnables*, l'empereur déposé à vingt-sept verstes de Peterhof, dans un endroit appelé *Ropcha, très écarté, mais très agréable*, tandis que l'on préparait des chambres *honnêtes et convenables* à Schlusselbourg, et qu'on eut le temps de mettre pour lui des chevaux en relais. Mais le bon Dieu en disposa autrement. La peur lui avait donné *un coup de ventre* qui dura trois jours et *s'arrêta au quatrième.* Il but excessivement ce jour-là, car il avait tout ce qu'il voulait, hors la liberté. Il ne m'a cependant demandé que sa maîtresse, son chien, son nègre et son violon. Mais, crainte de scandale et pour ne pas augmenter la fermentation dans les esprits, je ne lui envoyai que les trois dernières choses. La *colique hémorroïdale* lui reprit, avec le transport au cerveau. Il fut deux jours dans cet état, d'où s'ensuivit une grande faiblesse, et, malgré les secours des médecins, il rendit l'âme en demandant un prêtre luthérien. Je craignis que les officiers *ne l'eussent empoisonné, tant il était haï.* Je le fis ouvrir, et il est certain que l'on n'en trouva point la moindre trace. Il avait l'estomac très sain, mais l'inflammation dans les boyaux, et *un coup d'apoplexie* l'avait emporté. Son cœur était d'une petitesse extrême et tout flétri. »

Voilà le récit officiel que se donna la peine d'écrire elle-même la grande Catherine pour son amant et pour son empire, pour Poniatovski et pour la Russie.

Voilà ce qu'il fut permis de dire et de croire sous son règne, et même jusqu'à la fin du règne de l'empereur Nicolas.

Maintenant, voici ce qui s'est passé. Opposons le récit de l'histoire à celui de la grande actrice couronnée qui a pu mettre un instant, sur les yeux du XVIIIe siècle, le bandeau que lui a, lambeau par lambeau, arraché le siècle suivant.

Comme elle le dit, Catherine était emportée au grand galop de ses huit chevaux. Sur la route, elle rencontra un valet de chambre français pour lequel elle avait toute sorte de condescendance, et qui, selon toute probabilité, était son confident, comme Catherine-Ivanovna était sa confidente. Il venait pour l'heure de sa toilette. Il ne comprit rien à ce qu'il voyait et crut qu'on enlevait l'impératrice par ordre de Pierre III ; mais elle, passant la tête, lui cria :

— Suivez-moi, Michel !

Michel la suivit, croyant l'accompagner en Sibérie.

Ce fut ainsi que Catherine, partie sur l'ordre d'un soldat, menée par des moujiks, accompagnée de son amant, escortée de sa femme de chambre et de son coiffeur, franchit, entre sept et huit heures du matin, la porte de sa future capitale.

Ici, le récit de l'impératrice se rapproche assez de la vérité pour que nous n'ayons pas besoin de le rectifier.

La révolution s'était accomplie sans que nul songeât à en avertir l'empereur. Comme le dit Catherine dans son récit, chacun s'était empressé de se rallier à elle. Seul, un homme nommé Bressan, perruquier de Pierre III, songea à son maître. Il prit un valet sur lequel il pouvait compter, l'habilla en paysan, le hissa sur une charrette de maraîcher et l'expédia à Oranienbaum, avec un billet qu'il ne devait remettre qu'à l'empereur lui-même.

Pendant ce temps, un officier courait, par ordre de l'impératrice, avec une escorte nombreuse, chercher le jeune grand-duc, couché dans un autre palais. L'enfant se réveilla comme s'était réveillé une nuit le petit Ivan, environné de soldats. L'impression sur lui fut profonde, et son gouverneur Panine, ne pouvant calmer le tremblement dont le jeune prince était saisi, l'apporta à sa mère, vêtu de ses habillements de nuit. Alors, elle le prit ; elle avait encore besoin de la protection de cet enfant, qui était l'héritier légitime de la couronne. Elle le prit et le porta au balcon. A sa vue, les hourras retentirent, les bonnets volèrent en l'air, et l'on commença de crier : « Vive Paul Ier ! » En ce moment, la foule repoussée s'ouvrit sans tumulte. Un cortège funéraire s'avançait. On murmurait tout bas ce mot : « L'empereur ! l'empereur ! » Un pompeux et sombre enterrement passa. Il avait déjà traversé les principales rues de Saint-Pétersbourg, il franchit la place du Palais, au milieu d'un profond silence et s'éloigna. Des soldats vêtus de casaques de deuil portaient des flambeaux aux côtés du catafalque. Et pendant que ce cortège, attirant à lui l'attention universelle, se perdait du côté opposé à celui par lequel il était entré, on fit disparaître le jeune grand-duc, auquel personne ne pensa plus.

Quel était ce mort porté en terre avec tant d'honneurs ? Nul ne le sut jamais, et, lorsqu'on s'en informa à la princesse d'Aschkof, elle se mit à rire en disant :

— Avouez que nous avions bien pris nos précautions.

Cet épisode eut deux résultats : faire oublier le jeune grand-duc ; préparer le peuple à la mort de l'empereur.

En somme, une véritable armée, pleine d'enthousiasme, enveloppait le palais. Mais à cet enthousiasme se joignait une crainte habilement entretenue par les amis de Catherine. On disait tout bas que douze assassins étaient partis d'Oranienbaum, après avoir fait serment à l'empereur de tuer l'impératrice et son fils. Les soldats croyaient leur mère, comme ils l'appelaient, trop exposée dans ce vaste palais, baigné d'un côté par la rivière, ouvrant de l'autre ses vingt portes sur la place ; ils demandaient à grands cris qu'on la fit passer dans un palais qu'ils pussent envelopper de tous côtés.

L'impératrice y consentit, traversa la place au milieu des cris de joie et des protestations de dévouement, et s'en alla dans un petit palais de bois, qui fut à l'instant même enveloppé d'un triple cordon de baïonnettes.

Tous ces soldats avaient jeté aux orties leurs habits à la prussienne et revêtu leur ancien uniforme. On leur distribuait à satiété le *qvass* et le vodka.

De temps en temps, de grandes clameurs s'élevaient dans les rangs : c'était quand venait se joindre à ses compagnons quelque soldat qui n'avait pas encore eu le temps de dévêtir son uniforme à la prussienne : alors, on lui mettait son uniforme en lambeaux et l'on faisait de son bonnet un ballon qui rebondissait de main en main.

Vers midi, le clergé russe arriva. On sait ce que c'est que le clergé russe — la corruption faite homme — mais la corruption avec une tête superbe, une barbe vénérable, des costumes splendides.

La religion venait sacrer l'usurpation, en attendant qu'elle sacrât le meurtre. Elle a joué plus d'une fois ce rôle.

Le clergé, faisant porter derrière lui les ornements du sacre : la couronne, le globe impérial, les livres antiques, traversa lentement et majestueusement toute cette armée, à laquelle sa vue imposait le silence du respect, et entra chez l'impératrice.

Un quart d'heure après, on annonça au peuple que l'impératrice venait d'être sacrée sous le nom de Catherine II.

Au milieu des acclamations qui accueillirent cette nouvelle, Catherine sortit à cheval et avec l'ancien uniforme des gardes.

Alors, ce ne fut plus de l'enthousiasme, ce fut de la frénésie ; elle avait fait tout faire d'avance à sa taille, uniforme et armes.

Une seule chose manquait à son épée : une dragonne.

— Qui me fera cadeau d'une dragonne ? demanda-t-elle.

Cinq officiers s'apprêtèrent à détacher la dragonne de leur sabre pour la donner à l'impératrice ; un jeune lieutenant, plus leste que les autres, s'élança, et présenta à Catherine l'objet demandé.

Puis, saluant l'impératrice avec son épée, il voulut s'éloigner.

Mais il avait compté sans son cheval ; l'animal, soit entêtement, soit habitude de l'escadron, s'obstina à serrer le flanc du cheval de l'impératrice. Catherine vit les efforts impuissants que faisait le cavalier ; elle jeta les yeux sur lui, s'aperçut qu'il était jeune et beau ; elle lut dans son regard l'amour, l'enthousiasme, le dévouement.

— Votre cheval a plus de raison que vous, dit-elle ; il tient à faire la fortune de son maître. Comment vous nommez-vous ?

— Potemkine, Majesté.

— Eh bien, Potemkine, restez près de moi ; vous me servirez aujourd'hui d'aide de camp.

Potemkine salua et n'essaya plus d'éloigner son cheval.

C'était ce même Potemkine qui fut, dix-huit ans plus tard, le tout-puissant ministre et l'amant de Catherine II.

XX

CATHERINE LA GRANDE

L'impératrice rentra au palais, et dîna près d'une fenêtre ouverte, tandis que les troupes défilaient.

Plusieurs fois, elle leva son verre, paraissant boire à la santé des soldats, qui répondaient à ce toast par des acclamations.

Son repas fini, elle remonta à cheval et se mit à la tête de l'armée.

De Potemkine, il ne fut plus question. Un mot d'Orlof l'avait éloigné, et le jeune lieutenant avait, de son côté, compris qu'il fallait, pour rapprocher un bas officier d'une impératrice, un service plus important qu'une dragonne offerte et acceptée.

Mais, soyez tranquille, nous le verrons reparaître, et, cette fois, ce sera pour rendre un service plus grand.

Ce sera pour aider à étrangler Pierre III.

Maintenant, laissons l'impératrice entrer en campagne, et jetons les yeux sur le château d'Oranienbaum.

On sait que c'était à Oranienbaum qu'habitait l'empereur. Seulement, comme on était arrivé au 29 juin, jour de la Saint-Pierre, l'empereur avait décidé qu'il irait fêter cette solennité au château de Peterhof.

Il était dans la plus profonde sécurité.

On lui avait annoncé l'arrestation de Passek ; mais, à cette nouvelle, il s'était contenté de répondre :

— C'est un fou !

Le matin, pour mettre à exécution son projet, il était parti d'Oranienbaum dans une grande voiture découverte avec sa maîtresse, son inséparable compagnon le ministre de Prusse et un choix des plus jolies femmes de sa cour.

Tandis que l'on s'acheminait gaiement vers Peterhof, à Peterhof tout le monde était profondément triste.

Au jour, on s'était aperçu de l'évasion de l'impératrice.

On l'avait inutilement cherchée de tous côtés, jusqu'à ce qu'une sentinelle déclarât qu'à quatre heures du matin, elle avait vu deux dames sortir du parc.

Au reste, ceux qui arrivaient de Saint-Pétersbourg, en étant partis avant l'arrivée de Catherine et la révolte des troupes, annonçaient que tout y était parfaitement calme.

Cependant la nouvelle de la fuite de l'impératrice parut une chose assez grave pour être transmise à Pierre III.

Un chambellan partit pour Oranienbaum.

A deux ou trois verstes du château, il rencontra un aide de camp de l'empereur, nommé Goudovitch, lequel le devançait en courrier.

Le chambellan transmit à celui-ci la nouvelle dont il était chargé, aimant mieux que l'empereur l'apprît d'une autre bouche que de la sienne.

L'aide de camp fit tourner bride à son cheval, et partit à fond de train.

Il joignit l'empereur, et fit presque de force arrêter la voiture.

Et, comme l'empereur donnait l'ordre aux postillons de continuer, l'aide de camp s'approcha de son oreille, et lui dit tout bas :

— Sire, l'impératrice s'est enfuie cette nuit de Peterhof ; on la croit à Saint-Pétersbourg.

— Oh ! la bonne folie ! dit l'empereur.

Mais l'aide de camp, plus bas encore, ajouta quelques mots qui ne furent entendus de personne.

L'empereur pâlit.

— Qu'on me laisse descendre, dit-il.

On lui ouvrit la portière, et il descendit.

On remarqua que ses genoux tremblaient.

Il s'appuya au bras de l'aide de camp, et le questionna avec une grande vivacité.

Puis, comme on était en face d'une porte du parc qui était ouverte :

— Descendez, mesdames, dit-il, et allez droit au château ; je vous y rejoins, ou plutôt je vous y précède.

Les dames obéirent tout effarées. Elles n'avaient entendu que quelques mots sans suite, et se perdaient en conjectures.

L'empereur remonta dans la voiture vide avec Goudovitch, ordonna à celui-ci de galoper à la portière, et au cocher de le conduire à fond de train au château.

En y arrivant, il courut droit à la chambre de l'impératrice, comme si tout ce que l'on avait pu lui dire ne l'avait point persuadé, la chercha de tous côtés, regarda sous le lit, ouvrit les armoires et sonda avec sa canne le plafond et les boiseries.

Au milieu de cette occupation, il vit accourir sa maîtresse et les jeunes femmes qui lui faisaient une espèce de cour.

— Ah ! je vous le disais bien, s'écria-t-il avec un emportement mêlé de terreur, je vous le disais bien, qu'elle était capable de tout !

Tout le monde gardait un profond silence, car tout le monde se doutait que la situation, encore inconnue, encore obscure, était des plus graves.

On en était là, chacun se regardant avec anxiété, lorsqu'on annonça qu'un jeune laquais français, qui arrivait de Saint-Pétersbourg, pourrait donner des nouvelles de l'impératrice.

— Qu'il vienne ! dit vivement Pierre III.

Le jeune homme fut introduit.

— Oh ! dit-il gaiement, croyant apporter une excellente nouvelle, l'impératrice n'est pas perdue : elle est à Pétersbourg, et la Saint-Pierre y sera magnifique.

— Pourquoi cela ? demanda l'empereur.

— Parce que Sa Majesté a fait prendre les armes à tous les soldats.

La nouvelle était terrible, et redoubla la consternation.

Sur ces entrefaites, un paysan entra, faisant force signes de croix et prosternations.

— Avance, avance, cria l'empereur, et dis ce qui t'amène !

Le paysan obéit ; il tira, sans dire un mot, un billet de sa poitrine, et remit le billet à l'empereur.

Ce paysan, c'était le valet travesti que nous avons vu partir de Saint-Pétersbourg, avec ordre de ne remettre le billet qu'au prince lui-même.

Le billet contenait ces mots :

« Les régiments des gardes sont soulevés, l'impératrice est à leur tête. Neuf heures sonnent ; elle entre dans l'église de Kasan, le peuple paraît suivre ce mouvement, et les fidèles sujets de Votre Majesté ne se montrent point. »

— Eh bien, messieurs, s'écria l'empereur, vous voyez si j'avais raison !

Le chancelier Voronzof, l'oncle de la favorite et de la princesse Daschkof, qui avait une nièce dans chacun des deux camps, s'offrit alors de partir pour Saint-Pétersbourg comme négociateur.

Son offre fut acceptée. Il partit à l'instant même ; mais ce ne fut, comme nous l'avons vu, que pour prêter serment à l'impératrice.

Cependant, le grand chancelier mit une condition à son serment :

C'est qu'il ne la suivrait pas dans son expédition militaire, mais, au contraire, qu'il serait mis aux arrêts chez lui, sous la garde d'un officier qui ne le quitterait pas.

Ainsi, en homme prudent, le grand chancelier, quel que fût l'événement, s'assurait des deux côtés.

Du côté de Catherine, il avait prêté serment ; donc, c'était un ami.

Du côté de Pierre III, il avait été mis aux arrêts ; donc, ce n'était pas un ennemi.

Le grand chancelier parti pour Pétersbourg, Pierre III avisa aux moyens de faire face à l'orage.

Il avait à Oranienbaum trois mille hommes de ses troupes du Holstein sur lesquels il pouvait compter.

Il avait sous les yeux, à cinq ou six verstes de distance,la forteresse de Cronstadt, imprenable.

L'empereur commença par envoyer l'ordre à ses troupes du Holstein de venir en hâte avec du canon.

On dépêcha sur tous les chemins par lesquels on pouvait venir de Saint-Pétersbourg des hussards pour avoir des nouvelles ; dans tous les villages, des courriers pour rassembler les paysans, et, vers tous les régiments qui défilaient aux environs, des estafettes pour presser leur marche vers Oranienbaum.

Puis, de toutes ces troupes qu'il n'avait pas encore, le tzar nomma généralissime ce chambellan qui était venu lui annoncer la fuite de l'impératrice.

Ces premières mesures une fois prises, comme si sa tête n'avait plus une pensée raisonnable, il se mit à donner, à la suite les uns des autres, les ordres les plus insensés : que l'on allât tuer l'impératrice, que l'on allât chercher à Saint-Pétersbourg son régiment ; courant à grands pas tout en donnant ces ordres, puis s'asseyant tout à coup, dictant contre l'impératrice deux manifestes remplis des plus terribles injures, les faisant transcrire par des copistes et envoyant de tous côtés des hussards pour répandre ces copies. Enfin, s'apercevant qu'il avait l'uniforme et le cordon prussiens, il jeta bas uniforme et cordon et revêtit un uniforme russe, qu'il surchargea de décorations russes.

Pendant ce temps, la cour errait consternée dans les jardins.

Tout à coup, Pierre III entendit des cris qui lui semblèrent des cris de joie ; il courut à la porte ; on lui amenait le vieux Munich, qui, gracié par lui de la Sibérie, par un sentiment de reconnaissance, ou peut-être par un mouvement d'ambition, venait se rallier à lui.

Ce secours était tellement inespéré, que l'empereur se jeta dans les bras du vieux capitaine, en lui criant :

— Sauvez-moi, Munich ! je ne compte que sur vous.

Mais Munich n'était pas un homme d'enthousiasme ; il envisagea froidement la chose et laissa tomber sur cette espérance de l'empereur la neige de ses cheveux blancs.

— Sire, lui dit-il, dans quelques heures l'impératrice sera ici avec vingt mille hommes et une artillerie formidable. Ni Peterhof ni Oranienbaum ne peuvent tenir ; toute résistance, au point où en est l'enthousiasme des soldats, ne servira qu'à faire massacrer Votre Majesté et ceux qui l'entourent. Le salut et la victoire sont à Cronstadt.

— Explique-toi, mon cher Munich, dit l'empereur.

— Cronstadt a une garnison nombreuse, une flotte imposante. Ce rassemblement qui entoure l'impératrice se dispersera comme il s'est réuni, ou, s'il persiste, avec vos trois mille Holsteinois, la garnison et la flotte, vous vous trouverez à force égale.

Cette proposition rendit le courage aux plus effrayés ; un général fut envoyé à Cronstadt, et immédiatement celui-ci expédia son aide de camp pour annoncer que la garnison était demeurée dans le devoir, et qu'elle était déterminée à mourir pour l'empereur si l'empereur se réfugiait au milieu d'elle.

Alors, d'une terreur panique, le pauvre idiot couronné passa à une confiance sans bornes. Ses Holsteinois étaient arrivés, il les passa en revue, et, enchanté de leur bonne mine :

— Il ne faut pas, s'écria-t-il, fuir sans avoir vu l'ennemi.

Munich, qui était pour la retraite immédiate, avait fait approcher les deux yachts du rivage, et tâchait vainement d'y faire embarquer l'empereur, qui perdait son temps en rodomontades, examinant quel parti il pourrait tirer des petites hauteurs qui dominaient la route.

Par malheur pour toutes ces belles dispositions belliqueuses, au moment même où huit heures sonnaient, un aide de camp arriva à fond de train, annonçant que l'impératrice, à la tête de vingt mille hommes, marchait sur Peterhof, et n'en était plus qu'à quelques verstes.

A cette nouvelle, il ne s'agit plus de voir l'ennemi ; l'empereur, suivi de toute sa cour, se précipita vers le rivage, et l'on se jeta dans les barques, en criant :

— Aux yachts ! aux yachts !

— Venez-vous ? dit l'empereur à l'un de ses courtisans qui ne se pressait pas de descendre avec les autres.

— Ma foi, sire, excusez-moi, répondit celui-ci : il se fait tard, le vent est au nord, et je n'ai pas de manteau.

Et le courtisan resta à terre ; deux heures après, il était au côté de Catherine, et lui racontait la façon dont l'empereur s'était embarqué.

On s'enfuit donc vers Cronstadt à force de rames et de voiles.

Mais, depuis le matin, le vice-amiral Talitzine était parti pour Cronstadt, seul dans une chaloupe, défendant sur leur tête à ses rameurs, de dire d'où ils venaient.

Arrivé à Cronstadt, il fut obligé d'attendre la permission du gouverneur pour mettre pied à terre.

Apprenant son grade et informé qu'il était seul, le gouverneur vint au-devant de lui, le fit descendre et lui demanda des nouvelles.

— Je n'en ai point de positives, répondit le vice-amiral ; j'étais à ma maison de campagne, et, comme j'ai entendu dire qu'il y avait du bruit à Saint-Pétersbourg, je suis accouru, attendu que ma place est sur la flotte.

Le commandant le croit et rentre chez lui.

Talitzine guette sa rentrée, et propose à quelques soldats,

qu'il réunit, d'arrêter le commandant ; l'empereur est détrôné, l'impératrice sacrée ; il y aura des récompenses pour ceux qui se réuniront à elle.

S'ils rendent Cronstadt à l'impératrice, leur fortune est faite.

Tous le suivent ; on arrête le commandant, on assemble la garnison et les troupes de mer. Talitzine les harangue et leur fait prêter serment à l'impératrice.

En ce moment, les deux yachts sont en vue.

La présence de l'empereur peut tout remettre en question.

Talitzine fait sonner la cloche d'alarme. La garnison borde les remparts, deux cents canonniers, mèches allumées, se tiennent debout près de deux cents pièces.

A dix heures du soir, le yacht de l'empereur arrive et s'apprête à débarquer son illustre passager.

— Qui vive ? crie-t-on du rempart.

— L'empereur ! répondit-on du yacht.

— Il n'y a plus d'empereur ! cria Talitzine, et, si les yachts font un pas de plus vers le port, j'ordonne de faire feu.

Ce fut un tumulte effroyable à bord du yacht impérial ; le capitaine croyait déjà entendre siffler les boulets. Il prit un porte-voix et cria :

— On s'éloigne ; laissez-nous seulement le temps de déraper.

Et, en effet, le yacht, manœuvrant pour s'éloigner, vira de bord aux cris de « Vive l'impératrice Catherine ! » qui saluaient sa fuite.

Alors, l'empereur se mit à pleurer.

— Oh ! dit-il, je vois bien que le complot était général.

Ce fut presque mourant qu'il descendit dans la chambre du yacht avec Élisabeth Voronzof et son père, les seuls qui osassent le suivre.

Arrivés hors de portée du canon, les yachts s'arrêtèrent ; et, comme l'empereur était incapable de donner aucun ordre, ne sachant que faire, ils coururent des bordées entre la forteresse et la terre.

La nuit s'écoula ainsi.

Munich était sur le pont, tranquille et regardant les étoiles en murmurant :

— Que diable allions-nous faire dans cette galère ?

Pendant ce temps-là, les troupes de l'impératrice s'avançaient sur Peterhof, où l'on croyait rencontrer les soldats holsteinois.

Mais, voyant fuir l'empereur, ceux-ci s'étaient retirés à Oranienbaum, et il ne restait plus à Peterhof que les malheureux paysans armés de faux, que les hussards y avaient réunis.

Orlof, qui marchait en éclaireur, sans s'inquiéter du nombre de ces moujiks, tomba sur eux à grands coups de plat de sabre et les dispersa aux cris de « Vive l'impératrice ! »

Sur ces entrefaites, l'armée arriva, et l'impératrice rentra en souveraine dans ce château que, vingt-quatre heures auparavant, elle avait abandonné en fugitive.

Vers les six heures du matin, l'empereur fit appeler Munich.

— Feld-maréchal, lui dit-il, j'aurais dû suivre vos conseils et je me repens de ne pas les avoir suivis. Mais vous qui avez vu tant d'extrémités, dites-moi, qu'ai-je à faire ?

— Rien n'est perdu, sire, répondit Munich, si toutefois on veut m'écouter.

— Parlez.

— Eh bien, il faut, sans tarder d'un instant, forcer à la voile et à la rame le passage de la forteresse et nous diriger sur Reval, y prendre un vaisseau de guerre et nous rendre en Prusse, où est votre armée, rentrer dans vos États avec quatre-vingt mille hommes, et, dans six semaines, je garantis à Votre Majesté qu'elle sera plus puissante qu'elle ne l'a jamais été.

Les courtisans étaient entrés derrière Munich pour savoir ce qui restait à espérer ou à craindre.

— Mais, dit une voix qui semblait résumer l'opinion générale, les forces des rameurs ne suffiront pas à aller jusqu'à Reval.

— Eh bien, dit Munich, lorsqu'ils seront fatigués, nous ramerons à notre tour.

La proposition n'eut aucun succès parmi cette jeunesse énervée. On affirma à l'empereur que la situation était loin d'être désespérée, qu'il ne convenait pas à un si puissant monarque de quitter ses États en fugitif, qu'il était impossible que la Russie tout entière fût soulevée contre lui, et que toute cette émeute ne pouvait avoir d'autre but que de le rapprocher de sa femme.

L'empereur s'arrêta à cette idée, se décida au raccommodement et mit pied à terre à Oranienbaum, en homme convaincu qu'il n'avait rien autre chose à faire que de pardonner. Sur le rivage, il trouva tous ses domestiques éplorés ; leur consternation réveilla toutes ses craintes.

L'armée de l'impératrice marchait sur Oranienbaum.

Alors, il fit seller un cheval, résolu de fuir seul et déguisé vers la Pologne. Mais Élisabeth Voronzof vint encore combattre cette résolution et l'en faire changer ; elle lui persuada d'envoyer au-devant de l'impératrice, et de lui faire demander, pour lui et elle, l'autorisation de se retirer dans le Holstein. Les domestiques de l'empereur eurent beau s'agenouiller devant lui et lui crier les mains jointes : « Notre père, elle te fera mourir ! » il ne les écouta point, et Élisabeth les éloigna en leur disant : « Malheureux, quel intérêt avez-vous donc à effrayer votre maître ? »

Pierre III alla encore plus loin que ne le proposait sa favorite : de peur d'exaspérer les soldats, il fit démanteler la petite forteresse qui servait à ses amusements guerriers, ordonna de démonter les canons et fit mettre et coucher à terre les armes des soldats. Munich, furieux, arrachait à poignées ses cheveux blancs.

— Si vous ne savez pas mourir en empereur à la tête de vos troupes, sire, dit-il, prenez un crucifix à la main, et les rebelles n'oseront pas vous toucher. Moi, je me chargerai du combat.

Mais, cette fois, sans doute parce qu'elle était mauvaise, l'empereur persista dans sa résolution ; seulement, ayant encore l'espoir qu'il était inutile qu'il s'exilât, il écrivit à Catherine une première lettre, dans laquelle il lui offrait une réconciliation et le partage de l'autorité ; mais l'impératrice ne répondit même pas à cette lettre. Il lui en écrivit alors une seconde, dans laquelle il la priait de lui pardonner, lui demandant une pension et l'autorisation de se retirer dans le Holstein.

Alors, par le général Ismaïlof, l'impératrice lui envoya cet acte d'abdication :

« Durant le peu de temps de mon règne absolu sur la Russie, j'ai reconnu que mes forces ne suffisaient point à un tel fardeau, et qu'il était au-dessus de moi de gouverner cet empire, non seulement souverainement, mais de quelque façon que ce soit. Aussi en ai-je aperçu l'ébranlement, qui aurait été suivi de sa ruine totale et m'aurait couvert d'une honte éternelle. Après avoir donc mûrement réfléchi là-dessus, je déclare, sans aucune contrainte, et solennellement, à l'empire de Russie et à tout l'univers, que je renonce pour toute ma vie au gouvernement dudit empire, ne souhaitant d'y régner ni souverainement ni sous aucune autre forme du gouvernement, sans aspirer même à y parvenir jamais par quelque secours que ce puisse être ; en foi de quoi, je fais ce serment devant Dieu et tout l'univers, ayant écrit et signé cette renonciation de ma propre main. »

Le porteur de cette abdication était chargé de dire à Pierre III que l'impératrice était entourée d'hommes tellement exaspérés contre lui, qu'elle ne répondait pas de sa vie s'il refusait de signer.

Ismaïlof pénétra près de l'empereur, accompagné seulement d'un domestique dévoué ; et, comme l'empereur hésitait :

— Sire, lui dit-il, je vous arrête au nom de l'impératrice.

— Mais je vais signer, se hâta de dire l'empereur.

— Il s'agit non seulement de signer, mais encore de transcrire l'acte tout entier de votre main.

L'empereur soupira, prit une plume, copia l'acte et signa.

Seulement, il ajouta sur un papier à part :

« Je désire qu'on m'envoie mon chien Mopre, mon nègre Narcisse, mon violon, des romans et ma Bible allemande. »

Mais tout n'était pas fini, et l'ex-empereur n'était point assez humilié. Ismaïlof lui ôta son grand cordon.

Puis il le fit monter dans sa voiture avec sa maîtresse et son favori, et le ramena à Peterhof.

Il lui fallut traverser les rangs des soldats, qui le saluèrent du cri de « Vive Catherine ! »

On s'arrêta devant le grand escalier. L'empereur descendit le premier, puis Élisabeth Voronzof. Mais à peine celle-ci eut-elle mis pied à terre, qu'elle fut enlevée par les soldats, qui lui arrachèrent son cordon de Sainte-Catherine et déchirèrent ses vêtements.

Goudovitch venait après, les soldats le huèrent ; mais lui se retourna, les appelant lâches, traîtres, misérables.

Un flot de soldats l'emporta, comme il avait emporté Élisabeth Voronzof.

L'empereur monta seul, pleurant de rage. Dix ou douze hommes le suivaient.

— Déshabille-toi, lui dit l'un deux.

Alors, il jeta son épée, qu'on lui avait laissée, et dépouilla son habit.

— Encore ! encore ! crièrent les rebelles.

Et il lui fallut ôter tous ses vêtements.

Pendant dix minutes, il resta pieds nus et en chemise exposé aux brocards des soldats.

Enfin, on lui jeta une vieille robe de chambre, qu'il revêtit ; après quoi, il se laissa tomber dans un fauteuil, inclinant sa tête dans ses mains, se bouchant les yeux et les oreilles, comme s'il eut voulu échapper à ce qui se passait autour de lui.

Pendant ce temps, l'impératrice recevait dans la chambre d'apparât et se faisait une nouvelle cour. Tout ce qui, trois jours auparavant, entourait Pierre III, l'entoura à son tour.

Toute la famille Voronzof y vint et se mit à genoux.

La princesse Daschkof s'agenouilla comme ses autres parents, et, s'adressant à l'impératrice :

— Madame, dit-elle, voilà toute ma famille, que je vous ai sacrifiée.

L'impératrice s'était fait apporter le cordon et les pierreries d'Élisabeth Voronzof, et elle les donna à sa sœur, qui les prit sans aucune hésitation.

En ce moment, Munich entra.

— Ma foi; madame, dit-il, j'ai été longtemps à me demander quel était l'homme, de vous ou de Pierre III, et, comme il paraît que décidément c'est vous, je viens à vous.

— Vous avez voulu me combattre, Munich, lui dit l'impératrice.

— Oui, madame, répondit celui-ci, je vous l'avoue franchement mais, maintenant, mon devoir, au lieu de combattre contre vous, est de combattre pour vous.

— Et vous ne parlez pas des conseils que vous pouvez me donner, Munich, et qui sont le fruit de connaissances acquises pendant les longues années que vous avez passées dans la pratique de l'art de la guerre, et dans l'exil.

— Ma vie étant à vous, madame, répondit Munich, tout ce que je puis avoir acquis d'expérience pendant cette vie est à vous aussi.

Le même jour, Catherine revint à Saint-Pétersbourg, et son retour fut un triomphe non moins éclatant que l'avait été son départ.

Le lendemain, l'impératrice envoya, sous le commandement d'Alexis Orlof, suivi de quatre officiers choisis et d'un détachement d'*hommes doux et raisonnables* — c'est elle qui le dit — l'empereur à Ropcha.

Au nombre de ces *officiers choisis* et de ces *hommes doux et raisonnables*, était un nommé Teplof, le plus jeune des princes Bariatinsky, et le lieutenant Potemkine, l'homme à la dragonne.

Cinq ou six jours après l'arrivée de l'empereur à Ropcha, le 19 juillet, Teplof et Alexis Orlof, laissant dans l'antichambre Potemkine et Bariatinsky, entrèrent dans la chambre de l'empereur, auquel on venait de servir son repas, et lui annoncèrent qu'ils voulaient déjeuner avec lui.

Selon l'usage adopté en Russie, on commença par servir des salaisons et de l'eau-de-vie.

Orlof présenta à l'empereur un verre empoisonné.

Pierre III, sans défiance aucune, avala le contenu ; mais, au bout de quelques minutes, il commença à ressentir d'atroces douleurs.

Alors, Alexis, de la même bouteille, lui versa un second verre, qu'il voulut le forcer à boire.

Mais l'empereur se débattit et appela au secours.

Alexis Orlof, qui était, nous l'avons déjà dit, d'une force prodigieuse, se jeta sur lui, le renversa sur le lit, le maintenant sous son genou et lui serrant la gorge entre ses mains, tandis que Teplof l'empalait, à ce que l'on assure, avec une baguette de fusil rougie au feu.

Les cris que l'on avait entendus allèrent s'affaiblissant et finirent par s'éteindre.

Pierre III, confié à quatre officiers choisis, et à une escorte d'hommes doux et raisonnables, était mort, Catherine nous l'a dit, d'un flux hémorrhoïdal qui lui avait laissé l'estomac sain, mais qui lui avait *causé une inflammation dans les boyaux*.

Le même jour, au moment où l'impératrice commençait son dîner, on lui remit la lettre suivante ; le messager, vu le grand intérêt de la lettre, s'excusait de la déranger au milieu de son repas.

En effet, la lettre, on va le voir, avait une grande importance. Elle était d'Alexis Orlof.

Il écrivait :

« Comment te dire, impératrice notre mère, ce que nous avons fait ? C'est, en vérité, une fatalité ! Nous sommes allés voir ton époux, et prîmes du vin avec lui. Je ne sais comment, en cet état d'ivresse, les paroles se sont succédé, mais nous avons été si grièvement offensés, qu'il a fallu en venir aux mains. Tout à coup, nous voyons qu'il tombe raide mort ; que faire ? Prends nos têtes si tu veux, ou bien, clémente mère, pense que ce qui est passé ne saurait être réparé, et pardonne-nous notre méfait !

« *Alexis Orlof.* »

La *clémente mère*, non seulement pardonna le méfait, mais encore fit Alexis Orlof comte de l'empire.

Dans la nuit du dimanche au lundi, par ordre de l'impératrice, le corps de Pierre III fut rapporté à Saint-Pétersbourg, et exposé sur un lit de parade au couvent de Nevsky.

Le visage était noir, et le cou déchiré.

Mais la question n'était point que l'on devinât de quelle façon l'empereur était mort ; la question était qu'on ne doutât point de sa mort.

On craignait les faux Démétrius ; on prévoyait Pougat chef.

Après quoi, l'empereur fut enterré sans pompe dans le même couvent.

Nous avons vu Paul Ier, à son avènement au trône, le tirer du tombeau, lui faire de superbes obsèques, et forcer Alexis Orlof et Bariatinsky, les seuls survivants du terrible drame, à conduire le deuil.

Ils portaient chacun un des coins du drap qui recouvrait le corps de leur victime !

TABLE

Imprimé sur les presses
de l'Imprimerie Saint-Joseph,
Montréal.

9

104